L'obsession de Knight

L'obsession de Knight

C C Gibbs

Traduit de l'anglais par
Guy Rivest

Cette publication est publiée en accord avec Grand Central Publishing.
Édition originale publiée en 2012 par Quercus, 55 Baker Street, 7th floor, South Block, London, W1U 8EW.

Éditeur : François Doucet
Traduction : Guy Rivest
Révision linguistique : Féminin pluriel
Correction d'épreuves : Nancy Coulombe, Carine Paradis
Montage de la couverture : Matthieu Fortin
Photo de la couverture : © Thinkstock
Mise en pages : Sébastien Michaud
ISBN papier 978-2-89752-573-6
ISBN PDF numérique 978-2-89752-574-3
ISBN ePub 978-2-89752-575-0
Première impression : 2015
Dépôt légal : 2015
Bibliothèque et Archives nationales du Québec
Bibliothèque Nationale du Canada

Éditions AdA Inc.
1385, boul. Lionel-Boulet
Varennes, Québec, Canada, J3X 1P7
Téléphone : 450-929-0296
Télécopieur : 450-929-0220
www.ada-inc.com
info@ada-inc.com

Diffusion

Canada :	Éditions AdA Inc.
France :	D.G. Diffusion
	Z.I. des Bogues
	31750 Escalquens — France
	Téléphone : 05.61.00.09.99
Suisse :	Transat — 23.42.77.40
Belgique :	D.G. Diffusion — 05.61.00.09.99

Imprimé au Canada

Participation de la SODEC.
Nous reconnaissons l'aide financière du gouvernement du Canada par l'entremise du Fonds du livre du Canada (FLC) pour nos activités d'édition.
Gouvernement du Québec — Programme de crédit d'impôt pour l'édition de livres — Gestion SODEC.

Catalogage avant publication de Bibliothèque et Archives nationales du Québec et Bibliothèque et Archives Canada

Gibbs, C. C.

[Knight's Game. Français]
L'obsession de Knight
(La trilogie Tout ou rien ; 2)
Traduction de : Knight's Game.
ISBN 978-2-89752-573-6
I. Rivest, Guy. II. Titre. III. Titre : Knight's Game. Français.

PS3607.I2254K54214 2015 813'.6 C2015-940521-1

CHAPITRE 1

Paris, février

Dominic Knight jeta un coup d'œil par la vitre de la voiture et fit un demi-sourire. Même par une journée grise d'hiver, même avec la pagaille dans sa tête, Paris lui donnait l'impression que la vie valait la peine d'être vécue. Parmi toutes les grandes villes du monde, seule celle-ci offrait des plaisirs avec un sens pratique discret : suave, cultivée, fortement animée, audacieuse, avide de gagner de l'argent ou de le dépenser. Tout ce qui pouvait vous faire lever le matin ou vous garder éveillé la nuit.

Dans cette ville, il y avait bien peu de règles.

Malheureusement, même l'*idée* de plaisir fit tout à coup remonter à la surface plusieurs souvenirs traîtres, douloureux, figés dans le temps, magnifiques, et une pure sensation de manque lui noua l'estomac. Émettant un soupir presque inaudible, Dominic se laissa glisser un peu plus sur son siège, le visage sombre et sa mauvaise humeur revenue. Merde, combien de temps allait durer ce supplice ?

Étant un amateur quand il s'agissait de personnaliser ses émotions, il n'en avait aucune idée.

Ce qui caractérisait assez bien toute sa relation avec Katherine Hart. Fraîchement diplômée du MIT, elle avait signé un contrat à titre de consultante en technologies de l'information avec les Entreprises Knight et, en seulement deux semaines, avait complètement bouleversé la vie de Dominic. Avant Katherine, ses relations avec les femmes s'étaient réduites à un modèle bien établi : tu rencontres une femme, tu la désires, tu la baises, puis tu la congédies poliment.

Parfaitement normal.

Puis, tu baises quelqu'un comme Katherine de manière plus ou moins continue pendant une semaine. C'est sept jours complets.

Absolument anormal.

Tu quittes cette femme.

Retour à la normale.

Mais tu ne peux pas la sortir de ta tête. Ne peux pas manger. Ne peux pas dormir. L'alcool devient subitement ton meilleur ami.

C'est à ce moment que la situation devient folle.

C'est à ce moment que la normalité disparaît complètement.

Là où le foutu quotient de souffrance atteint une hauteur stratosphérique.

— Tu penses trop, marmonna-t-il. Arrête de penser. *Agis.*

Et le fait de s'en foutre était toujours un plan de match utile.

Épuisé de débattre en lui-même de cette question, il sortit son téléphone cellulaire de la poche de son t-shirt, se redressa sur le siège arrière de la Mercedes noire et fit défiler sa liste de contacts. Mais il hésita une fraction de seconde de plus parce qu'il savait que cet appel pourrait rouvrir des portes qu'il valait mieux laisser fermées. Une rapide inspiration, un dernier moment de doute… puis, il appuya sur le nom.

Quand son contact à Londres décrocha, Dominic dit :

— C'est Nick. Tu as une minute ?

— Bon Dieu, que veux-tu ? fit une voix avec un accent je-sais-tout de Brooklyn.

— Ta femme, mais elle n'arrête pas de refuser, répondit Dominic avec un petit sourire dans la voix.

— C'est parce que tes antécédents avec les femmes sont merdiques. Où es-tu ?

— Je me dirige vers Paris à partir de l'aéroport. J'arrive de Hong Kong. J'ai besoin d'un service.

— Puisque je t'en dois au moins une vingtaine, dis-moi.

Dominic avait présenté Justin Parducci à son épouse, ce qui suffisait pour qu'il consente à l'aider. Mais les transactions d'affaires que Dominic avait transférées dans la division des investissements de Justin chez CX Capital avaient rapporté une fortune à ce dernier.

— Ce que je vais te dire est strictement confidentiel, l'avertit Dominic. Je n'ai absolument rien à voir dans ça.

— Merde, as-tu tué quelqu'un ?

— Si c'était le cas, je ne t'appellerais pas.

— Parlant de ça, comment va Max ?

— Il se complaît dans la vie familiale à Hong Kong, en ce moment.

— Qui l'aurait cru ! s'exclama Justin en sifflant doucement.

— Tu peux bien parler. J'ai entendu dire que vous attendiez un autre enfant. Tu tiens Amanda occupée.

— Elle en veut quatre. Je n'ai aucune idée pourquoi, mais…

— Tu es prêt à lui prêter main-forte, répondit Dominic sur un ton comique.

— Je suis plus que prêt. Soit dit en passant, merci de l'avoir emmenée à la réception de mariage de George. Au risque de paraître trop sentimental, nous sommes incroyablement heureux.

— Heureux d'entendre ça, dit Dominic en faisant un effort pour garder une voix neutre, la situation nihiliste de sa propre vie, oppressante.

— C'est encore mieux de vivre le rêve, fit joyeusement remarquer Justin, inconscient des nuances dans le ton de Dominic. Je commence à considérer Londres comme mon foyer maintenant que j'ai une femme et un enfant et un autre qui s'en vient. Et toi ? Tu es à Paris pour longtemps ou seulement de passage ?

— Je n'ai pas décidé.

Cette fois, Justin remarqua son ton — la réponse brusque ne ressemblait pas au ton réservé habituel de Nick. Non pas qu'il allait demander une explication à un homme comme Dominic Knight dont la vie privée était une chasse gardée.

— Alors, que puis-je faire pour toi ?

Dominic lui expliqua ce dont il avait besoin : quelqu'un qui pourrait proposer à Katherine Hart un contrat à titre de consultante ; quelqu'un en technologies de l'information qui était responsable de son propre budget et de l'embauche. Quelqu'un qui saurait se taire.

— Tu connais quelqu'un comme ça ?

— Les technologies de l'information sont hors de mon domaine. Laisse-moi réfléchir…

— Demande autour de toi si nécessaire, puis rappelle-moi.

— Attends, attends… Je pense que Bill pourrait faire l'affaire. Discret, indifférent à l'instinct grégaire, accommodant. Il est au bureau de CX Capital Singapour, vice-président à la sécurité maintenant, et c'était auparavant le gourou en chef de la technologie. Il serait heureux de m'aider pour des services rendus dans le passé.

— Parfait, répondit Dominic. Je me charge de toutes les dépenses : nourriture, logement, transport, salaire, fleurs... elle devrait avoir des nouvelles fleurs dans sa suite tous les jours. Demande à ton gars chez CX Capital de m'envoyer les factures par ton entremise. Et Mlle Hart devra être *bien* rémunérée — pas bien selon tes critères, mais bien selon les miens, précisa-t-il. De toute façon, compte tenu des récents scandales à la succursale de Singapour de CX Capital, je serais porté à croire qu'ils cherchent quelqu'un qui possède ses aptitudes. Quant à un prétexte plausible, demande à ton gars...

— Bill McCormick, intervint Justin. On peut se fier à lui comme à un scout.

— Il vaut mieux. Demande à McCormick de dire à Mlle Hart qu'il a entendu parler d'elle par les banquiers de Sander Global qui pleuraient dans leurs verres au Racket Club.

Dominic poursuivit en racontant sa querelle à propos des 20 millions de dollars avec la banque. Comment l'argent avait été siphonné à partir de l'usine de Bucarest, déplacé par maints détours au moyen de virements télégraphiques secrets avant d'atteindre finalement la banque de Singapour. Grâce à son expertise, Kate avait retrouvé l'argent; et à la suite de son explication aux banquiers ainsi que des menaces plus directes de Dominic, l'argent avait été remis.

— McCormick n'a qu'à fixer son prix pour sa collaboration et tu me diras le montant. Mais son baratin doit être convaincant et j'insiste là-dessus. Si Mlle Hart découvre que j'ai quoi que ce soit à voir avec ça, je vais moi-même t'arracher les couilles.

— OK, OK, c'est compris. Cette poupée doit vraiment sortir de l'ordinaire.

Comme les femmes ne constituaient pas un sujet personnel pour Nick, il était abordable.

— Elle n'est pas seulement une poupée. Elle est brillante ; une des meilleures comptables judiciaires dans son domaine. Je veux qu'elle fasse de l'argent.

— Comme tu veux, répondit Justin d'un ton mielleux en se disant que la dame avait également été assez brillante pour se faire désirer. Pourquoi n'accepte-t-elle pas de l'argent de toi ?

— Aucune idée.

— Tu perds ton doigté, Nick ?

— Ouais, de même qu'à peu près tout le reste.

Merde. Si ce n'était pas là un puits sans fond de détresse… Et à propos d'une foutue femme.

— Je m'en occupe tout de suite, fit immédiatement Justin en songeant qu'il devait appeler Max, l'ex-agent du MI-6, aide de camp, aristocrate et combinard, pour obtenir l'histoire de cette fille qui avait fait en sorte que Nick voie dorénavant les femmes comme autre chose qu'un divertissement.

— Aussitôt que tout sera réglé, je te rappelle. Une question comme ça : que fait-on si elle dit non à McCormick ?

— Il n'est pas idiot, n'est-ce pas ? Assure-toi qu'il lui fait une offre qu'elle ne pourra pas refuser. Et tiens-moi au courant, ajouta rapidement Dominic. Quotidiennement.

Deux jours plus tard, le téléphone de Kate sonna. Elle était au lit, son appartement de Boston assombri par les rideaux tirés, le film de samouraï qu'elle regardait d'humeur plus sombre encore, et quand elle tira son téléphone cellulaire de sous sa boîte de beignets et une pile d'enveloppes de hamburgers au fromage, elle dut plisser les yeux pour voir l'écran. Département de la comptabilité du MIT ? Vraiment ? Avait-elle envie d'être polie alors qu'elle avait sombré dans l'apitoiement sur soi-même depuis son départ de Hong Kong ?

La raison prévalut. Elle décrocha. Le chef de département lui-même appelait pour lui offrir un travail. Il avait été embauché par un banquier qui s'intéressait à ses talents de comptable judiciaire. Pouvait-elle venir à Singapour et avoir un entretien avec lui ? Ou accepter un appel ?

Elle allait prendre l'appel même si elle fut immédiatement soupçonneuse. En manipulateur qu'il était, Dominic était probablement dans le coup.

Mais quand elle parla à William McCormick, il semblait honnête. Il avait entendu parler d'elle par les banquiers de Sander Global à Singapour, des amis à lui. Évidemment, ils avaient été fâchés d'avoir rédigé un chèque de 20 millions de dollars, mais son expertise les avait impressionnés. Et CX Capital Singapour avait besoin d'une personne qui puisse effectuer une vérification de sécurité approfondie de leurs principaux comptes d'investissement. Les surveillants de leur système informatique leur avaient dit que tout allait bien, mais après le scandale survenu deux semaines plus tôt, alors que leur accès à leurs comptes avait été bloqué pendant une journée entière, ils désiraient avoir une deuxième opinion en particulier sur les possibles incursions dans leurs fonds monétaires.

Après lui avoir posé quelques questions, Kate était pratiquement certaine que William McCormick n'avait jamais rencontré Dominic et ne le connaissait pas autrement que par ce qu'il avait entendu à son sujet de la part de ses amis chez Sander Global.

Il mentionna que les deux banquiers de Sander Global impliqués dans le scandale avaient maintenant passé avec succès un test de sécurité.

Si McCormick espérait entendre des potins, il s'adressait à la mauvaise personne. Kate lui expliqua que la majeure partie de la conversation avec les banquiers de Singapour s'était déroulée en mandarin et qu'elle n'avait rien compris. Et franchement, comme elle ignorait ce que Dominic avait dit aux deux hommes pour les menacer, elle n'aurait pas pu lui en parler de toute façon.

William McCormick poursuivit en lui offrant un salaire considérable pour le projet. Il dit également qu'il lui enverrait par courriel un billet d'avion en première classe, si elle souhaitait accepter le contrat.

— Puis-je y réfléchir cette nuit ?

— Certainement.

— Je vous rappelle demain, termina-t-elle poliment.

Après avoir raccroché, elle se laissa retomber sur ses oreillers, fixa le plafond, puis soupesa, digéra et passa en revue chaque mot de leur conversation en essayant de décider s'il y avait une quelconque possibilité que Dominic ait trempé dans l'affaire.

Elle décida finalement que ce n'était probablement pas le cas. Et ayant vu de quelle façon fonctionnait Sander Global, si CX Capital avait recours à un système de sécurité si inefficace, ils avaient besoin d'elle.

Écartant les couvertures, elle sortit du lit où elle s'était installée depuis son retour de Hong Kong, se complaisant dans la mélancolie. Même si elle savait que c'était incroyablement stupide de pleurer sa relation avec quelqu'un comme Dominic Knight qui pouvait avoir n'importe quelle femme qu'il voulait et le faisait probablement. Cet appel, c'était peut-être le destin qui lui disait qu'il était temps d'oublier un salaud éhonté, sans cœur, *malheureusement trop séduisant et sexuellement talentueux.* À classer sous la rubrique extrêmement sexy, mais non disponible. Les femmes lui passaient à travers les mains à vitesse grand V.

Et c'est ainsi qu'il aimait ça.

Lissant sa chemise de nuit à l'effigie de *Roadrunner* qui était complètement fripée après des jours au lit, elle marcha jusqu'à la pile de bagages et de contenants de bouffe rapide qui parsemaient son appartement, s'arrêta à l'une des fenêtres, écarta les rideaux et cligna des yeux comme si elle venait d'émerger d'une grotte. Un soleil éclatant, le monde extérieur toujours intact. Une rue vide à cette heure du jour, la neige fondante accumulée le long du trottoir, sale et grise; de la neige de ville, contrairement à la neige sur le lac.

Elle *pouvait* retourner à la maison. Nana l'attendait.

Mais il vaudrait mieux qu'elle *fasse* quelque chose plutôt que de retourner chez sa grand-mère et de rester déprimée, mais dans un environnement différent. Elle avait pensé vérifier si certains des emplois qui lui avaient été offerts étaient encore disponibles, mais n'avait fait qu'y *penser*. À la place, elle était restée au lit, enveloppée dans une obscurité triste, à regarder des films tristes, à enfoncer un clou après l'autre dans le cercueil de son sentiment d'impuissance et de désespoir. Elle souhaitait atteindre le moment où elle pourrait enterrer son immense tristesse et poursuivre sa vie.

Mâchouillant sa lèvre inférieure, elle passa de nouveau en revue sa conversation avec William McCormick, analysa et disséqua chacune de ses répliques. Des réponses simples, non compliquées, sans hésitation quand le nom de Dominic avait surgi. Si elle avait à parier, elle dirait qu'il ne connaissait vraiment pas le salaud de milliardaire égoïste.

Mais sa rancœur personnelle mise à part, l'idée de travailler pour elle-même *était* attrayante.

Elle aimait son indépendance — les questions liées à Dominic Knight représentant bien sûr une exception… mais, dans ce cas, la situation avait surtout à voir avec des séances de sexe *incroyables*. Dans le monde réel, elle n'aimait pas l'autorité, préférait travailler seule, était par elle-même très motivée.

On lui offrait donc une expérience de travail incommensurable.

Mais même si en son for intérieur elle avait des doutes sur le fait que Dominic n'ait pas été tout à fait absent de l'équation, elle ne pouvait réprimer son excitation. Il s'agissait là d'une magnifique occasion et de ce qui semblait être un contrat fabuleux. Qui plus est, avec le salaire de Dominic et celui de McCormick, elle allait se trouver en sécurité financière pour au moins trois ans.

Elle sourit tout à coup, se sentant quelque peu emballée, même légèrement inspirée, pour la première fois depuis qu'elle était revenue chez elle. Elle adorait se mesurer à de possibles pirates, épluchant les couches de fraudes potentielles, pénétrant dans les eaux sombres où le marché noir exerçait ses activités.

Alors, pourquoi pas ? Il n'y avait réellement aucun aspect négatif.

Et c'était un jeu qu'elle adorait.

Oups, mauvaise formulation — l'idée de jouer des jeux provoqua un torrent de souvenirs lascifs. Sérieusement, c'était là une autre raison pour elle de réintégrer le travail. Elle avait besoin d'une myriade de distractions. La masturbation, c'était bien, mais c'était loin de suffire.

Elle s'éloigna de la fenêtre et téléphona aussitôt à sa grand-mère.

— Devine quoi, Nana ?

— Ça doit être bien. Tu sembles joyeuse.

— Ça l'est. On vient tout juste de m'offrir un contrat alléchant. Plein d'argent, un bel hôtel, un billet d'avion en première classe et même ma nourriture ; tout ça fait partie du contrat.

Le fait que Katie n'ait pas été au bord des larmes représentait la meilleure nouvelle.

— Raconte-moi tous les détails, mon ange.

— CX Capital, une banque dont le site Internet a été récemment bloqué par des pirates. Aussitôt que je le désire. Singapour. Et ils ont besoin de moi…

— En tant que dépanneuse, termina sa grand-mère.

— C'est exactement ça, renchérit Kate en éclatant de rire. Le docteur Seuss et moi à la rescousse.

Elle avait tellement adoré ces livres pendant son enfance qu'elle les avait tous mémorisés avant même d'atteindre quatre ans.

— Je vais arrêter te voir avant de partir.

— Super. Toutefois, je dois t'avertir que tu risques de devoir supporter de prendre un café avec mes compagnes de bridge. Je leur ai dit comment tu étais devenue une grande voyageuse.

— Je vois que tu ne rates pas une occasion de mettre en colère Jan Vogel.

— Cela va sans dire, dit Nana en pouffant de rire. Quand il s'agit de se vanter, personne ne vient à la cheville de Jan de toute façon. Elle me dépasse de loin parce que je suis polie, alors je m'attends à ce que tu lui racontes une bonne histoire.

L'histoire que Kate avait à raconter ferait dresser les cheveux sur la tête de Jan Vogel, mais ce n'était pas pour consommation publique.

— J'ai pu voir comment vivaient les gens riches et célèbres. Je pourrais décrire la maison de Dominic Knight à Hong Kong. Et son avion privé. Et la flotte de Mercedes à sa disposition.

C'était bien que Katie puisse parler de Dominic Knight sans devoir ravaler ses larmes. Un véritable pas en avant, en fait.

— Ça semble emballant, dit Nana. Mais vraiment, j'aimerais te mettre en valeur. Tu sais ça. Alors, parle de ce que tu veux.

— C'était un autre monde, Nana. Tu ne croirais pas en un tel luxe, les innombrables serviteurs, les superbes décors, la nourriture divine et les vins dispendieux. Et ils tiennent tout ça pour acquis.

— Je suis heureuse que tu aies pu voir ça, commenta gentiment Nana. La plupart des gens ne le peuvent pas. En tout cas, les gens que nous connaissons.

— Tu as raison, fit Kate en soupirant. C'était sans aucun doute une occasion à ne pas rater.

— Peut-être que ton travail à Singapour sera tout aussi emballant. On ne sait jamais.

— C'est possible, répliqua Kate poliment, alors que ça ne pourrait l'être sans Dominic. Je vais appeler le banquier et lui dire que j'accepte l'emploi, et je t'aviserai quand j'irai te voir.

— N'importe quand, mon ange. Leon et moi allons t'attendre. Est-ce que je t'ai dit qu'il avait pris une dizaine de kilos ? Il ressemble au poney que tu as toujours voulu.

— Celui que grand-père ne voulait pas dans son garage, dit Kate en riant.

— Il arrivait que ton grand-père ne te donne pas tout ce que tu voulais, fit Nana d'un ton comique.

— Seulement cette fois-là, Nana.

La voix de Kate se fit tremblante et des larmes troublèrent sa vue. Son grand-père avait été un homme gentil, généreux, doté de solides convictions et qui l'adorait. Qui la mettait au défi de toujours tout essayer. Son père Noël et son sergent instructeur tout à la fois.

— Je pense qu'il s'épargnait le fait d'avoir à nettoyer une stalle de poney. À cet âge, il l'aurait fait une fois ou deux, puis ce serait devenu son travail. C'était un homme à l'esprit pratique.

Maintenant, nous ferions mieux de changer de sujet, sinon nous allons nous mettre à pleurer toutes les deux.

— Tu as raison, fit brusquement Kate. Nana, laisse-moi appeler ce McCormick, puis je vais réserver mon vol pour le Minnesota.

Kate appela M. McCormick, accepta son offre, s'occupa de ses réservations d'avion et expédia à Nana un texto lui précisant les détails. Puis, elle commanda une pizza et visionna la fin du film de samouraï tragique pendant qu'elle attendait l'arrivée de la nourriture — une raison de plus pour retourner au travail. Ses récentes habitudes en matière de nourriture étaient épouvantables. Si elle continuait à paresser au lit et à se faire livrer des aliments, elle pèserait bientôt 100 kilos.

Quand le film prit fin, Kate décida soudainement d'appeler Meg, sa colocataire, qui travaillait sur un site de fouilles de dinosaures, pour lui dire qu'elle allait arrêter à Missoula pendant un jour ou deux en route pour Singapour.

Elle en était venue à la conclusion qu'il était temps de voir si un autre homme pouvait enflammer sa libido. Après trois jours de chagrin sans relâche, elle était prête à essayer n'importe quoi pour guérir sa peine d'amour. Et qui de mieux que Meg pour la remettre en selle.

La reine du sexe pour le plaisir, laissez votre cœur à la porte, les prénoms suffiront.

Meg émit de petits cris de joie perçants quand Kate lui apprit qu'elle allait lui rendre visite.

— Vraiment ? Tu viens me voir ? Ce que j'ai hâte !

— J'ai l'impression que tu as beaucoup de plaisir là-bas, dit Kate. Je n'ai pas vraiment à faire de détour pour arrêter à Missoula en me rendant à Singapour et je n'ai *aucun* plaisir ici, alors j'ai pensé que…

— Hé, qu'est-ce que c'est que cette voix qui semble annoncer la mort de quelqu'un ? OH, merde, ne me dis pas…

— Non, non, Nana va bien. Mais — Kate soupira — dis-moi qu'on ne peut pas mourir d'avoir le cœur brisé.

— Oh, mon Dieu ! Tu n'as pas fait ça ! Oh, bon Dieu, dit Meg comme si elle avait le don de télépathie. Tu l'as vraiment fait. Tu as couché avec le milliardaire.

— On peut dire ça — un soupir grincheux, cette fois —, ouais. Maintenant, je n'arrête pas de pleurer.

— Écoute-moi, ma chérie, dit Meg du ton de quelqu'un qui parle pour votre bien. Je vais être brutalement franche. Premièrement, tu n'es pas Cendrillon. Deuxièmement, si tu l'étais, Dominic Knight n'est vraiment pas du genre princier. Troisièmement, ce qui a pu se passer n'avait rien à voir avec l'amour et, quatrièmement — et le plus important —, même si tu crois que ton cœur est brisé, personne ne meurt *jamais* de ça. Tu comprends ?

Un long silence.

— Fais-moi confiance, OK ? Je le sais. Tu te souviens de Johnny Dare ? Je m'en suis sortie.

— En moins d'une journée, souligna Kate d'un ton sarcastique.

— Alors, le pire est passé pour toi. Je vais te remettre en forme. Je dois te dire que les hommes d'ici sont des exemples de premier choix de testostérone à haut rendement. Ils chassent, pêchent, domptent des chevaux et, je ne sais pas, fendent probablement du bois quand ils ont du temps à perdre.

La phrase provoqua un petit rire réticent chez Kate.

— Alors, si j'ai un poêle à bois, tu es en train de me dire qu'ils peuvent m'aider ?

— Ils peuvent t'aider de tout plein de meilleures façons encore. C'est garanti.

— Tu as raison, répondit Kate d'un ton un peu brusque, comme si elle croyait vraiment à l'assurance de Meg. Pourquoi entretenir des idées noires ?

— Hé, je ne prétends pas que Dominic Knight n'est pas renversant. Je l'ai suffisamment vu dans les tabloïds, toujours une poupée Barbie à son bras. Mais tu sais qu'il ne fait que des courses sans jamais acheter. Et, parlant de faire des courses — Kate reconnut immédiatement la soudaine animation dans sa voix, ayant connu Meg depuis qu'elles étaient compagnes de dortoir pendant leur première année d'université —, tu pourras faire quelques emplettes aussi. Je vais inviter à une fête tous les superbes amis baraqués de Luke. Tu pourras les examiner et faire ton choix. Quand viens-tu ?

— Probablement vendredi.

— Parfait. J'en aurai une file toute prête. Tu choisiras ton mâle préféré pour une nuit, tu auras du plaisir, et tu oublieras les milliardaires qui ont un symbole de dollar à la place du cœur. Sérieusement, ma chérie, il faut avoir l'esprit pratique, en ce qui concerne les hommes qui possèdent la moitié du monde.

— Je sais. J'essaie vraiment.

— Bien, fit Meg d'une voix chaleureuse, comme un enseignant louangeant un étudiant lent qui a finalement trouvé la bonne réponse à deux et deux font quatre. Maintenant, tu as des préférences pour ton retour au sexe ? Grand, musclé, noir, blond, yeux bleus ; donne-moi un indice.

— Blond, c'est bien.

Quelqu'un qui ne lui rappellerait pas Dominic, quelqu'un qui ne déclencherait pas le moindre souvenir d'un grand salaud aux cheveux noirs.

— D'accord pour un blond. Bon Dieu, je suis tellement heureuse que tu viennes ! Nous allons faire toute une fête !

« Après 10 verres, peut-être », pensa Kate.

— Je suis impatiente d'assister à cette fête, plaisanta Kate.

Mais elle savait qu'une fois à Missoula, elle serait au moins occupée. Meg était une personne volontaire, une personnalité égocentrique qui ne restait pas en place.

— Et merci, ajouta-t-elle poliment. Je me sens mieux, maintenant.

Alors qu'elle ignorait si elle s'était jamais sentie mieux.

— J'aurai tout un tas d'étalons n'attendant que toi, répliqua Meg, débordante de joie. Que des blonds. Et, si j'ose dire, il est drôlement temps.

CHAPITRE 2

Au même moment où Kate dressait des plans avec Meg, Dominic était assis à une table à dîner devant une magnifique blonde divorcée qu'il connaissait depuis des années.

— Je n'arrive pas à croire à quel point je suis chanceuse, mon cher, dit Victoria Melbury en souriant à Dominic par-dessus son verre de vin. Quelles sont les possibilités que je tombe sur toi dans une rue de Paris ?

Tenant compte de la population de Paris et de ses projets concernant son retour de Hong Kong, il sourit et dit :

— Vraiment minces.

Il sortait de sa voiture devant son appartement situé à l'Île Saint-Louis plus tôt dans la journée quand Vicky avait crié son nom. Dominic l'avait rencontrée lors d'une fête à Londres trois ans plus tôt, s'était retrouvé au lit avec elle peu après, et ils avaient eu une séance de sexe mutuellement agréable à ce moment et plusieurs fois depuis.

— J'espère que ça ne te dérange pas, dit-elle en un ronronnement séducteur. Mais je n'allais pas hésiter à te poser la question après que tu aies dit que tu n'étais pas ici pour longtemps.

— Ce n'est pas un problème, fit Dominic en souriant de nouveau. J'allais t'inviter à dîner de toute façon, mentit-il alors qu'il avait en réalité prévu rester seul dans son appartement et noyer sa peine dans le whisky.

— C'est un petit restaurant tellement chouette, dit-elle.

Elle leva une main parfaitement manucurée et, d'un petit geste léger, désigna la pièce avant de tendre le bras et d'effleurer celle de Dominic qui reposait sur la table.

— Je suis tellement heureuse que tu m'aies emmenée ici, poursuivit-elle. Je crois comprendre que le chef est un bon ami à toi.

Le chef était venu les accueillir quand il avait appris que Nick était sur les lieux.

— Guillaume et moi nous sommes rencontrés à Nice il y a quelques années. J'étais heureux quand il a déménagé à Paris.

Le restaurant se situait sur une rue tranquille bordée d'arbres à Montmartre au rez-de-chaussée d'une petite maison qui avait été convertie en un néo-bistro grâce à un investissement de Dominic.

— Il me rappelle cet adorable jeune chef à Monaco. Tu te souviens de ce petit café près de l'eau ? demanda-t-elle en riant joliment. Nous étions un peu audacieux, ce soir-là.

— Je me souviens. Nous étions tous les deux passablement soûls.

Il prit la bouteille sur la table, peu enclin à se souvenir de leur escapade sexuelle en public.

— Encore un peu de vin ?

Elle tendit immédiatement son verre et lui adressa un sourire espiègle.

— Essaies-tu de m'enivrer, cher Nicky ?

— Ce n'est que du bon vin, répondit-il en secouant la tête.

En fait, il essayait de s'enivrer lui-même. Il ne voulait pas être là. Il ne voulait pas voir Vicky à la table devant lui, débordante de flatteries et de faux-semblants, étalant ses nichons, tenant pour acquis qu'ils étaient son meilleur atout. Il avait voulu partir — 20 minutes plus tôt… Seul.

La façon dont Vicky avala son premier plat d'asperges blanches avec une vinaigrette aux anchois lui fit presque perdre l'appétit. Bien que, pour être franc, ce n'était pas sa faute à elle, mais la sienne. Avant Katherine, s'il avait observé Vicky placer délicatement le bout de l'asperge dans sa bouche et le mâchouiller lentement jusqu'à ce qu'elle l'ait complètement avalé, il aurait trouvé la chose amusante. Maintenant, c'était peu attrayant sur plusieurs plans.

S'essuyant délicatement la bouche quand elle eut terminé, elle sourit et pointa un doigt vers les asperges que Dominic avait à peine touchées.

— Tu n'as pas faim, mon cher ?

« Plus maintenant », se dit-il.

— J'aurais dû commander les raviolis, dit-il en jetant un rapide coup d'œil à sa montre.

Puis, il croisa le regard du serveur et inclina la tête vers leurs assiettes.

Pendant que le serveur enlevait leur premier service et remplissait leurs verres, Vicky se pencha vers l'avant pour mieux mettre en valeur son impressionnant décolleté, joliment encadré par l'encolure profonde de sa robe blanche d'angora tricoté.

— Tu sembles de mauvaise humeur, dit-elle d'une voix radoucie. Sombre et dangereux. J'aime ça, murmura-t-elle.

Si elle mentionnait les fouets, il craignit de perdre sa maîtrise.

— Je suis seulement un peu fatigué. Une longue journée de travail.

Il lui adressa un petit sourire et il se demanda s'il était puni pour toutes les injustices de son passé, si quelque dieu malveillant avait placé Vicky à l'Île Saint-Louis au moment exact où il était descendu de sa voiture pour le torturer.

— La blanquette de veau de Guillaume est vraiment délicieuse, dit-il comme si elle n'avait pas mentionné « dangereux », ne souhaitant qu'à changer de sujet. Tu vas l'aimer.

Et prenant son verre, il avala le vin d'un trait, fit signe au serveur de le remplir et but le deuxième sans y goûter.

Deux bouteilles plus tard, il était relativement détendu *ou* légèrement anesthésié. La nourriture était succulente comme d'habitude, le veau extraordinaire, le vin excellent, le serveur toujours prêt à lui verser davantage de vin au moindre regard, le faible bruit des conversations tranquillisant. Vicky n'arrêtait pas de flirter, faisant de son mieux pour l'attirer.

Malheureusement, ses ouvertures ne le touchaient pas.

De toute évidence, elle prévoyait passer la nuit avec lui.

Il y avait eu une époque où il avait été exactement comme elle : une baise était une baise. Mais chaque minute qui passait, chaque remarque séduisante qui lui était adressée, chaque sourire enjôleur, non seulement le laissait indifférent, mais aussi sérieusement démoralisé par son apathie. Depuis quand était-il devenu un eunuque ?

« Ne réponds pas à ça », avertit-il rapidement la petite voix insinuante dans sa tête.

À part ses sentiments sans précédent, ce dont il avait vraiment besoin, c'était une porte de sortie. Mais ses méthodes d'évasion s'étaient rouillées à force de n'avoir pas servi pendant si longtemps — il ne se souvenait pas de la dernière fois où il s'était refusé à une femme. Il commanda une autre bouteille en espérant que l'alcool anéantirait son aversion à l'idée de baiser Vicky.

Malheureusement, ce fut l'effet contraire.

Bien avant la fin du dîner, il sut qu'il était hors de question de ramener Vicky à son appartement. Il commanda un porto rare pour prolonger le repas, puis un autre pour le goût, et c'est à ce moment que Guillaume vint à la table et dit poliment :

— Il me reste deux de ces bouteilles dans le cellier. Viens, Dominic, tu choisiras celle que tu préfères.

Dominic éprouva un tel sentiment de délivrance qu'il ressentit brièvement un éclair de religiosité. Mais sa voix était calme quand il se mit sur pied.

— Si tu veux bien m'excuser, Vicky, je reviens tout de suite.

Dominic jeta un coup d'œil à Guillaume tandis qu'ils entraient dans le corridor arrière.

— Bon Dieu, comment as-tu deviné que j'avais besoin que tu viennes à ma rescousse ?

— Normalement, tu ne bois pas tant que ça. Bertrand l'a remarqué et me l'a dit.

— Bertrand doit être la mère que je n'ai jamais eue, fit Dominic en lui souriant. J'essayais de trouver un moyen de mettre fin à ce dîner. Vicky est adorable, mais je ne suis pas d'humeur à aller plus loin avec elle ce soir.

En souriant, Dominic secoua la tête quand il vit le regard interrogateur de Guillaume.

— Ne me regarde pas comme ça ; je n'ai moi-même aucune idée pour quelle raison.

Les deux hommes avaient fait la fête ensemble à Nice et à Paris, et tous deux aimaient les femmes.

— J'ai besoin d'un plan d'évasion qu'elle ne trouvera pas insultant, bien que si nécessaire, j'irai jusque-là.

— Tu ne te sens pas bien, mon ami[1] ? lui demanda Guillaume en le regardant avec une compréhension toute masculine. Je connais un bon médecin ; ça ne le dérange pas que je l'appelle le jour ou la nuit. C'est un ami de Nice.

— Merci de t'inquiéter pour moi, fit Dominic en souriant, mais je n'ai pas besoin de pénicilline, même si je devrais peut-être mentionner que oui. Ça tempérerait les ardeurs de Vicky.

Guillaume lui répondit par-dessus son épaule en descendant les marches du sous-sol.

— Ce n'est pas comme si tu refusais l'occasion. Si tu n'es pas temporairement hors de combat[2] — il haussa les épaules d'une manière tout à fait française qui exprimait à la fois une question et une certaine commisération —, pourquoi ne pas simplement décliner poliment ?

— Parce que Vicky ne comprend pas les mots « décliner » et « poliment », quand il s'agit de sexe. Ou même le mot « décliner », en général. Elle prend. Alors, aide-moi. Que pourrais-je bien lui dire qui soit un tant soit peu poli ?

Guillaume s'en sortit haut la main. Cinq minutes après que Dominic soit retourné à la table avec sa bouteille de porto, Guillaume revint avec sa femme nouvellement enceinte et demanda à Dominic s'il pouvait l'accompagner à l'hôpital. Ce n'était rien de sérieux, fit-il, mais on lui avait dit de venir la prochaine fois que son pouls s'accélérerait afin de pouvoir le vérifier sur un moniteur.

— Je ne veux pas demander à Guillaume de quitter la cuisine quand le restaurant est bondé, dit Amélie avec un sourire à

1. N.d.T.: En français dans le texte original.

2. N.d.T.: En français dans le texte original.

l'adresse de Dominic, puis un autre, affectueux, pour son mari. Je sais qu'il le ferait, mais…

— Pourquoi le ferait-il quand je peux aider ? Je suis désolé, Vicky, dit-il gentiment avec un air de regret qui, l'espérait-il, paraissait sincère. Je vais demander à mon chauffeur de te ramener chez toi et je te rappellerai demain.

Après avoir résisté quelque peu, Vicky fut placée dans sa voiture, son chauffeur ayant été averti de *ne pas*, quelles que soient les circonstances, l'emmener à l'appartement de Dominic, et celui-ci regarda la voiture s'éloigner avec un profond sentiment de soulagement. Il valait mieux ne pas examiner la chose de trop près.

Et il ne le fit pas.

Quand il s'agissait de sa vie sexuelle, il n'était pas introspectif. Toutefois, il prenait bien soin de demeurer discret. Il se rendit à la cuisine avec son porto, s'assit et s'en versa un verre.

Amélie lui donna un baiser sur la joue, puis se dirigea vers l'escalier.

— Je n'aurais jamais cru voir ce jour, dit-elle avec un petit sourire tordu, son joli visage légèrement penché, ses yeux noirs évaluateurs. Tu n'étais pas intéressé ?

— Je suis aussi surpris que toi, fit Dominic en levant la tête, un soupçon d'amusement dans ses yeux. Ce doit être la vieillesse.

— J'en doute fort. Y a-t-il quelque chose que tu aimerais nous dire ?

Son intuition féminine fonctionnait à plein régime parce qu'elle avait vu Dominic avec la même beauté blonde à Nice deux ans auparavant et il ne s'était pas enfui.

— Je ne voulais pas en parler tout de suite, mais je vais vous acheter un plus grand restaurant si vous donnez mon nom au bébé.

Elle grogna, puis secoua légèrement la tête.

— Garde pour toi tes sombres secrets alors, mais la dame était en colère. Elle te fera payer ça.

— Elle devra d'abord me trouver.

— N'oublie pas que j'ai rencontré ta petite Vicky, fit-elle en lui tapotant légèrement la joue. Elle pourrait te trouver, après tout.

Dominic grogna.

— Tu devras quitter la ville, intervint Guillaume en levant les yeux du roux qu'il brassait. Tu l'as déjà fait.

— Je ne peux pas. Je suis ici pour une réunion. Je vais devoir adopter le plan B.

Lequel se trouva être au George V. En s'inscrivant, Dominic demanda à ce que sa présence demeure confidentielle. Rassuré sur ce point, il s'installa dans la suite présidentielle jusqu'à la réunion avec les investisseurs intéressés au projet de forage de terres rares au Groenland. La première réunion à Hong Kong s'était terminée de manière abrupte quand Katherine avait aperçu quelques photos compromettantes sur l'ordinateur portable de Dominic. Il avait immédiatement fait évacuer la pièce, essayé de s'excuser auprès d'elle et échoué.

Parce que les photos qui étaient apparues sur sa messagerie avaient pour sous-titre « Images de Noël ». Et les trois femmes nues dans le lit de Dominic — le même que lui et Kate avaient partagé — pratiquaient un jeu sexuel d'un goût particulier ; les photos prises dans son studio de tai-chi sur le fichier avaient été encore plus obscènes.

Ce malheureux contretemps avait mis fin à leurs vacances à Hong Kong. Et il n'avait pas revu Katherine depuis.

Entre-temps, il s'était plongé dans les affaires de sa compagnie, cherchant à tout prix à oublier son propre mécontentement douloureux. Chaque jour, il lisait une douzaine de propositions d'entreprises spéculatives, discutait de projets avec divers employés des Entreprises Knight, répondait à ses innombrables courriels et se restreignait à une bouteille de whisky par soir pour éviter d'appeler Katherine et de lui dire quelque chose qu'il pourrait regretter par la suite.

Le fait qu'il ait choisi de n'appeler aucune des autres femmes qu'il connaissait à Paris ou de se rendre dans un des clubs privés qu'il avait l'habitude de fréquenter ne valait pas la peine qu'il y réfléchisse. C'était trop énervant de contempler les extraordinaires changements dans sa vie. Comme Kate, il avait recours à la masturbation. Mais contrairement à Kate, il avait une photo qui l'inspirait.

En fait, deux photos : celles qu'il avait prises de Kate endormie dans son lit juste avant qu'il quitte Hong Kong. Il avait fait agrandir les photos de son téléphone cellulaire dans un laboratoire commercial de Paris, les avait fait imprimer en format 8 x 10 et encadrer dans une petite mallette pliante en titane qu'il pouvait transporter avec lui quand il voyageait. Il ne s'interrogea pas sur son comportement inhabituel, mais il s'interrogeait rarement sur ce qu'il faisait. En particulier quand il s'agissait de son plaisir personnel, comme ça l'était dans ce cas.

Il s'était installé dans une routine du soir qui commençait avec un dîner devant la télé dans le salon de la suite, suivi d'une demi-bouteille d'un des whiskys dans le cabinet à boissons. Ou vice versa, selon son humeur. Toutefois, le célèbre chef cuisinier de l'hôtel commençait à se poser des questions sur ses talents quand plusieurs de ses dîners revinrent sans avoir été touchés.

Dans l'espoir d'évacuer de son esprit les images continuelles de Katherine, il avait essayé de visionner des films pornographiques. En vain. Le manque total de réaction de son corps le fit réfléchir, mais seulement un court temps parce qu'il n'avait aucun problème à obtenir une érection quand il songeait à Katherine.

Inévitablement, il amenait au lit la bouteille à demi pleine, allumait la télé, coupait le son, dirigeait son regard vers les photos de Katherine ouvertes comme un livre sur une table au pied du lit et commençait lentement à se masturber. Il prenait toujours son temps, ne se souvenant que du plaisir qu'ils avaient partagé et non de la fin désastreuse — quand ils avaient tous deux atteint un point de non-retour. Mais ni son esprit ni son corps ne pouvaient oublier la joie inexprimable du temps qu'ils avaient passé à Hong Kong et en particulier le soir, quand il était seul, il perdait tout sens pratique. Et Katherine occupait complètement ses pensées.

CHAPITRE 3

Pendant que Dominic fixait le téléviseur muet, supportant une autre nuit sans sommeil, attendant que le soleil se lève à Paris, Kate avalait un shooter de téquila dans la cuisine de Meg en se demandant s'il y avait suffisamment d'alcool dans le monde pour la faire s'accrocher au cowboy en première année de médecine vraiment mignon qui lui disait à quel point elle était superbe. La musique à défoncer les tympans provenant du groupe improvisé qui jouait dans le salon n'était que de quelques décibels moins forte dans la cuisine et Ben, le beau grand blond aux yeux bleus, frôlait sa bouche contre son oreille pour qu'elle puisse l'entendre.

— Trouvons un coin tranquille. Tu veux bien ?

— D'accord.

Parce qu'elle était ici pour une raison ce soir, parce qu'elle avait discrètement choisi Ben parmi la file qu'avait rassemblée Meg et qu'il n'y avait aucune raison de retarder son retour à une vie sexuelle.

Saisissant la bouteille de téquila, Ben lui prit la main et l'entraîna à travers la cuisine et le long du corridor jusqu'à la chambre à coucher. Il frappa, puis dit avec un sourire :

— Au cas où. Ou nous pourrions aller chez moi, si tu veux.

— Ici, c'est bien, dit-elle en souriant.

— Hé, nous avons de la chance.

Il ouvrit la porte toute grande.

Ou Meg avait averti tout le monde de laisser l'endroit libre, pensa Kate, mais elle était trop ivre pour y réfléchir davantage. Parce qu'en fin de compte, il s'agissait pour elle d'oublier le passé. C'était le soir où elle effaçait Dominic Knight de sa mémoire.

Ben l'attira dans la chambre, ferma la porte, marcha jusqu'au lit où il déposa la bouteille sur la table de chevet, s'assit et attira Kate sur ses genoux.

— Tu devrais rester à Missoula pendant un moment, lui murmura-t-il en l'embrassant doucement. Tu pourrais demeurer chez moi. Je te montrerais comment monter à cheval.

— Peut-être, murmura-t-elle, parce que c'était plus facile que d'expliquer pourquoi elle ne le pouvait pas.

Et, tendant les bras, elle prit son visage dans ses mains et l'embrassa avec ferveur, enfonça sa langue dans sa gorge, voulant *ressentir* quelque chose. Elle ressentit effectivement quelque chose, mais c'était son érection qui enflait contre ses fesses. Rien en ce qui la concernait. Pas la moindre émotion. Elle aurait tout aussi bien pu embrasser le miroir. Merde, elle pouvait entrevoir un avenir dépourvu de sexe s'étirant devant elle et elle savait à qui le reprocher — à ce foutu Dominic d'une beauté charismatique et à ses talents sexuels inoubliables. Elle prit la bouteille de téquila.

— Tu en veux ? fit-elle en la lui tendant.

— Non. Ça va, dit Ben en souriant. Prends ton temps.

Portant la bouteille à sa bouche, elle lui rendit son sourire.

— Tu es trop mignon.

— Je ne suis pas pressé.

Bon Dieu, il était vraiment gentil. Aucune femme n'hésiterait à baiser un si beau garçon. Elle avala une autre gorgée rapide, puis remit la bouteille sur la table et enveloppa de ses bras le cou de Ben.

— Voilà. Parfois, je fais vraiment petite ville. Désolée pour ça.

— Ce n'est pas un problème. Dans le Montana, tout le monde vient d'une petite ville, dit-il en penchant la tête et en frôlant ses lèvres des siennes. Je peux comprendre.

En un effort pour surmonter l'indifférence renversante de son corps au baiser délicat et à l'énorme érection de Ben, Kate agita les fesses en une douce ondulation sur son membre rigide.

Avec un grognement sourd, il se laissa tomber sur le dos, entraînant Kate avec lui et s'étendit sur le lit avec ses bottes de cowboy et tout. La déplaçant légèrement sur son corps mince et musclé pour la poser contre le dur renflement de son érection, il lui prit la tête et l'attira pour un baiser.

— Allons-y tranquillement, dit-il, son sourire à seulement quelques centimètres. Tranquillement comme dans une petite ville.

Peut-être était-ce là le problème. Ben était trop poli. Dominic ne l'était pas souvent : il était exigeant, parfois coercitif, toujours en possession du pouvoir. Dieu du ciel, est-ce que ça faisait d'elle une sorte de masochiste ? Le sexe normal la laissait-elle froide ? Mais à ce moment, elle se souvint des journées sur le *Glory Girl* quand Dominic avait été débordant de tendresse et d'affection, quand il avait fait des projets d'avenir avec elle, quand il ne lui avait absolument rien refusé. Et tout à coup, ses yeux se remplirent de larmes et elle étouffa de chagrin.

— Je ne peux pas faire ça, fit-elle avec des sanglots dans la voix tout en se redressant brusquement. Je suis désolée.

Ses larmes se mirent à couler et, reniflant, elle ajouta d'une voix brisée :

— Je viens de rompre avec quelqu'un. Je suis un cas désespéré.

— Je sais. Je ne suis pas ici pour te forcer.

— Tu es au courant ! s'exclama-t-elle en écarquillant brusquement les yeux.

— Luke me l'a dit. Hé, ça n'a pas d'importance.

— Oh, mon Dieu, grogna-t-elle la surprise asséchant au moins ses larmes. C'est tellement pitoyable.

— Hé, poupée, dit-il en faisant glisser son doigt sur la lèvre inférieure de Kate. J'affronterais n'importe quel gars ici ou ailleurs pour t'avoir, OK ?

— Je suppose que ça ne t'est jamais arrivé ? Il n'y a que les femmes qui pleurent à propos de telles sottises.

— Tout le monde est passé par une rupture, fit-il en souriant. Je n'ai pas pleuré, mais je sais ce que tu veux dire.

À la façon dont il avait dit ça, elle douta que son univers se soit aussi assombri que le sien. Et pendant une seconde, elle se demanda si elle ne devrait pas fermer les yeux et s'élancer.

— Je pense que je suis trop mauviette, fit-elle en soupirant.

Et, se laissant rouler de sur lui, elle s'assit sur le rebord du lit.

Il lui caressa légèrement le bras.

— Nous n'avons pas à faire quoi que ce soit. Nous pourrions aller voir un film ou faire autre chose.

— Je me sens vraiment idiote, murmura-t-elle.

— Je pourrais lui botter le cul pour toi.

La suggestion la fit sourire et elle se tourna vers lui.

— Je pourrais te prendre au mot.

— Quand tu veux.

Meg avait raison. Il n'y avait pas de pénurie de testostérone dans le Montana.

— Je t'aviserai, répondit-elle en se levant. Et merci. Vraiment.

Puis, elle sortit de la chambre, marcha jusqu'à la salle de bain, s'y enferma et pleura doucement.

Ben la suivit, lui parla à travers la porte. Toujours poli. Un vrai gentilhomme.

— Peut-être la prochaine fois, dit-il. Appelle-moi.

Et il s'éloigna.

Qu'est-ce qui n'allait pas chez elle ?

N'y avait-il que les salauds arrogants qui l'excitaient ?

Le jour de la réunion repoussée de Dominic arriva finalement. Max et les autres participants se rencontrèrent dans la somptueuse salle de conférences du bureau de Paris avec Dominic assis au bout de la longue table Empire qui avait un jour accueilli Malmaison. Café, thé et pâtisseries étaient à la disposition de tous, les tasses en porcelaine de Sèvres contemporaines déposées devant chaque homme. De petits arrangements floraux dégageaient un doux parfum et mettaient de la couleur sans entraver la vue. Le personnel du bureau de Dominic était efficace.

Pendant que les investisseurs s'assoyaient, Dominic laissa tomber les paroles de bienvenue.

— Ça ne devrait pas prendre beaucoup de temps, fit-il sur un ton courtois. Vous avez tous lu le prospectus ?

Ce n'était pas vraiment une question.

Les industriels remarquèrent l'absence de Mlle Hart tandis qu'ils s'installaient confortablement dans leurs fauteuils, ayant tous à l'esprit la dernière réunion avortée. Très bientôt, ils remarquèrent également l'humeur massacrante de Dominic. *Y avait-il un lien ? Non, pas avec Dominic,* se dit chacun d'eux. *Les femmes ne sont qu'une commodité nécessaire pour lui.* Mais il était de toute évidence moins accommodant, plus irritable, évacuait rapidement tout argument à propos d'argent. Et en fin de compte, il leur proposa essentiellement de participer ou de partir.

Compte tenu des antécédents de Dominic, tous acceptèrent, mais ils grommelèrent après qu'ils se soient levés et qu'il ait dit d'un ton brusque : « Vous allez tous devenir plus riches à partir d'aujourd'hui » et quitta la pièce sans même les remercier. Un peu de courtoisie aurait été de mise alors qu'ils investissaient des milliards de dollars.

Il revint à Max de calmer les égos frustrés.

Un peu plus tard, il entra dans le bureau de Dominic, ravala son commentaire à propos de la bouteille à demi vide sur le bureau de Dominic et se força à parler sur un ton mesuré.

— Tu aurais pu être plus poli, Nick. Il va leur falloir un certain temps pour s'en remettre.

Dominic vida son verre avant de lever les yeux, son regard indifférent.

— Je leur ai exposé tout mon charme à Hong Kong. Je n'avais pas envie de leur baiser le cul à nouveau. S'ils veulent faire de l'argent, qu'ils acceptent. Sinon — Dominic haussa les épaules — je n'en ai rien à cirer. Je vais couvrir les frais moi-même.

Il croisa froidement le regard de Max.

— Il y a autre chose ?

— Tu bois beaucoup et tu bois seul.

Max avait décidé que quelqu'un devait le lui dire. Dominic n'avait jamais été un buveur solitaire.

— Alors ? fit-il en remplissant son verre.

— Alors, tu deviens de plus en plus difficile à supporter.

— C'est noté. Tu as d'autres conseils ? J'espère que non parce que je m'ennuie déjà à mourir. Et non pas que ça te regarde d'une quelconque façon, mais je ne bois que le soir.

Il jeta un coup d'œil à l'horloge et un muscle tressaillit le long de sa mâchoire. Il était 15 h 50.

— Aujourd'hui, c'est une exception, marmonna-t-il.

Le fait de revoir les mêmes hommes lui avait ramené en mémoire toute l'horreur de leur dernière réunion quand Katherine avait vu le courriel catastrophique et que tout s'était effondré.

— Pour ce qui est de boire seul, dit-il d'un ton sarcastique, il n'est jamais trop tard pour apprendre.

— Le sermon est terminé, fit Max en soupirant doucement. La façon dont tu décides de te détruire te regarde. Mais essaie de ne pas utiliser ce ton râleur avec Lillibet. Elle est nouvelle, c'est une excellente analyste et je ne voudrais pas la perdre parce que tu agis comme un enfoiré.

Dominic leva son verre en direction de Max.

— Considère que je suis averti. Je traiterai Lillibet avec une extrême déférence. Est-ce la fille d'un quelconque politicien ? Je demande ça comme ça.

— Non.

— Dieu merci. Les politiciens peuvent se montrer exigeants, dit-il avec un sourire forcé. Maintenant, si tu veux bien m'excuser.

Il vida son verre, prit la bouteille et décocha un regard en direction de Max qui n'avait pas bougé.

— Tu permets ? Je suis occupé.

Dominic déboucha la bouteille, se versa une autre rasade, se laissa aller contre le dossier de son fauteuil et porta le verre à sa bouche. Il n'entendit pas la porte se refermer parce qu'il calculait combien d'alcool il lui faudrait ce soir pour effacer le souvenir des larmes de Katherine quand elle avait levé les yeux de son ordinateur portable ce jour-là à Hong Kong.

Il se trouvait toujours au même endroit le soir venu, une autre bouteille ouverte à la main. Seul le mur d'écrans de télé silencieux devant son bureau illuminait la pièce, ses yeux à demi fermés contre leur éclat, les souvenirs misérables du moment où il avait perdu Katherine agitant ses pensées.

La porte s'ouvrit lentement ; une superbe blonde aux longues jambes pénétra doucement dans la pièce, referma la porte derrière elle et s'y adossa.

— Il ne reste plus que moi ici, M. Knight, dit-elle avec un léger accent britannique. Je me demandais si vous aviez besoin de quoi que ce soit avant que je parte.

Le sous-entendu était on ne peut plus évident.

Suffisamment pour traverser les couches de désespoir de Dominic.

Reconnaissant le ton familier, il leva automatiquement les yeux et lui fit signe d'approcher.

— Comment vous appelez-vous ?

— Tatiana, dit-elle en s'approchant de son bureau.

— Nom de famille ?

Il avait desserré sa cravate et son col, mais il avait gardé les mêmes vêtements depuis la réunion, sa chemise blanche offrant un contraste vif avec son complet sombre dans la pièce obscure.

— Ismay.

Ce n'était ni le nom d'un politicien, ni le nom d'une famille qu'il connaissait. Ce qui ne rendait pas la chose nécessairement sécuritaire, mais plus sécuritaire.

— Depuis quand travaillez-vous ici, Tatiana ? demanda-t-il doucement en parcourant instinctivement des yeux l'adorable jeune femme.

Max avait bon goût.

— Depuis une année, Monsieur.

— Nous sommes-nous déjà rencontrés ?

— Deux fois, Monsieur.

— Et que faites-vous pour nous ?

— Je suis une de vos avocates.

— Et vous me demandiez si j'avais besoin de quoi que ce soit ? murmura-t-il.

— Oui, Monsieur.

Il plissa les yeux en entendant ce troisième *Monsieur* et se demanda s'ils s'étaient rencontrés ailleurs qu'au bureau. Ou ses vices étaient-ils de notoriété publique ?

— Pourquoi avez-vous pensé que je pourrais avoir besoin de quelque chose ?

— Vous étiez seul dans l'obscurité.

Des panneaux de verre opaque encadraient la porte.

— Je buvais.

— Je vois ça.

— Vous prendriez un verre ?

Une impulsion subite ou peut-être une réaction automatique dans une pareille situation.

— Si vous n'avez pas d'objection.

Il ferma les yeux, ressentant la phrase douce-amère comme un coup à l'estomac : Il avait dit ça à Katherine pendant leur premier petit déjeuner ensemble à la maison de campagne et une fois dans son bureau après le cocktail — les deux occasions encore vives dans sa mémoire.

— En fait, *j'aurais* une objection, dit-il d'une voix tout à coup brusque tandis qu'il se levait rapidement de son fauteuil. Je suis désolé, Mlle Ismay, dit-il poliment. Je suis trop ivre pour être de bonne compagnie. Toutefois, je vous suis reconnaissant que vous vous inquiétiez. Ça a été un plaisir de vous rencontrer — il pencha la tête — de nouveau. Passez une bonne soirée.

Il saisit la bouteille, dévissa le bouchon et songea à lui présenter d'autres excuses quand elle ne bougea pas. Mais il fixa plutôt son regard sur elle jusqu'à ce qu'elle bouge parce qu'il n'avait nullement l'intention de la baiser. Ni maintenant, ni jamais.

Après quelques secondes, elle se retourna et partit.

Bon Dieu, pensa-t-il sombrement en regardant la porte se refermer sur Mlle Ismay, il n'arrivait même pas à accepter une proposition de sexe de la part d'une belle femme. Il était vraiment perturbé. Puis, une pensée extrêmement déplaisante lui vint à l'esprit. Il était tout à fait impossible que Katherine se prive de sexe — pas avec sa libido. Et, pendant une fraction de seconde, il songea à rappeler Tatiana, mais il ne la désirait pas ; il ne désirait que Katherine qui ne se lassait jamais de baiser, qui était toujours prête, qui était si incroyablement réceptive qu'il n'avait qu'à la toucher et elle mouillait pour lui.

Il jura à voix basse, puis plus fort.

Merde, c'était comme subir un sevrage, ses envies si intenses qu'il ne pouvait fonctionner normalement. Il était à cran, ne pouvait dormir ; il buvait seul alors que ça ne lui était jamais arrivé. Au moins, il n'hallucinait pas encore. Puis, il jura de nouveau parce que Katherine occupait constamment son esprit, son image imprimée dans son cerveau et, si ce n'était pas là halluciner, ce n'était qu'une question d'interprétation.

Il repoussa la bouteille, puis le verre.

Il pouvait surmonter une accoutumance.

Il avait réglé de pires problèmes dans sa vie.

Et ce n'était pas comme s'il n'y avait pas d'innombrables femmes prêtes à écarter les jambes pour lui. C'était une honte qu'il n'éprouve aucun plaisir à cette pensée ; pas nécessairement un sentiment rare — cette absence de plaisir dans sa vie. Mais c'était infiniment pire maintenant après avoir grimpé jusqu'au sommet de la montagne avec Katherine et avoir été témoin avec elle de l'incroyable beauté du monde.

Il n'aurait probablement pas dû s'enfuir ; peut-être qu'une personne moins perturbée ne l'aurait pas fait.

Mais elle était partie aussi.

Alors, les énigmes de l'univers persistaient.

Il jeta un regard distrait à l'horloge comme pour confirmer sa situation dans le temps et l'espace dans le monde plus prosaïque, puis se tourna vers les fenêtres et éprouva un bref moment de surprise. Il faisait complètement noir. Laissant échapper un soupir de lassitude, il prit son téléphone, composa un numéro et parla rapidement.

— Je descends dans 10 minutes, Henri. Non, je ne pense pas. Non, je n'ai pas faim. Conduis-moi seulement à la maison, puis tu seras libre pour la soirée.

Il se redressa, éteignit les téléviseurs, se fraya un chemin jusqu'à la porte grâce à la lumière qui émanait des fenêtres donnant sur le Quai d'Orsay et vérifia le corridor au cas où Mlle Ismay n'ait pas pris sa rebuffade au sérieux. Il se réjouit de découvrir qu'il était seul.

Il aurait dû faire un immense effort pour être poli même pendant le temps qu'il aurait fallu pour se rendre à l'entrée en bas. Il n'était pas d'humeur à tenir une conversation polie ou même à parler de la pluie et du beau temps. Le fait qu'il ait réussi à rester courtois avec Mlle Ismay dans son bureau témoignait d'une de ses principales compétences : plaire aux femmes.

CHAPITRE 4

Au cours des semaines qui suivirent, Max et tout le personnel du bureau de Paris se tinrent sur leurs gardes en présence de Dominic. Sa mauvaise humeur ne s'était pas atténuée, son caractère était instable, sa patience, inexistante.

Max avait retardé son départ pour la maison parce qu'avec le retour en force de ses démons, Dominic avait besoin qu'on prenne soin de lui. Mais il partait finalement pour Hong Kong et afin de protéger le personnel du bureau en son absence, il aborda le sujet de la mauvaise humeur de Dominic.

— Pendant que je serai parti, dit-il, tu pourrais améliorer ton caractère d'un cran. Personne n'ose te répondre insolemment, sauf moi. Alors, prends une pause pendant une semaine. OK ?

Dominic déposa sa plume, s'adossa contre sa chaise et tordit les lèvres en un sourire déplaisant.

— Je croirais entendre ma mère. Je n'aime pas ma mère. Alors, arrête. Maintenant, as-tu eu des nouvelles de Ross à propos de cet hôtel sur la côte amalfitaine ?

— Pas encore.

— Et pourquoi donc ? fit Dominic en affichant une petite grimace.

— Peut-être que tu devrais simplement aller la baiser, répondit brusquement Max. Tu es devenu intraitable.

— Et tu pourrais fermer ta foutue gueule, répliqua Dominic avec une lueur dangereuse dans les yeux.

— Bon Dieu, Nick, réveille-toi. Non seulement tu as pratiquement envoyé se faire foutre les investisseurs sur le projet de terres rares, mais tout le monde au bureau marche sur des œufs chaque jour en se demandant qui tu vas agresser la prochaine fois.

— Ils sont suffisamment bien payés, grommela Dominic. Ça va avec le boulot.

— Écoute, veux-tu que je te dise que j'avais tort à propos de Katherine parce que je serais plus qu'heureux de faire ça, si ça te mettait de meilleure humeur ?

— Je ne veux pas que tu dises quoi que ce soit à propos de Katherine, fit Dominic en lui jetant un regard venimeux — *jamais plus.*

Max haussa les épaules ; il en avait assez de jouer les thérapeutes.

— D'accord. Comme tu veux. Je serai de retour dans une semaine. As-tu besoin que je te rapporte quoi que ce soit de Hong Kong ?

— Ramène Leo et Danny avec toi.

— À cause des rumeurs concernant la Roumanie ? Tu penses que la menace de la mafia dans les Balkans est réelle ? Les alliés de Gora vont-ils vraiment vouloir récupérer ces 20 millions qu'ils t'ont volés ?

— Qui sait ? Peut-être, répondit Dominic en soupirant. Et je m'excuse.

— Excuse acceptée, fit Max avec un léger sourire.

Dominic passa une main à travers sa chevelure noire, puis la laissa retomber en agitant nerveusement ses doigts.

— Je pensais aussi, dit-il lentement, que compte tenu des rumeurs là-bas, nous devrions nous occuper de la sécurité de Katherine. Pourrais-tu rassembler une équipe et l'envoyer à Singapour ?

— Elle est à Singapour ?

— C'est ce qu'on m'a dit.

— Qui ?

— Je doute que tu les connaisses.

Max connaissait tous les gens que Nick connaissait, y compris Justin qui lui avait demandé en passant des nouvelles de Katherine Hart.

— Je vois, dit-il d'un ton neutre. Tu lui as parlé ?

Dominic secoua la tête.

— Tu vas lui parler ?

— Ça ne te regarde en rien que je le fasse ou non.

— Je suppose que tu ne peux pas empirer à ce point, fit Max en soupirant.

La bouche de Dominic se tordit.

— Je suis ravi que tu sois d'accord avec moi à ce propos.

— Comme si tu avais besoin de mon approbation. Tu peux me dire pourquoi elle se trouve à Singapour ?

— Non.

Si Dominic n'avait pas été impliqué, il l'aurait dit.

— Elle est au Raffles, n'est-ce pas ? demanda calmement Max.

— Je le crois.

— Dans la suite Cathay ?

— Possiblement.

Alors, Dominic l'y avait placée. C'était sa suite préférée.

— Pour longtemps ?

Un regard bleu et glacial.

— Ça, je l'ignore.

— Ça m'étonne. J'ai l'impression que tu gères tout.

Dominic se pencha vers l'avant, aligna soigneusement la plume sur son bureau, puis leva les yeux et eut un sourire tendu.

— Il y a des limites à ce que je peux faire.

— C'est exactement pour ça qu'elle t'intrigue, lança Max en éclatant de rire. Tu ne l'as pas simplement quittée ; c'est elle qui l'a fait, n'est-ce pas ?

— Est-ce possible d'avoir une vie privée en ce monde ? demanda Dominic sur un ton comique.

— Pas vraiment. Quand pars-tu pour Singapour ?

— Ce soir.

CHAPITRE 5

Kate était assise avec un collègue à une table au bar du Raffles quand elle vit entrer Dominic.

Ou plutôt quand il marcha jusqu'à l'entrée où il s'était arrêté et parcourait la pièce des yeux. Il portait un polo noir, un pantalon noir et un blouson de sport brun grisâtre. Beau comme le péché, il paraissait calme et serein.

Elle s'immobilisa, son cœur battant la chamade contre ses côtes tandis qu'un désir lancinant l'assaillait, la laissait le souffle coupé.

Même avec un rapide regard, la beauté physique époustouflante de Dominic, l'énergie pure qui émanait de lui, le bleu électrique saisissant de ses yeux déclenchèrent toutes ses pulsions, firent surgir toutes ses impulsions la portant à jouer avec le feu, la rendirent consciente de tout ce qu'elle avait manqué.

Il se tenait debout, complètement immobile, son regard faussement indolent tandis qu'il faisait des yeux le tour de la salle — un lion dominant contemplant son royaume.

Tous les yeux s'étaient tournés vers lui — sur la puissance évidente derrière la pose nonchalante, le gonflement des muscles sous les vêtements élégants, l'extraordinaire beauté, la tranquille confiance en soi. Les femmes étaient fascinées, les hommes, envieux. Même les barmans s'étaient arrêtés de travailler. On aurait pu entendre une mouche voler dans la salle.

Dominic semblait ne rien percevoir de cette agitation.

Puis, il la vit, sourit faiblement et pénétra dans la pièce.

Quand il s'arrêta devant leur table, il dit d'un ton agréable :

— Quel plaisir de vous revoir, Mlle Hart. Qu'est-ce qui vous amène à Singapour ?

— Le travail.

— Ah, fit-il en souriant. J'aurais dû le savoir. Pourrais-je vous offrir un verre à vous et à votre compagnon ?

— Non.

Elle venait seulement de réussir à reprendre contenance et elle refusait de se départir de sa normalité chèrement reconquise.

— Nous serions honorés !

Son compagnon avait parlé en même temps, les yeux écarquillés de respect mêlé d'admiration.

Le sourire de Dominic s'élargit en entendant les deux réponses contradictoires.

— Alors, choisissons le oui. Une autre tournée de la même chose ?

Il se tourna à demi, hocha la tête et un serveur apparut comme par magie. Après un échange tranquille avec celui-ci, Dominic se retourna vers la table et prit un siège, puis tendit la main au compagnon de Kate.

— Dominic Knight. Ravi de faire votre connaissance.

— Johnny Chen. Je sais qui vous êtes.

Souriant d'une oreille à l'autre, le jeune associé de Kate serra vigoureusement la main de Dominic.

— Ma famille est de Hong Kong, ajouta-t-il.

Dominic lui parla dans un cantonais plein d'aisance, Johnny lui répondit, puis les deux hommes éclatèrent de rire. Kate fulminait. Merde, Dominic allait exercer tout son charme sur Johnny qui s'était montré un collègue aimable, joyeux, pendant le temps qu'elle avait passé chez CX Capital, et elle allait devoir faire semblant d'être au moins minimalement courtoise. Alors qu'elle n'était pas certaine de pouvoir parler et encore moins d'être polie pendant que son cœur battait comme un tambour et que sa libido montait en vrille.

« Bon Dieu, ça ne te fait rien ? se dit-elle en sermonnant sa libido. C'est l'homme qui t'a larguée. »

Johnny expliqua qu'ils célébraient la fin du projet auquel ils avaient travaillé ensemble.

— Je dirais qu'une bouteille de champagne serait de mise, répliqua Dominic de manière courtoise.

Comme sur un signal, les deux bouteilles de champagne qu'il avait commandées se retrouvèrent sur la table.

Kate savait ce que faisait Dominic et elle l'observa dans un silence exaspéré tandis qu'il remplissait sans cesse le verre de chacun et qu'il persuadait Johnny de parler en long et en large de leur projet. Johnny expliqua comment lui et Kate avaient parfois travaillé ensemble des nuits entières, comment ils avaient travaillé les fins de semaine quand ils étaient sur une bonne piste, comment il avait beaucoup appris d'elle.

La mâchoire de Dominic se serrait chaque fois que Johnny prononçait le nom de Kate avec le regard adorateur d'un chiot. Puis, il tendait le bras par-dessus la table, cognait le verre de Johnny et posait poliment une autre question.

Quatre bouteilles plus tard, Johnny avait commencé à bafouiller, se balançait sur sa chaise et perdait régulièrement le fil de ses pensées. Dominic se leva, fit signe à un serveur de s'approcher pour l'aider, puis se pencha vers Kate et lui murmura :

— Reste là. Je reviens tout de suite.

Elle aurait dû partir. N'importe quelle femme intelligente l'aurait fait. Elle n'était ni mentalement ni émotionnellement prête à composer avec Dominic. Sa souffrance était encore trop vive et ses sentiments n'étaient pas à la hauteur du défi. Elle trouvait également insultante la façon dont il était revenu nonchalamment dans sa vie sans y être invité. Elle commanda un sandwich. Ou ce fut peut-être sa libido en folie qui commanda pour elle.

« Si tu ne veux pas rester, moi je vais le faire, lui murmura sa petite voix. Tout un mois avec seulement ton godemiché, c'est suffisamment long. »

— Certaines personnes supportent mal l'alcool, dit Dominic à son retour, s'assoyant et souriant à Kate. Sympathique garçon, quand même. Je connais son oncle.

Ce n'était pas parce que sa libido n'avait aucune limite que Kate était prête à céder.

— C'était magnifique de t'observer, dit-elle. Je suis impressionnée.

— Apparemment, tu impressionnais tout autant Johnny.

Dominic se laissa aller contre le dossier de la chaise, puis hocha la tête.

— Tu l'as baisé ?

— Je ne pourrais pas vraiment dire. As-tu baisé quiconque d'intéressant ?

— En fait, je suis demeuré abstinent. Mes amis pensent que je suis mourant.

Heureusement que son sandwich arriva à ce moment parce qu'elle était sans voix. Soit que Dominic mentait, soit que… Elle était devenue muette.

Dominic remercia le serveur d'un sourire, puis pointa un doigt vers le sandwich tandis que l'homme s'éloignait.

— Nous pouvons faire mieux que ça. Dîner quelque part ? Qu'aimerais-tu manger ?

La phrase resta en suspens, pleine de sous-entendus, bourrée de possibilités.

Elle rougit, sentant monter en elle un désir qu'elle se força à réprimer.

— Vraiment, je n'ai *baisé* personne depuis que tu es partie, dit-il doucement.

— Depuis que *tu* es parti.

— Nous pourrions argumenter sur ce point. Nous sommes tous deux partis.

— Pour une bonne raison, en ce qui me concerne.

Il n'allait pas aborder ce sujet.

— Tu m'as manqué.

Elle résista vaillamment à l'envie de lui avouer la même chose ; elle n'allait pas si facilement succomber à l'espoir.

— Tu savais que j'étais ici, répliqua-t-elle plutôt, les yeux plissés, le regard accusateur. Comment ?

— Quelqu'un que je connais t'a aperçue dans le hall il y a quelques jours. J'ai décidé de tenter ma chance. Pourrions-nous s'il te plaît ne pas nous quereller ? Tu es magnifique.

Son sourire soudain était sexy et mignon.

— Je pourrais te donner du bon temps, Mlle Hart. Après 36 jours sans sexe, je pense que je pourrais durer toute la nuit et le jour suivant et — son sourire s'élargit — aussi longtemps que tu le voudras.

— C'est tout ? demanda-t-elle froidement. Je suis simplement censée dire oui et oublier tous les… peu importe comment tu appelles ces genres de Noëls, ton départ et…

— J'aimerais ça, oui.

— Je te crois sur parole, dit-elle d'un ton sec. Simplement oublier tous les dommages et continuer à baiser.

— Bon Dieu, Katherine, je suis profondément désolé, si ça peut aider. Tout allait trop vite. Je ne pouvais pas composer avec ça. J'aurais souhaité faire les choses différemment, mais ça n'a pas été le cas. Et tu partais aussi, alors ne fais pas semblant que tu envisageais une quelconque relation à long terme. Tu l'as même couché par écrit, ma chérie. Ne fais jamais ça. C'est toujours une erreur.

— Un conseil d'expert ? demanda-t-elle en haussant un sourcil.

Il commença à dire quelque chose, puis s'arrêta un moment et poursuivit.

— Je ne sais pas. Je sais que ce n'est pas ta faute si ma vie est perturbée. Tu ne fais pas partie de ces gens qui font volontairement du tort à quelqu'un seulement pour le plaisir. Et les raisons pour lesquelles tu es partie… — il passa une main à travers ses cheveux, soupira — j'aurais probablement fait la même chose. Mais je ne veux pas que tu sois fâchée contre moi. Je fais mon pitoyable possible pour m'excuser. Alors, arrête de me regarder avec colère et parle-moi. Réglons ça. Je ne suis pas un parfait salaud.

Un minuscule sourire se dessina sur les lèvres de Kate, à demi contrit, à demi sincère. La tension s'atténua dans ses épaules. C'était tout un effort de conciliation.

— Tu sembles fatigué, dit-elle.

— Sans blague. Je dors à peine depuis des semaines.

Un petit silence. Une lente exhalation, sa première impulsion fut de dire « Viens, je vais te tenir contre moi ; dors ». Mais elle avait trop souffert au cours des dernières semaines, trop pleuré.

— Je suppose que maintenant que tu t'es débarrassé de Johnny, je pourrais tout aussi bien dîner avec toi, fit-elle sans trop savoir si elle prenait la bonne décision, n'étant tout à fait sûre de rien quand Dominic était à portée de main.

Son sourire fut instantané, celui-là même qui donnait toujours l'impression à Kate qu'elle était la femme la plus chanceuse du monde.

— Aimerais-tu dîner au poste de traite ? Littéralement. Mon avion est prêt à partir.

— Bon Dieu, Dominic, tu as vraiment tout pour faire tourner la tête des filles.

— Si c'est la tienne, je suis bon. Autrement, je m'en fiche. Et je suis sérieux en te parlant d'aller où que ce soit que tu veuilles.

Il prit une petite inspiration, commença à dire quelque chose et s'arrêta de nouveau parce qu'il avait l'impression de marcher sur des œufs. Il dit plutôt :

— C'est vraiment bien de te retrouver.

Il bougea légèrement sur sa chaise, leva brusquement la tête, le bonheur transparaissant dans ses yeux bleus.

— Vraiment, vraiment bien, répéta-t-il.

Elle pouvait à peine respirer. Tout ce qu'elle pouvait désirer, elle n'avait qu'à le demander. Des semaines de détresse s'effaceraient si seulement elle acceptait le rêve divin qu'il lui offrait. Elle vivrait heureuse pour le reste de ses jours, si elle disait oui. Ou, plus probablement, le rêve s'évanouirait et le monde retrouverait sa froideur quand il partirait encore. Parce que c'était sûrement ce qu'il ferait.

Il se pencha vers elle, ses yeux bleus tout à coup parfaitement sérieux.

— Pourrions-nous aller ailleurs ? N'importe où.

Elle essaya de réorganiser le chaos dans sa tête, mais son esprit surchargé s'était pratiquement immobilisé. Elle dit « Où ? » sans le vouloir. Une pensée avait surgi de son subconscient et elle avait parlé d'instinct.

Il lui prit la main ; elle la retira brusquement.

— Désol…

Il s'arrêta, se souvenant qu'elle l'avait accusé de formuler des excuses insignifiantes le soir de la réception à Hong Kong.

— Nous pourrions aller… où tu veux. Je me fiche où ça peut être. Nous allons seulement parler. Sans attaches, sans projets, tu pourras me dire d'aller me faire voir et je vais écouter.

— Pourquoi ne pas rester ici ?

Elle ne lui avait pas dit d'aller se faire voir. La situation semblait s'améliorer.

— OK. Dînons ici, alors.

— J'ai omis de prendre mes pilules anticonceptionnelles ces derniers temps, alors je ne suis pas disponible pour autre chose qu'un dîner, dit-elle en lui adressant un regard inexpressif de ses yeux verts parce qu'elle avait besoin de fixer des limites pour sa propre paix d'esprit.

Le regard neutre qu'il lui lança dissimula l'explosion dans sa tête.

— Pas de problème. Ça me va pour le dîner. Je n'avais pas d'attentes.

— Bien sûr que tu en avais.

Évidemment. Il avait entendu parler des condoms même si ce n'était pas son cas.

— Ne nous disputons pas. Tu aimerais manger au bar ou dans la salle à manger ?

— J'aime quand tu te montres gentil, avoua-t-elle en souriant.

— Alors, je vais adopter mon meilleur comportement pour toi.

Un élan d'affection aussi soudain que traître lui réchauffa les sens. Elle faillit dire « Je ne veux pas d'un dîner, c'est toi que je veux ».

— Super, dit-elle. Et la salle à manger, ce sera bien.

Dominic adopta sans contredit son meilleur comportement au dîner. Elle était tentée de prendre des notes — son charme poli et son amabilité si raffinée, sa conversation si agréable, elle s'émerveilla devant son esprit si brillant.

Ce ne fut qu'après avoir bu leurs digestifs qu'elle commença à se sentir coupable. Indépendamment de ses motivations, Dominic était vraiment gentil et attentionné, soucieux de ne rien entreprendre vis-à-vis elle, ne mentionnant jamais Hong Kong. Elle eut l'impression qu'elle profitait de lui et de sa gentillesse alors qu'elle avait décidé ces dernières semaines que si elle se contentait de poursuivre son chemin, sa vie reviendrait tôt ou tard à la normale. Et encore relativement en mesure de réprimer son désir et d'agir de façon mature, elle savait que Dominic, peu importait à quel point il était gentil ce soir, ne ferait en fin de compte que lui briser le cœur. Elle allait mettre cartes sur table ; c'était la bonne chose à faire.

Déposant son verre de porto, elle se raidit mentalement, puis dit :

— Je ne veux pas te donner de faux espoirs. J'ai du mal à faire semblant. Je te suis reconnaissante de ton — elle désigna d'un geste toute la nourriture à peine touchée sur la table, un mélange de nervosité et de désir leur ayant fait perdre l'appétit — hospitalité, mais toi et moi, nous ne cherchons pas la même chose. Tu me veux bien enveloppée, attachée avec un ruban et expédiée chez toi chaque fois que tu as envie de me baiser. Je ne peux pas faire ça.

Parfois, j'aimerais le pouvoir. Tu es de loin meilleur que mon godemiché. Mais je ne peux pas. Tu comprends ?

Non, parce que, franchement, c'était ce qu'il voulait. Avalant d'un trait son porto, il déposa le verre, puis l'écarta avant de lever les yeux.

— Souhaiterais-tu établir un contrat d'exclusivité ? Selon tes conditions.

— Tu n'es pas sérieux, dit-elle, bouche bée.

— Ça ressemble à un non, dit-il avec un calme impeccable, trop intelligent pour s'offenser, déplaçant déjà sa prochaine pièce d'échec.

— J'ai trop pleuré pendant trop longtemps après Hong Kong, dit-elle, sa détresse encore vive. Pourquoi voudrais-je revivre ça ?

— J'ai trop bu et trop peu dormi après Hong Kong. J'essaie de trouver un quelconque compromis avec toi pour que ni l'un ni l'autre n'ayons à revivre le mois dernier.

— Un compromis à propos du sexe ?

Elle essaya de réprimer son ton de reproche. Après tout, elle avait participé de manière consentante aux jeux sexuels de Dominic.

— En partie, répondit-il, soucieux de ne pas réagir au reproche évident dans sa voix.

— Et l'autre partie ?

C'était un terrible coup bas, mais il se contenta de hausser à peine les épaules.

— Je ne sais pas, répondit-il en secouant de nouveau les épaules. Tu dois admettre qu'après s'être connus pendant seulement quelques jours, il n'y allait jamais avoir de certitude quant à l'avenir.

— Alors, tu t'es enfui, dit-elle d'un ton amer et brusque.

Une lueur de mécontentement jaillit dans ses yeux.

— Ne commence pas. Tu t'es enfuie aussi.

Il avait de nouveaux creux sous les pommettes, de légers cernes sous les yeux, une agitation contenue derrière sa façade disciplinée. Était-il possible qu'il ait été aussi effondré qu'elle ? Qu'il n'ait pas couché avec d'autres femmes ? Sa colère disparut subitement, comme si un chronomètre s'était arrêté pendant quelque combat titanesque et qu'elle en soit sortie affaiblie, mais vivante.

— Tu n'as vraiment couché avec personne depuis Hong Kong ?

— Non, répondit-il en secouant la tête.

— Je ne sais pas si je peux te croire.

Mais une vague de bonheur stupéfiante déferla sur elle comme une brise fraîche venant de la mer.

— Crois-moi. Demande à Max. Je me suis comporté comme un salaud avec tout le monde au bureau de Paris.

— Parce que je te manquais ?

— Comme un fou.

Cela au moins était vrai ; tout le reste n'était que pure confusion.

Le mot « fou » écarta d'un trait tout le gâchis dévastateur qu'avaient provoqué les images de Noël, sa soif de vengeance, le flot de tristesse qui avait inondé sa vie. Le mot était un euphémisme compte tenu de l'incroyable intensité de leur relation, de leurs batailles rangées occasionnelles à propos de ses pilules anticonceptionnelles.

— Fou à quel point ? murmura-t-elle.

Il sourit, sachant ce qu'elle voulait dire.

— Presque, mais pas tout à fait, fou à ce point. Nous achèterons des condoms.

— Je n'ai pas encore accepté.

Mais sa respiration s'accéléra rapidement.

Il le vit, l'entendit, vit également ses yeux verts brillants tenant captive la luminosité qui manquait à son monde, sa bouche rouge pulpeuse qui offrait la promesse d'un plaisir qu'il avait franchi la moitié du globe pour posséder, la beauté de son pâle visage qui avait hanté ses rêves. Il se pencha, tendit le bras sur la table et lui prit la main.

— Dis-le, fit-il d'une voix basse, autoritaire. Dis oui.

Elle retira sa main, le toucher de Knight électrisant, son corps réagissant comme les chiens de Pavlov. Heureusement, son esprit était encore relativement raisonnable.

— Dis-moi ce que tu entends par « exclusivité », fit-elle avec un mouvement obstiné du menton.

Il s'adossa de nouveau à son siège, satisfait et soulagé, coprenant que ce n'était plus maintenant qu'une question de négociation.

— Ça signifie tout ce que tu veux que ça signifie.

— Alors, je veux une exclusivité mutuelle. Une exclusivité que l'un ou l'autre peut révoquer par courriel.

Un sifflement silencieux.

— Comme c'est froid.

Une lueur de colère contenue brilla dans ses yeux.

— Tu connais bien ce mot.

Ne souhaitant tellement pas se quereller de nouveau à propos de qui avait quitté qui, la voix de Dominic se fit douce comme la soie.

— Nous devrions pouvoir gérer ça.

— Je l'espère. À quoi ça servirait, autrement ? Tu fais ce que tu veux et moi je t'attends ? Ce serait stupide de ma part.

— C'est entendu, fit-il en souriant.

— Ça n'a rien d'amusant, Dominic. Je ne suis même pas certaine de croire que tu puisses te plier à une telle exigence, dit-elle, revêche et morose. Alors, si ce ne sont que des bêtises pour que tu puisses m'attirer au lit, je préférerais ne pas jouer ce jeu.

— Pardonne-moi. Je suis vraiment sérieux. Demande à des agents de sécurité de me suivre. Je vais payer pour ça.

Elle lui lança un regard amer.

— Pourquoi je leur ferais confiance alors que tu les payes ?

— Je vais te donner l'argent, proposa-t-il en s'adaptant rapidement. Embauche qui tu veux.

— Je ne veux pas de ton argent.

Heureusement pour Dominic, il avait une chose qu'elle désirait sinon elle serait partie depuis longtemps.

— Si tu as une meilleure idée, je t'écoute, répondit-il d'un air imperturbable, prêt à tout concéder.

— Franchement, tous ces détails n'ont rien à voir avec l'essentiel, lança-t-elle en grimaçant. Je doute que tu puisses changer.

Elle n'était pas prude, mais Dominic n'avait aucun scrupule quand il s'agissait de s'envoyer en l'air. C'était une part importante de sa vie.

— Je t'ai dit que j'abandonnerais tout ça et je l'ai fait.

— Pour moi ? Oh, merde, oublie ça. J'ai trop bu.

— Non, ça va. C'était *vraiment* surtout pour toi bien que le temps était peut-être venu pour moi d'arrêter ça. Ne me demande pas de comprendre. Je ne comprends pas. Je sais seulement que tu m'as manqué.

Peut-être qu'il avait réussi à faire réagir son sentiment de compassion, mais, plus probablement, elle s'était fait des illusions en pensant qu'elle pourrait résister à la tentation quand il était si proche et si beau que son cœur lui faisait mal.

— Tu m'as manqué aussi, dit-elle doucement. Les Johnny Chen de ce monde ne sont tout simplement pas à la hauteur.

— Tu l'as baisé ?

Sa voix avait adopté tout à coup un ton peu sympathique.

— Non. Parle-moi de ta vie amoureuse, dit-elle, sur un ton tout aussi acerbe.

— D'accord. La seule fois où je me suis même rapproché d'une femme, c'était quand une amie à Paris m'a invité à dîner. Bien avant la fin du repas, j'ai su que j'avais commis une erreur. Je lui ai servi un prétexte et demandé à mon chauffeur de la reconduire chez elle. C'est tout.

Il ne mentionna pas Tatiana parce que ça n'avait eu aucune importance.

— À part ça, je me suis branlé et j'ai bu tous les soirs. Maintenant, parle-moi de *ta* vie amoureuse. Y a-t-il eu quelqu'un d'autre que Johnny Chen qui a essayé de se glisser dans ta culotte ?

Ce ton dur encore dans sa voix.

— Pas vraiment. Je n'ai pas pu m'y résoudre.

Missoula avait été une grave erreur. Elle grimaçait chaque fois qu'elle y pensait.

— Te résoudre à quoi ?

Un regard d'acier, les yeux plissés.

— Ma coloc m'a organisé une rencontre. Je pensais que je pourrais t'oublier, si je couchais avec quelqu'un d'autre.

Les muscles de sa mâchoire se tendirent brièvement.

— Tu as *couché* avec quelqu'un ?

— Non, je l'ai seulement embrassé.

— Comment s'appelle-t-il ?

À ranger dans sa mémoire pour de possibles représailles.

— Ben.

— Nom de famille, dit-il poliment.

— Je n'en ai aucune idée. Je ne le faisais que pour le faire, dit-elle tandis que sa voix se faisait légèrement sarcastique. Tu connais sûrement ce sentiment.

Il prit une profonde inspiration, étant bien au fait de ce qui concernait le sexe occasionnel.

— Ben t'a-t-il *touchée* ?

Par un pur effort de volonté, il avait dissimulé la fureur dans sa voix.

— Ne sois pas comme ça, Dominic. Ce n'était rien. J'ai éclaté en sanglots et me suis enfermée dans la salle de bain. OK ? C'était extrêmement embarrassant.

— Et il est tout simplement parti ? Il n'a pas essayé de te convaincre de quoi que ce soit ?

— Contrairement à toi, répondit-elle d'un ton plein de sous-entendus, certains hommes comprennent un refus.

Il pinça les lèvres, mais retint sa langue, repoussant l'idée de mentionner qu'elle ne voulait presque jamais dire non quand elle le disait.

— Je vois, répondit-il laconiquement.

— J'en doute. Maintenant, raconte-moi ton dîner avec cette femme, dit-elle avec la même lueur de jalousie dans ses yeux verts.

— Il n'y a rien à dire. Nous avons dîné, puis mon chauffeur l'a ramenée chez elle.

— Quel est son nom ?

Un moment de silence, une méfiance mâle instinctive.

— Pourquoi ?

— Je pourrais la présenter à Ben, murmura Kate d'un ton sardonique.

Dominic soupira doucement.

— Elle s'appelle Victoria Melbury.

— Ça ne semble pas français.

— Ça ne l'est pas.

— D'où vient-elle ?

— Est-ce que ça a de l'importance ? demanda-t-il en soupirant de nouveau.

— Seulement si tu ne me le dis pas.

— Tu es pénible, fit-il en levant les yeux au ciel. Elle vient de Londres. Elle est dans l'annuaire téléphonique, mais j'espère vraiment que tu ne l'appelleras pas parce qu'elle ne compte pas pour moi. Maintenant, pourrions-nous parler d'autre chose ?

— Mon Dieu, tu es à cran.

— Comme je le suis à propos de Johnny Chen qui bavait en te regardant et probablement Ben aussi. Je devrais leur casser la gueule.

— S'il te plaît, ne fais pas ça. Je ne vais pas appeler Victoria. Marché conclu ?

— Marché conclu.

Il sourit tout à coup de toutes ses dents, puis ajouta :

— Je suppose que ce ne serait pas toi, si nous ne nous querellions pas à propos de bêtises. Pourrions-nous foutre le camp d'ici ?

Il inclina la tête vers son verre.

— Tu as fini ?

— Oui, Monsieur.

— Bon. Finalement, dit-il en faisant le geste d'écrire en direction du serveur tout en ayant un œil sur leur table à une distance discrète. Comme ça, mon vol de 12 heures aura valu la peine.

— Parlant de valoir la peine, dit-elle, qu'allons-nous faire à propos des condoms ?

Le serveur, qui venait d'arriver à leur table, fit semblant de ne pas avoir entendu, mais le visage de Kate s'empourpra violemment.

Dominic se fichait qu'il ait entendu ou non.

— Envoyez la facture à mon poste de traite, dit-il poliment à l'homme. Et demandez qu'on fasse venir ma voiture.

Il jeta un coup d'œil à Kate et murmura tandis que le serveur s'éloignait :

— Je suis sûr qu'il a déjà entendu le mot « condom », Katherine.

Il enfouit sa main dans sa poche, en tira un billet pour le pourboire qu'il déposa sur la table, leva les yeux et sourit.

— Mais j'adore réellement ta pudeur. Pas autant, toutefois, que j'aime ton manque de modestie en privé.

— S'il te plaît, murmura-t-elle, les gens pourraient entendre.

Les narines de Dominic frémirent.

— Bon Dieu, ne rougis pas comme ça, sinon je vais te baiser ici même.

— Dominic !

Un murmure plus prononcé teinté d'inquiétude.

Il se leva, contourna la table pour la tirer de son siège et, se penchant, il murmura à son oreille :

— Il y a un corridor tranquille à quelques mètres d'ici où je pourrais te baiser, si tu promets de ne pas crier.

— N'y pense même pas ! siffla-t-elle.

Mais son corps réagit instantanément, assoiffé et consentant, la pulsation impétueuse entre ses jambes envoyant des signaux lascifs de disponibilité.

— Ne me mets pas au défi, Katherine, répondit-il calmement, puis il se redressa, recula sa chaise et lui tendit la main. Ça entraîne toujours des résultats prévisibles.

— Je ne vais pas te toucher avant que tu me promettes de te comporter convenablement, fit-elle aussi calmement en le regardant sans bouger.

— Ne sois pas stupide. Tu n'aimes pas que je me comporte convenablement. À défaut d'autre chose, nous avons toujours été d'accord sur ce point. Maintenant, prends ma main. Les gens commencent à nous fixer des yeux. Je m'en fiche, mais je sais que tu n'aimes pas ça. Ou bien aimerais-tu être le centre de l'attention ? Je pourrais commencer à te déshabiller, si tu veux. Je pourrais leur demander de vider la salle — il lui adressa un sourire pervers — ou pas, si tu es d'humeur exhibitionniste. Je pourrais te baiser sur la table.

Il regarda autour, souriant à tous les visages fixés sur eux avant de tourner son regard vers Kate.

— Qu'en dis-tu, chérie ? Le premier round ici, ou bien tu prends ma main ?

— Je vais te faire payer ça plus tard, répondit-elle d'un ton irrité en posant sa main dans la sienne, pétrie de désir après la proposition de sexe exhibitionniste de Dominic. Après avoir joui quelques fois.

Il la mit sur pied en lui décochant un sourire entendu.

— Du plaisir en perspective, apparemment. Nous pouvons discuter de tes projets dans la voiture.

CHAPITRE 6

Une fois dans l'auto, il demanda :

— Où ?

— Une pharmacie d'abord.

— C'est tout ce que je signifie pour toi ? demanda-t-il en souriant. Une queue bandée ?

Elle fit courir sa main sur le renflement entre ses jambes, se réjouissant de sa soudaine respiration, puis lui adressa son propre sourire.

— Disons seulement que c'est la priorité numéro 1 sur 20, en ce moment. Je pense que j'ai usé mon godemiché, ou en réalité *ton* godemiché. Merci, soit dit en passant, il était *meilleur* que le mien. Je ne te demanderai pas comment tu savais ça parce que j'ai effectivement des projets. Ensuite, tu pourras m'expliquer.

— Peut-être qu'il n'y aura pas de suite. Peut-être que je vais seulement continuer à te baiser sans arrêt.

Elle ferma brièvement les yeux, puis leva la tête et lui sourit de nouveau.

— En ce moment, ça semble absolument sublime. Ce mois a *vraiment* été long.

— Trente-six jours, marmonna-t-il d'un air triste pendant une fraction de seconde.

Puis, il se tourna et pressa le bouton de l'interphone.

— Une pharmacie, Chu. La première que tu verras.

Pendant que la voiture s'éloignait de l'entrée de l'hôtel, Dominic parla sur un ton modulé, soucieux de dissimuler toute la portée du risque possible, évitant toute explication à propos de la mafia des Balkans, les raisons pour lesquelles elle pourrait se trouver à Singapour, le fait qu'il ait demandé à Max de rassembler des agents de sécurité pour Katherine.

— Préférerais-tu que nous allions chez moi ? Je ne veux pas t'alarmer, mais ça pourrait être plus sécuritaire. Nous avons de légers problèmes avec un concurrent, improvisa-t-il. C'est au sujet d'espionnage industriel contre notre laboratoire de recherche là-bas. Ils pourraient exercer une certaine surveillance.

— C'étaient eux qui me suivaient aujourd'hui ? demanda-t-elle en lui lançant un regard acéré. J'ai eu cette impression horrible que quelqu'un nous suivait, Johnny et moi, quand nous avons quitté le boulot. Toutefois, j'ai du mal à imaginer pourquoi j'aurais quoi que ce soit à voir avec ton laboratoire de recherche.

— Non, bien sûr que non. C'était peut-être nos agents de sécurité. Accorde-moi une minute, ajouta-t-il en sortant son téléphone cellulaire. Max saura.

Sa conversation se fit plus discrète après que Max lui ait dit que ses hommes n'étaient pas encore en place, chaque mot par la suite délibérément prudent. Après avoir mis fin à son appel, Dominic se retourna vers Kate, son expression neutre.

— Max a dit qu'il parlerait à nos hommes. Si tu les as aperçus, ils ne faisaient pas leur boulot. Tu devrais bien aller, maintenant.

Son commentaire n'était qu'un demi-mensonge parce qu'elle *devrait* bien aller à partir du lendemain matin.

— Alors, plus personne ne te fera peur, ajouta-t-il avec un sourire.

— Juste par curiosité, me traques-tu ?

— Peut-être un peu.

— Alors, personne ne m'a vue dans le hall d'entrée du Raffles.

— Pas vraiment.

Il se sentit immédiatement sorti d'affaire concernant CX Capital ; mieux valait qu'elle pense qu'il la faisait suivre. Et, c'était bien sûr ce qu'il faisait ; avant même de quitter Paris, il savait que son contrat se terminait.

— Tu surveillais mes activités.

— C'est devenu une habitude, renchérit-il en souriant.

— Je me sens à la fois fâchée et flattée.

— Retiens cette idée.

Chu s'arrêtait devant une pharmacie affichant une enseigne au néon.

— Laisse-moi d'abord m'occuper de ça.

— Attends, lui commanda-t-elle soudain en posant une main sur son bras.

Devant le danger si évident de s'engager de nouveau avec Dominic, elle hésita.

— Pourquoi suis-je en train de faire ça, murmura-t-elle, alors que je me suis promis de ne pas le faire.

— Pour la même raison que j'ai traversé la moitié du monde. Nous sommes tous deux déraisonnables, obsédés, entichés l'un de l'autre…

— Probablement cinglés, marmonna-t-elle.

— Mais d'une bonne façon, chérie.

Il se pencha, l'embrassa rapidement, avec ferveur, puis soupira doucement et se redressa.

—Tout ira bien. Je te le promets.

— Facile à dire pour toi. Tu vas rembarquer dans ton avion et…

— Et rien. Nous sommes tous les deux dans la même situation. Ce n'est pas plus facile pour moi que pour toi. Si ça l'était, je ne serais pas ici. Je serais…

— En train de coucher avec quelque salope à Paris.

— Oui. Alors, de toute évidence, c'est une chose avec laquelle nous devons composer bien que, si ça ne te dérange pas, j'aimerais le faire en cinq minutes.

Il pencha la tête.

— Quelqu'un d'autre pourrait acheter tous leurs condoms. Ni toi ni moi ne souhaitons ça.

— Nous pourrions aller à une autre pharmacie.

— Nous pourrions être chez moi à baiser.

— Présenté de cette façon, fit-elle en lui adressant un large sourire.

— Tu as toujours été impatiente, lui répondit-il en lui rendant son sourire.

— Je songeais plutôt à « raisonnable ».

Il ravala son objection et sourit.

— Je n'aurais pas pu mieux dire. Maintenant, sois gentille et laisse-moi sortir de cette voiture, dit-il en jetant un coup d'œil à sa montre. Ils pourraient bientôt fermer.

Elle le regarda courir en bondissant sur le trottoir, ouvrir la porte d'un geste brusque et marcher à grands pas jusqu'à l'arrière de la petite boutique. Il se rendit directement au comptoir et dit quelque chose au client âgé que servait la vendeuse en leur adressant un sourire éblouissant. Le vieil homme éclata de rire et s'écarta.

La vendeuse était bouche bée comme l'étaient les femmes à l'intérieur du champ de force de Dominic, mais celui-ci bavardait avec le vieil homme pendant qu'elle vidait son étalage de condoms, puis il l'aida à jeter les boîtes dans deux sacs.

Laissant un billet sur le comptoir, Dominic agita la main et s'élança vers la porte.

— Sympathique vieux bonhomme, dit-il en entrant dans la voiture.

Il referma la porte et laissa tomber les sacs sur le plancher.

— La vendeuse était un peu lente, mais, hé — il brandit la main, le pouce levé —, victoire !

— Tu en as suffisamment ? demanda-t-elle sur un ton sarcastique.

— Je ne veux pas en manquer, fit Dominic en souriant de toutes ses dents. Souviens-toi, je t'ai vue dans le feu de l'action, chérie. Ta devise, c'est « plus, plus et encore plus ».

— J'espère que tu ne t'en plains pas.

— Absolument pas. Enthousiaste, excité, presque fou de joie. Comment trouves-tu ça comme approbation de ton appétit sexuel ?

— Voilà qui est mieux.

— Tu n'as même pas encore *vu* mieux.

Il se pencha et cogna sur la vitre opaque entre eux et le chauffeur. La voiture accéléra aussitôt et, se laissant retomber contre le dossier de son siège, il enlaça Kate.

— Est-ce que je t'ai dit à quel point tu m'avais manqué ?

— Une ou deux fois.

— Dans une dizaine de minutes, je vais te *montrer* à quel point tu m'as manqué.

— Nous ne sommes pas *obligés* d'attendre.

— Oui, il le faut, murmura-t-il en penchant la tête et en l'embrassant légèrement sur le front. J'ai un plan.

— Bien, parce que comme mon contrat est terminé chez CX Capital, je suis en vacances.

Son membre réagit favorablement au son du mot « vacances ».

Elle le remarqua — son corps le remarqua —, des souvenirs de la queue polyvalente de Dominic déclenchant en elle une foule de sensations agréables. Elle tendit la main, lui saisit les couilles, les serra doucement, puis observa son érection grandir.

— Je ne veux pas attendre, murmura-t-elle en posant la main sur sa fermeture éclair.

— Tu ne le veux jamais, répondit-il en lui éloignant la main. Heureusement, je peux t'aider.

Il la repoussa doucement sur son siège.

— Mais je *te* veux, fit-elle avec une moue.

Il sourit, se pencha vers elle et mordilla sa lèvre inférieure.

— Je t'appartiens, chérie. Mais 10 minutes, ce n'est pas suffisamment long pour moi. Pas après avoir attendu pendant un mois. Alors, laisse-moi t'aider à te détendre un peu. Quelque chose de simple, de rapide — il lui mordit la lèvre —, de satisfaisant. Ne refuse pas.

Elle s'apprêtait à répondre, mais il lui posa un doigt sur la bouche.

— Tu sais que je n'aime pas ce mot.

Dieu du ciel, il n'avait qu'à la regarder de cette façon, lui parler de cette voix doucement menaçante et elle fondait littéralement, se retrouvait immédiatement prête et tremblante.

— Tu n'as qu'à dire oui, chérie, et je vais te faire sentir bien.

Elle acquiesça de la tête.

Dominic haussa les sourcils.

— Oui, dit-elle, et elle le regarda sourire.

Il jeta un rapide coup d'œil par la vitre, repérant l'endroit où ils se trouvaient, évaluant le temps qui leur restait jusqu'au comptoir commercial, lui enleva ses souliers, détacha son pantalon, le fit glisser avec sa culotte le long de ses hanches et de ses jambes, les jeta par terre et, s'agenouillant sur le plancher de la voiture, lui écarta les jambes et pencha la tête. Quand sa langue glissa sur son clitoris enflé, il entendit son petit soupir haletant et il sourit.

Dieu qu'elle le rendait heureux !

Après un mois sans Dominic, et infiniment moins disciplinée que lui, Kate fit glisser ses doigts à travers sa chevelure noire et, en émettant un gémissement guttural, s'abandonna tout entière au plaisir enchanteur, sans équivoque. Au ravissement, à la satisfaction et au désir ardent incarnés dans ce seul homme essentiel, indispensable.

Puis, Dominic enfouit deux doigts profondément en elle, trouva son précieux centre nerveux, en fit le tour du bout des doigts avec une telle délicatesse qu'elle crut ne pas pouvoir survivre à une telle béatitude.

Jusqu'à ce que finalement, impatiente de se libérer de son besoin urgent, elle jouit en émettant un cri sauvage, frénétique.

CHAPITRE 7

Quand ils arrivèrent au comptoir commercial, Dominic aida Kate à se rhabiller, l'escorta jusque dans la maison et s'arrêta dans le hall d'entrée.

— Tan va te conduire au jardin d'hiver, dit-il en jetant un coup d'œil au jeune homme qui leur avait ouvert la porte. Accorde-moi quelques instants pour régler quelques affaires.

Elle lui adressa un regard transperçant, légèrement soupçonneux.

— J'espère que ça ne veut pas dire que tu dois chasser une quelconque femme de ta chambre à coucher, lui dit-elle à voix basse, n'étant pas aussi cavalière que Dominic quand le personnel se tenait tout près.

— Oh, femme de peu de foi, dit-il avec un grand sourire. Il s'agit d'affaires.

Et c'était par courtoisie qu'il avait décidé de ne pas la faire conduire à sa chambre. Tact et conciliation — c'était là son plan.

— Ne me fais pas attendre trop longtemps.

Il ne savait trop si c'était une menace ou une prière, mais comprit le message.

— Exactement deux minutes, lui répondit-il en lui déposant un baiser sur la joue. Ne te mets pas trop à l'aise.

Mais, évidemment, ça ne lui prit pas que deux minutes. C'était plus près d'un quart d'heure, après que Dominic se soit assuré que son service de sécurité ait compris la dernière menace mafieuse dans la ville et qu'il se soit assuré que le comptoir commercial était bien sécurisé.

La parenté de Tan allait aussi être mise à contribution. Sa famille venait d'une culture guerrière que les lois modernes avaient légèrement apprivoisée, mais pas tout à fait pacifiée.

Quand il entra dans le jardin d'hiver — où s'étalait une superbe collection d'orchidées —, il regarda le service à café sur la table, puis la tasse dans la main de Kate et sourit.

— Du café ? Tu t'attends à ce que je reste éveillé toute la nuit ?

— Oui, répondit-elle avec un sourire heureux renforcé par son récent orgasme et quelques délicieux petits fours au chocolat. Autrement, je ne ferais que perdre mon temps.

— Nous ne voulons certainement pas ça, dit-il en s'assoyant devant elle, en étendant les jambes et en se mettant à l'aise sur la chaise de rotin rembourrée.

Elle montra du doigt la cafetière en argent.

— Tu en veux un ?

— Ça va, merci. Mon adrénaline suffit, en ce moment.

— J'en suis ravie, murmura-t-elle en déposant sa tasse.

— Et moi aussi. Maintenant, tout ce que tu as à faire, c'est me dire ce que tu veux. Ce soir, je vais faire vraiment attention de ne franchir aucune limite, alors tu as entièrement le choix de l'ordre du jour.

— Eh bien, je veux premièrement jouir encore. La façon m'importe peu.

Dominic abaissa légèrement les cils.

— Tu ferais mieux de surveiller ton choix de mots, Katherine.

— Que dirais-tu de la façon ordinaire, alors ?

— Ton ordinaire ou le mien ? demanda-t-il en lui adressant un petit sourire.

— Je vais courir le risque.

Le sourire de Dominic s'élargit.

— J'essaie d'être un bon garçon et tu ouvres le jeu à toutes les possibilités Tu es sûre ?

— Compte tenu de ce regard, probablement pas.

Un haussement d'épaules exagéré.

— Alors, nous sommes revenus à la case départ.

— Pas nécessairement, dit-elle, une lueur espiègle dans les yeux.

— Maintenant, tu joues avec moi, fit-il en soupirant doucement.

— Tu es meilleur que moi sur ce plan. Si tu fais quelque chose que je n'aime pas, je vais seulement dire non.

Elle prit une petite inspiration avant d'ajouter :

— Ça n'arrivera probablement pas.

Le désir brut dans sa voix était comme une drogue pour un toxicomane, l'élixir qui pénétrait ses sens et lui donnait l'impression qu'à cet instant le monde était parfait.

— Pourquoi ne pas commencer par quelque chose de simple, murmura-t-il, et nous continuerons à partir de là. Ouvre ton chemisier pour moi.

Elle portait ses propres vêtements — et non pas les robes de haute couture de Greta qu'il avait achetées pour elle à Amsterdam —, le pantalon kaki qu'il lui avait vu porter lors de leur première entrevue, un chemisier blanc sans ornement, aucun bijou, des souliers bruns à lacets.

— Ici ? demanda-t-elle d'un air étonné.

— Oui, ici.

— Ton personnel, fit-elle nerveusement.

— Fais-le, tout simplement, Katherine, rétorqua-t-il en penchant légèrement la tête.

Elle hésita, parcourut rapidement des yeux le jardin d'hiver rempli de plantes, les orchidées de toutes les couleurs pendant du tronc des arbres, la porte ouverte sur la terrasse et la nuit tropicale.

— Il n'y a aucun problème, dit-il doucement en la regardant promener son regard sur la serre du XIXe siècle. Je pensais que tu voulais jouir encore, l'encouragea-t-il d'une voix douce, sans modifier son attitude nonchalante. Ouvre ton chemisier et nous allons commencer.

— S'il te plaît, Dominic, murmura-t-elle en s'agitant légèrement sur sa chaise. Il y a des gens autour.

— Je ne vois personne.

— Ils pourraient venir d'une minute à l'autre.

— Ils ne viendront pas à moins que tu les appelles. Tu aimerais un peu de compagnie ?

— Dieu du ciel, non !

Mais un sursaut de désir pervers la traversa et elle serra les cuisses.

— Vraiment, Katherine, dit-il avec un léger sourire. Tu mouilles, n'est-ce pas ? La pensée de faire ça en public t'attire ?

— Absolument pas !

— Je devrais vérifier ?

— Non, reste où tu es, répondit-elle, tendue.

— Moi ? Rester où je suis ? fit-il d'une voix quelque peu insolente. Préférerais-tu Johnny Chen ? Je suis certain qu'il serait heureux de te baiser, bien que je ne croie pas que tu aimerais. Je devine qu'il viendrait en deux secondes et que ferais-tu ensuite ?

— Et je suppose que tu ne viendrais pas aussi rapidement ?

Elle sut que c'était une question stupide au moment même où elle la posait, mais l'arrogance évidente de Dominic la mettait toujours hors d'elle.

— Si tu veux ergoter, sois au moins raisonnable, dit-il d'un ton aimable. Non, je ne viendrais pas en deux secondes, comme tu le sais fort bien. Alors, enlève ton chemisier.

Il sourit.

— Tout de suite, s'il te plaît ?

— J'ignore comment tu fais pour rester toujours aussi calme quand je perds tous mes moyens, dit-elle en soupirant.

Le sous-entendu agissait comme un avertissement contre le pouvoir corrupteur de Dominic, un rappel à sa propre libido bouillonnante qu'elle n'entendait pas accepter une soumission complète. Qu'elle quitterait Dominic pour éviter de lui céder sa liberté.

— C'est une chose que j'aime chez toi, dit-il plaisamment, ignorant les questions de pouvoir puisqu'il possédait une autorité incontournable. J'aime ta passion irrépressible. S'il te plaît, ne change pas.

Elle soupira, sourit légèrement.

— Comme si je le pouvais.

— Je suis chanceux, dit-il. Tu ne portes pas de soutien-gorge, ajouta-t-il d'un ton plus calme, jaloux de tous les hommes qui l'approchaient. Tu dois avoir fait énormément plaisir à Johnny Chen.

— Tout le monde n'est pas comme toi, Dominic.

— Tous les hommes aiment les gros nichons, murmura-t-il. Tu dois avoir fait bander Johnny une dizaine de fois par jour. Quand tu seras prête, Katherine.

Il entrouvrit son blouson pour exposer son érection protubérante. Peut-être qu'après tout le pouvoir avait une certaine pertinence. Peut-être que la pensée de Johnny Chen lui regardant les nichons nécessitait une compensation.

Elle prit une inspiration, rougit.

— Tu peux avoir ça aussitôt que tu seras déshabillée, dit-il d'une voix rude, exigeante.

— Je ne devrais pas.

C'était une réaction automatique quand Dominic parlait comme s'il possédait le monde et tout ce qu'il contenait.

— Soyons clairs, Katherine. Je ne joue ce jeu que parce que tu aimes ça.

— *Tu* aimes ça aussi.

— Je ne *déteste* pas ça, fit-il en haussant les épaules, mais j'aime un tas de choses. Ça ne doit pas nécessairement être ça.

— Alors, je pourrais choisir autre chose ? dit-elle avec un mouvement impudent des lèvres. Je pourrais *te* dire quoi faire ?

— Peut-être.

Johnny Chen avait-il vu ce sourire impudent ? S'était-elle montrée espiègle ou séductrice avec lui ?

— Ça ressemble à un « peut-être *non* », dit-elle avec un rapide sourire.

— Il t'a touchée ?

Elle parut surprise.

— Tu veux dire Johnny ?

— À moins qu'il n'y ait eu plus d'hommes que tu ne veuilles me le dire, fit-il d'un ton sec, le bleu de ses yeux soudain glacial.

— Arrête ça, Dominic. *Tout de suite.*

— Est-ce que *quiconque* t'a touchée ? demanda-t-il en l'ignorant, jaloux pour la première fois de sa vie et reconnaissant cette émotion pour la première fois avec Katherine.

N'étant pas tout à fait certain de savoir comment composer avec ça d'une manière polie.

— Je ne t'appartiens pas, Dominic, répliqua-t-elle calmement. Nous en avons déjà parlé. Si c'est ce que tu veux, je m'en vais.

— Pas ce soir. C'est trop dangereux.

— Dieu du ciel, Dominic, grommela-t-elle. Tu n'as pas du tout changé. Je suis ici que je le veuille ou non ? Tu monopolises chaque foutue situation. Tu me donnes de foutus ordres chaque seconde.

— Et tu me contestes sans arrêt, rétorqua-t-il brusquement. Alors, dis-moi lequel de nous deux n'a pas changé ?

Il ferma les yeux pendant une seconde, se laissa glisser sur son siège, puis poussa un soupir et la regarda de sous ses longs cils.

— Je m'étais dit que je ne ferais pas ça, que je ne te mettrais pas en colère, que je ne me querellerais et ne me fâcherais pas. Mais je suis jaloux de chaque homme qui te regarde. *Chaque. Homme.* J'aimerais m'en foutre. J'aimerais que ça n'ait aucune importance pour moi. J'aimerais que tu n'habites pas mes pensées et mes rêves chaque minute du jour et de la nuit. Alors, ne me dis pas d'arrêter de ressentir ce que je ressens, gronda-t-il. Je *ne peux pas.*

— Et tu aimerais pouvoir. Je connais ce sentiment, fit Kate en grimaçant.

— Tu es vraiment perturbée, dit Dominic en soupirant. Par ailleurs, tu es ici, je peux te voir et te toucher — il sourit — peut-être. Alors, les choses pourraient être pires.

Il se redressa sur sa chaise.

— Au moins, je n'ai pas envie de boire constamment. C'est bien.

— Et je n'ai pas envie de pleurer constamment, lui répondit Kate en lui rendant son sourire. C'est un soulagement. Malgré ça, ajouta-t-elle en agitant légèrement les doigts, crois-tu que le sexe vaille la peine d'endurer toute cette angoisse ?

— C'est une blague, non ? Le sexe est fantastique. Au diable l'angoisse.

La chaleur dans ses yeux aurait illuminé Singapour pendant une décennie.

— Tu rends le monde viable, Katherine. Et au risque de te faire fâcher encore, je suis bien placé pour le savoir parce que j'ai tout vu de lui. Écoute, dit-il gentiment, nous n'allons pas résoudre les énigmes de l'univers ce soir, ou peut-être jamais. Tout ce que je sais, c'est que je suis heureux quand je suis avec toi et malheureux comme les pierres quand je ne le suis pas. Ça devrait sûrement vouloir dire quelque chose.

— Je pense, murmura-t-elle, que je ne me suis jamais sentie aussi misérable, auparavant.

— Jour et nuit, sept jours sur sept.

Elle lui adressa un sourire tremblant.

— Comme tu dis.

— Alors, merde. Qui se soucie que nous n'ayons aucune idée des raisons qui nous motivent. Qu'en penses-tu si je te rends heureuse maintenant ?

— Je vais te rendre heureux à mon tour.

— Bonne idée.

Il était tout à coup fatigué de parler, mais son esprit ne pensait qu'à une chose quand il s'agissait de Katherine. Et son vol d'une demi-journée pour arriver là n'avait que stimuler son désir de la toucher, de la goûter, de la posséder.

— Ça a été un long mois pour tous les deux, dit-il en se levant de sa chaise d'un mouvement souple, trompeusement facile compte tenu de sa carrure, de sa taille et de la profondeur de sa chaise. Il est à peu près temps que nous ayons du plaisir.

Franchissant en trois enjambées la distance qui les séparait, il écarta la table avec le service à café en argent pendant que le cœur de Kate lui battait dans les oreilles, que la pulsation forte et régulière entre ses jambes adoptait un rythme sauvage, accueillant, et que ses désirs charnels frénétiques lui rappelaient que ça avait été *effectivement* un très long mois.

Se débarrassant de son blouson, il le laissa tomber sur le plancher de marbre blanc et s'agenouilla avec élégance à ses pieds.

— Laisse-moi t'aider avec tes boutons, puis avec un autre orgasme. Ensuite, nous pourrons discuter de nos choix.

Sans attendre une réponse, il lui écarta doucement les jambes, se pencha et détacha le premier bouton de perle de son chemisier.

Les questions de soumission et d'indépendance, de tentation et de volonté n'étaient plus pertinentes. Il était impossible de résister à Dominic. Comme toujours, pour n'importe quelle femme qu'il choisissait d'honorer. Et en ce moment, compte tenu du désir intense qui lui martelait le cerveau, qui lui traversait le corps, elle était prête à faire n'importe quoi pour le sentir en elle. Elle tendit la main pour descendre la fermeture éclair de son pantalon.

— Je vais le faire, dit-il en l'arrêtant d'un geste. J'ai passé ce film dans ma tête un millier de fois, ces dernières semaines.

Il libéra le deuxième bouton, puis le troisième, ses doigts minces, habiles et rapides. Après avoir détaché le quatrième bouton, il dégrafa le pantalon à sa taille, fit glisser la fermeture éclair, dégagea ses pans de chemisier de son pantalon et ouvrit lentement le vêtement de lin blanc comme s'il dévoilait la *Vénus de Milo*, la *Joconde* et toutes les merveilles du monde.

Il expira doucement quand apparut complètement sa peau pâle, se souvenant de la sensation de sa peau — sa chaleur soyeuse, sa douceur — et de la façon dont elle réagissait toujours à son contact avec impatience, follement désireuse de sensations… de lui. Les souvenirs étaient presque renversants. Il prit une inspiration tremblante.

— Tu te rappelles ? murmura-t-elle comme si elle pouvait lire dans ses pensées, comme s'ils regardaient le même film, écoutaient la même chanson.

Il leva la tête, acquiesça.

— J'ai repassé dans ma tête chaque souffle, chaque battement de cœur, chaque bonne chose qui nous est arrivée.

— De même que chaque orgasme époustouflant, dit-elle avec un petit sourire.

— Oh, oui, surtout ça. Alors, tu ne vas nulle part cette fois.

— C'est une affirmation ?

— Tu parles. L'enfer peut se passer de moi pendant un moment. Et je vais tellement te faire sentir bien que tu ne songeras même pas à partir.

— Et si je devais travailler ?

— Tu n'as pas à travailler.

— Si je *voulais* travailler ?

— Alors, je vais voir ce que je peux faire pour *te* travailler, dit-il avec un sourire.

— Pervers.

— Pas du tout. J'essaie seulement de suivre le rythme, chérie. C'est toi qui as fixé la cadence perverse.

— J'espère que tu n'attends pas des excuses de ma part.

— Au contraire. Je remercie le ciel que tu sois arrivée dans ma vie. Et maintenant que tu y es, je verrouille la porte derrière toi.

— Alors, je suis ta prisonnière ?

— Quelque chose comme ça. Tu es aussi la meilleure chose qui me soit arrivée depuis très longtemps et je ne suis pas assez stupide pour te laisser partir.

— Et si je voulais partir ?

Il sourit.

— Alors, je ne ferais pas mon boulot.

Puis, son sourire s'évanouit et il ajouta :

— Écoute, quand ça arrivera, si ça arrive, nous en parlerons.

— Si je ne te désirais pas tant, je m'offusquerais vraiment à propos de ta vision des choses.

— Alors, je rends grâce à la vie et je vais rester dur pour toi. Qu'en penses-tu ?

— Tu es impossible, grogna-t-elle. Mais je te veux quand même.

— Je crois que nous avons tous deux joué cette carte, auparavant. Mais nous travaillons avec un nouveau jeu maintenant, chérie ; nouvelle époque, meilleure époque. Nous n'allons pas gâcher celle-là. Alors, voyons ce que nous pouvons faire pour nous donner mutuellement du plaisir dans un avenir prévisible. OK ?

— Dis-moi oui, dit-il en souriant.

— Oui, Monsieur, dit-elle en souriant à son tour.

— Super, chérie. Nous sommes sur la même longueur d'onde.

Il fit glisser le chemisier de ses épaules, le long de ses bras, sur ses mains, puis le laissa tomber.

— Maintenant, qu'avons-nous ici ? murmura-t-il.

Son érection répondit en premier, remontant encore davantage.

Elle le remarqua.

— Il m'aime bien, murmura-t-elle.

— Oh, oui, répondit-il en soutenant son regard, son désir évident. Tu lui as manqué — et eux aussi, ajouta-t-il en frôlant du bout d'un doigt le renflement pâle de ses seins.

Ses magnifiques nichons étaient encore plus beaux que dans son souvenir, mûrs, potelés, ostentatoires, ses mamelons déjà durs et pointus, attendant d'être embrassés. Il en toucha d'abord doucement un, puis l'autre, le contact de son doigt léger comme une plume — un frôlement, une caresse délicate.

Fascinant. Elle prit une brusque inspiration, gémit, le plaisir exacerbé coulant vers son bas-ventre en un flux chaleureux, divin.

Il se sentit instantanément submergé par la jalousie en entendant ce son familier, devant l'excitation de Kate au moindre toucher, devant son manque de retenue.

— Personne ne les a vus depuis Hong Kong, n'est-ce pas ? demanda-t-il, les sourcils froncés. Ne me ménage pas, chérie. C'est un tout nouveau monde pour moi.

— Je devrais dire non, murmura-t-elle, souhaitant pouvoir le faire, souhaitant qu'un autre homme puisse lui faire éprouver ce désir explosif et la libérer de son désir dérangeant, insatiable, brûlant pour ce Dominic Knight insaisissable.

Sa colère s'évapora immédiatement, sa jalousie douloureuse s'évanouit.

— Non, tu ne devrais pas, dit-il doucement le bout de son doigt léger sur son mamelon. Parce que je veux que ces seins soient miens.

Puis, il posa une main sous son menton, releva son visage pour que leurs regards se croisent, et il vit son désir bouillonnant en elle, sa volonté inflexible.

— Dis-moi qu'ils m'appartiennent, fit-il doucement, et je vais te laisser venir.

— Désolée, c'est trop tard.

Ses yeux verts étaient espiègles, l'excitation ayant fait rougir sa peau.

— En fait, je ne pense pas avoir *besoin* de toi.

— Bon Dieu, tu m'as drôlement manqué, chérie, fit-il en éclatant de rire. Qui à part toi me fait sentir sans importance ? Mais, ajouta-t-il en penchant sa tête et en lui jetant un regard rapide de sous ses cils, je peux te faire changer d'idée.

Sa bouche se referma doucement sur le bout tendre de son mamelon et il entreprit de lui montrer qui avait besoin de qui.

Quand la chaleur de sa bouche envahit son mamelon, elle sentit son corps s'ouvrir pour l'accueillir, comme s'il n'avait qu'à faire la première petite ouverture, toucher délicatement son mamelon sensible du bout de sa langue, et tous ses sens s'enflammaient automatiquement. Même si c'était un de ses nombreux dons et une de ses nombreuses réalisations — son incroyable délicatesse tactile. Que ce soit avec ses mains, sa bouche ou son membre parfait, il se conduisait avec une sorte de professionnalisme artistique. Et, si elle ne ressentait pas la délicieuse chaleur s'écoulant de sa bouche jusqu'à son sexe vibrant, elle pourrait s'offusquer de ce qui était clairement ici un slogan accrocheur : l'expérience est le meilleur professeur.

Mais il la mâchouillait maintenant, ses dents laissant dans leur sillage de petits sursauts de plaisir qui chatouillaient d'abord, puis piquaient, puis s'emparaient de ses sens et de sa raison et lui rappelaient si violemment les pinces à mamelons à Hong Kong que son besoin frénétique lui fit pousser un cri.

Il leva la tête, l'air soudainement froid sur son mamelon.

— Bientôt, chérie. Essaie de te détendre.

— Je ne peux pas !

— Bien sûr que tu peux, répondit-il en lui frôlant la joue. Essaie.

Puis, il pencha la tête et mordit doucement son autre mamelon.

Ce n'était pas un concours ; ça ne l'avait jamais été.

Parce qu'il pouvait la faire sentir si bien, ça n'avait aucune importance si elle avait besoin de lui ou non, si elle était libre ou non quand le plaisir était si renversant et merveilleux.

Quant à l'avantage de Dominic en ce qui avait trait à l'expérience, il comprenait que ça ne fonctionnait que jusqu'à un certain point avec la libido exubérante de Kate. Alors, il jaugea soigneusement sa réaction tandis qu'il taquinait premièrement un mamelon, puis l'autre, tandis qu'il l'amenait habilement au bord de l'orgasme avant de relâcher la pression de sa bouche, laissant s'atténuer lentement la frénésie de Kate. Puis, il recommençait, suçant doucement d'abord, puis de plus en plus fort, ravivant de manière magistrale son excitation.

Saturée de sensations prodigues, se vautrant dans la béatitude, étourdie de plaisir, Kate pardonna à Dominic toutes ses transgressions. Lui pardonna pour toutes ses semaines de tristesse parce que lui seul avait le don de la faire sentir aussi bien : radieuse, insatiable, profondément amoureuse. Elle ne se souciait même pas qu'il tressaille en entendant le mot « amour ». Elle n'avait plus ni raison ni logique, son corps frémissant, pulsant, se liquéfiant, coulant, liquide, fou de désir.

— S'il te plaît, Dominic dit-elle, le souffle court, en éloignant sa tête. Tu as gagné. Je te veux. J'ai besoin de toi. *Tout de suite.*

Il prit son visage entre ses mains, la regarda de près.

— Nous avons besoin l'un de l'autre, chérie. Accorde-moi quelques secondes. OK ?

Elle inclina la tête, ou essaya, les doigts de Dominic toujours insistants.

— Je ne veux pas que tu rates ça. Alors, tiens le coup. S'il te plaît ?

Elle aimait qu'il soit contrit, bien qu'elle l'aimât de toutes les façons possibles.

— Peut-être, probablement, dépêche-toi…

Les doigts de Dominic glissèrent de son visage et il lui enleva ses souliers, son pantalon et sa culotte d'un geste rapide. Se relevant, il la prit dans ses bras comme si elle ne pesait rien, la transporta jusqu'à une méridienne sur laquelle il la déposa en disant d'une voix incroyablement polie :

— Je reviens tout de suite.

Il s'était débarrassé de ses vêtements à une vitesse étonnante, songea-t-elle avec réticence, son ressentiment devant cette efficience acquise dans d'innombrables situations comme celle-ci la détournant momentanément de son désir impatient. Puis, il prit le condom qu'il avait tiré de sa poche de pantalon, le saisit entre ses dents, en déchira l'enveloppe et le déroula sur son érection comme un foutu professionnel, pensa-t-elle avec humeur, suffisamment irritée pour lui dire d'un ton dur :

— Tu as du talent pour ça.

Il leva les yeux en entendant son ton irrité.

— Pour quoi ?

— Enfiler ce condom.

— Y a-t-il une raison pour que je n'en aie pas ? Ne réponds pas à ça. Je n'ai pas le temps d'argumenter.

Tout à coup, il se trouva devant elle, la dominant de toute sa hauteur.

— Tu aimerais écarter les jambes ou tu voudrais que je le fasse ? Il n'y a pas que toi qui sois pressée.

— Ai-je le choix ?

— Tu ne veux pas vraiment avoir le choix, n'est-ce pas ? fit-il en éclatant de rire.

— Je suppose que non, compte tenu de cette magnifique queue sur le point de me rendre heureuse.

— Tu es une fille maligne.

Il posa un genou sur la méridienne, elle ouvrit les cuisses et, un moment plus tard, il se mettait en position entre ses jambes.

— Un mot d'avertissement : cette fois-ci, nous n'allons pas battre des records d'endurance. Aussitôt que tu commenceras à jouir, je viendrai avec toi.

Il n'attendit pas une réponse ; elle haletait et était si mouillée que, condom ou non, il s'enfonça en elle quasiment sans résistance.

Elle jouit presque immédiatement, il attrapa la vague comme le surfeur qu'il était et après 36 jours pénibles, la force brute de leurs orgasmes fougueux, les sursauts explosifs dans leurs systèmes nerveux, le plaisir pur et aveuglant les laissa étourdis sur le moment.

Était-ce réellement possible d'avoir l'impression de se trouver hors de son corps ? La preuve empirique faisait de Dominic un croyant.

« Était-il possible de tomber désespérément amoureux de nouveau, avec un homme qui ne voulait pas être aimé, en raison d'un orgasme éblouissant ? » se demanda Kate.

La réponse, renversante, était directe, claire et terrifiante pour tous deux.

Il devrait partir, pensa-t-il avec inquiétude — à Paris ou plus loin encore.

Elle devrait poliment le remercier, comme si rien de tout cela ne sortait de l'ordinaire, songea-t-elle nerveusement, et sauter dans le premier avion à destination du Minnesota.

Mais ni l'un ni l'autre ne bougea parce qu'ils étaient encore au septième ciel.

— Je régresse, dit-il le souffle court, les yeux à demi fermés comme pour contenir la tempête qui faisait rage en lui.

— Nous devrions… arrêter, dit-elle essoufflée.

— Plus tard.

— Quand ? Quelqu'un doit être rationnel.

— Reparle-m'en dans un an.

Elle se raidit dans ses bras malgré le mélange puissant d'ardeur dévote qui réchauffait ses sens.

— Non !

— Oui, grogna-t-il.

— Non, non, non…

Il lui couvrit la bouche de la sienne, défiant la raison, inconscient de tout sauf de son désir violent, son baiser dévastateur ignorant sa résistance, la force brute imprimant sur elle une marque inexplicable de propriété — comme Attila le Hun avec une nouvelle concubine.

Aussi irréfléchie que lui, elle capitula à une vitesse indécente, s'abandonna à sa bouche et à sa langue ravageuse, désirant ce qu'il désirait, voulant davantage. Voulant son amour ; voulant ce qu'elle ne pourrait jamais obtenir.

Pendant que sa résistance disparaissait et qu'elle réagissait avec sa passion habituelle, elle lui rendit ses baisers fiévreux, lui mordit impulsivement la lèvre dans sa frénésie, et il la mordit à son tour avec la même ferveur insouciante. Ils avaient tous deux perdu la maîtrise de soi, leurs sens en folie, leurs désirs si intenses qu'ils pouvaient les goûter, leur besoin l'un de l'autre, irrépressible.

Et alors que Dominic avait été incertain à propos de ce qu'il entendait faire, ses projets d'avenir devinrent tout à coup clairs.

Il leva légèrement la tête, lui sourit, ayant l'impression que la vérité et la bonté et toutes les vertus du monde étaient à portée de sa main.

— Tu me rends complètement fou de bonheur, chérie, mais mords-moi encore comme ça, ajouta-t-il avec un sourire en léchant le sang sur sa lèvre inférieure, et tu vas recevoir la fessée de ta vie.

— Alors, ça pourrait en valoir la peine, murmura-t-elle en s'étirant ; Dominic l'avait mordue avec davantage de retenue et seulement la marque rouge de ses dents paraissait sur sa lèvre.

La renversant sur le dos, il lui saisit les poignets.

— Tu auras une autre chance plus tard, fit-il d'un ton léger en déposant un baiser sur l'arête de son nez. En ce moment, j'ai une proposition à demi sérieuse à te faire. Alors, ne refuse pas tout de suite.

— Je rêverais de te dire non après cet orgasme explosif, lui répondit-elle en souriant doucement. Ça a à voir avec mon prochain orgasme ? S'il te plaît, dis oui.

Il lui rendit son sourire.

— Oui, mais donne-moi d'abord une minute. Je déteste ces trucs.

Se détachant du corps de Kate, il s'assit sur le bord de la méridienne, retira le condom et le balança parmi les plantes.

— Ne me sermonne pas, la prévint-il. Mon personnel s'en fout.

— Je n'y penserais même pas, murmura-t-elle.

Sa réponse était si accommodante qu'il plissa les yeux.

— Est-ce du sarcasme ? Oublie ça, dit-il rapidement. Je m'en fiche du moment où tu ne te lèves pas pour partir.

Ses yeux verts étaient brillants de satisfaction.

— Je n'ai vraiment pas envie de partir, en ce moment.

— Parfait. Parce que j'ai quelque chose pour rendre le sexe meilleur.

— Tu as toute mon attention, M. Knight, ronronna-t-elle.

— C'est ce que je croyais, fit-il en riant.

Mais il prit une inspiration rapide avant de poursuivre parce qu'elle était imprévisible et, même s'il pouvait toujours lui faire changer d'avis, en particulier quand il s'agissait de sexe, il épargnerait du temps, si elle était immédiatement d'accord.

— Voici ma proposition et ne me fusille pas avant de m'avoir entendu jusqu'au bout.

— Ça doit être vraiment spécial, fit-elle en souriant.

Il lui lança un regard dur. Elle mima un geste de verrouillage sur sa bouche.

— Premièrement, je suis tout à fait prêt à utiliser des condoms aussi longtemps que tu le voudras, mais compte tenu des orgasmes multiples que tu préfères, de même que, dirions-nous, les séances de baise marathoniennes que tu aimes, les condoms seraient vraiment dérangeants. Alors — une autre inspiration rapide —, si ça t'intéresse, j'ai une solution de rechange. Comme tes menstruations viennent de se terminer — ne me regarde pas comme ça, j'ai lu le résumé de l'entrevue avec toi à Hong Kong et je m'en suis souvenu parce que ça avait de l'importance pour moi à ce moment. J'ai raison à propos de tes menstruations ?

— Bon Dieu. Une pareille intrusion dans ma vie privée est-elle légale ?

— Je ne l'ai jamais demandé. Alors, j'ai tort ou raison ?

Elle fit une moue, puis inclina la tête.

— Depuis quand es-tu devenue timide ? demanda-t-il en souriant.

Elle passa ses doigts à travers ses boucles rousses en un geste rapide et nerveux, puis le fixa avec colère.

— C'est assez personnel.

— Contrairement à la baise.

— Hé, continue comme ça et…

— Tu ne pourrais pas le faire, chérie. Franchement. Tu en as plus besoin que moi.

— Je le pourrais.

— Et je pourrais devenir un homme religieux, mais je ne parierais pas là-dessus. Alors, je peux revenir à mon plan ? Ça va vraiment te combler ; c'est promis.

Elle plissa le nez comme un lapin.

— Je vais interpréter ça comme un oui. Encore une chose, et ne sois pas dégoûtée. Ce n'est qu'une simple question. Est-ce le cinquième jour de tes menstruations ?

Elle fronça instantanément les sourcils.

— Dieu du ciel, comment sais-tu ça ?

— Je t'ai dit que j'avais lu le résumé. J'ai une bonne mémoire : quand je vois quelque chose, ça reste là, dit-il en se frappant la tempe du bout de l'index. En tout cas, le moment ne pourrait pas être meilleur pour une injection contraceptive. L'injection agirait immédiatement. Et si tu t'en souviens, les pilules contraceptives nous posaient un problème à Hong Kong.

Elle était furieuse.

— N'essaie pas de détourner la conversation. Comment saurais-tu que ça agit immédiatement ?

— C'est une information générale. Ne te fâche pas. J'ai lu à ce sujet.

— Pourquoi ?

Son regard était tout aussi furieux, sa jalousie déraisonnable, mais incontournable.

— Parce qu'il se trouve que c'était dans la rubrique santé du *Times* que je lisais, dit-il d'une voix tout à fait calme. Et la planification des naissances m'intéresse. OK ?

— Oui, j'ai compris ça.

— Allez, chérie, j'aimerais te dire que j'étais puceau quand nous nous sommes rencontrés, mais je ne le peux pas. Si ça peut avoir de l'importance, je n'ai été avec aucune femme depuis Hong Kong. Et c'est vraiment quelque chose pour moi.

— Je le suppose, grommela-t-elle.

— Tu fais bien, grommela-t-il à son tour. Compte tenu de mes antécédents, ça équivaut à déplacer une montagne.

Il ferma brièvement les yeux comme s'il reconfigurait son passé par rapport au présent, puis la regarda et sourit.

— C'est un tout nouveau pays des merveilles, chérie.

— Merci, fit-elle doucement.

— Pas de problème, lui répondit-il tout aussi doucement. Ça en valait la peine.

Il se pencha et la frôla d'un baiser sur la bouche.

— Alors, qu'en dis-tu ? OK ? termina-t-il.

— OK.

Il se rassit.

— Juste comme ça, OK ?

— Ouais.

— Tu me prends par surprise, dit-il avec un sourire. Pas de discussion ?

— En fait, je suis un peu allergique au latex et très allergique à ceux qui sont lubrifiés puis, franchement, j'aime te sentir.

Offusqué en pensant à l'usage qu'elle avait pu faire de condoms, il aurait voulu l'interroger et la contre-interroger à propos de l'histoire de ses allergies au latex, mais comprenant que ça ne servirait à rien de se quereller, il réprima son ressentiment et attrapa plutôt son blouson.

— Laisse-moi appeler mon médecin, dit-il en retirant son téléphone cellulaire de sa poche.

— Tu peux avoir un médecin à cette heure de la nuit ?

— Je peux avoir un médecin n'importe quand. Il travaille pour moi.

— J'espère que tu ne vas pas me dire qu'il administre ces injections à toutes ces femmes que tu reçois ici, dit-elle en grimaçant.

— Je ne reçois pas de femmes ici. C'est ma maison.

Elle le regarda de travers.

— Tu les emmenais au jardin d'hiver.

— Je ne le considère pas comme ma maison, répliqua-t-il prudemment, sa voix douce, son expression tout à fait neutre. Si ma mère n'avait pas été à la maison quand nous y sommes arrivés, nous serions restés sur le Peak. Et avant que tu sautes aux conclusions, je n'emmène pas de femmes à ma maison sur le Peak non plus. Tu étais la première.

— Peut-être que ce médecin donne ces injections pour toi ailleurs, dit-elle ignorant son admission capitale parce qu'elle était jalouse de chaque femme qu'il ait un jour regardée et que sa jalousie était une force irrésistible.

— Je ne lui ai jamais demandé de faire ça pour moi, auparavant. S'il te plaît, Katherine. Je ne veux pas parler du passé. C'est terminé. Et si tu es d'accord pour une entente d'exclusivité, il n'y a personne d'autre que toi.

— Et si je ne suis pas d'accord ?

— Que veux-tu que je te dise ? fit-il en soupirant.

— La vérité, peut-être ?

— Alors, je serais complètement quelqu'un d'autre. Satisfaite ?

Elle fut renversée de constater à quel point elle souffrait en l'entendant dire ça. Le fait de penser à lui avec une autre femme. D'envisager la vie sans lui maintenant qu'il lui était revenu.

— Hé, murmura-t-il en lui prenant la main et en la serrant doucement. Je ne veux personne d'autre que toi. Mais ce n'est pas comme si j'avais 80 ans, OK ? Alors, entendons-nous là-dessus. Je ne désire que toi et personne d'autre. Le mois dernier a été infernal; ne nous querellons pas sur la mesure dans laquelle je te désire. Il n'y en a aucune qui soit suffisamment grande ou élevée ou profonde. Je suis sur le point de te supplier, chérie, et c'est foutrement terrifiant.

Son sourire était incroyablement tendre.

— Alors, donne-moi une chance. Dis oui avant que je m'humilie complètement. Nous allons régler plus tard les détails à propos d'où et de quand et de combien de fois — il sourit — et de ce que tu veux comme jouets.

— Je pense que j'ai raté la partie de la supplication, dit-elle en souriant. Tu parais passablement sûr de toi.

— En ce qui concerne les jouets, je le suis.

— Tu as toujours été arrogant.

— Et tu m'as toujours résisté.

Elle lui lança un regard de sous ses cils.

Il sourit de toutes ses dents.

— Eh bien, parfois tu le fais.

Elle soupira doucement sans trop savoir si elle allait lui céder ou si la vie sans lui serait insupportable.

— Alors, ai-je besoin d'un avocat ?

En un éclair, il la déposa sur ses genoux, l'enlaça et l'étourdit avec un sourire.

— Je suis tellement heureux, murmura-t-il en l'embrassant tendrement. Et si tu veux un avocat, nous allons t'en trouver un. Ça ne me dérange pas vraiment du moment où je sais que tu m'appartiens.

— Hé ! s'exclama-t-elle en lui frappant la poitrine.

— Laisse-moi reformuler ça, dit-il avec un sourire. Du moment où tu sais que je t'appartiens. C'est mieux ? Devrions-nous le clamer au monde entier ?

— Très drôle.

Il lui adressa un petit regard interrogateur.

— En fait, ça ne me dérangerait pas. Ça m'enlèverait d'autres… euh… gens de sur le dos. Les gens de mon service de relations publiques pourraient étaler notre relation au grand jour, la rendre formelle. Qu'en dis-tu ?

— Je n'aime pas la publicité.

— Tu ne veux pas que les gens sachent que nous sommes ensemble ? demanda-t-il en fronçant les sourcils.

— S'il te plaît, Dominic, tout ça, c'est vraiment mignon, mais tu ne peux pas faire durer ça — pas longtemps, en tout cas. Alors, je devrais répondre à toutes les questions stupides, ma vie privée n'aurait plus rien de privé et, surtout, je pleurerais en public plutôt que toute seule. Si j'accepte de ne voir personne d'autre, je ne vais pas le faire. Personnellement, je ne pense pas que tu le puisses, mais nous pouvons essayer parce que tu me rends heureuse aussi, dit-elle en l'embrassant légèrement. De toutes les façons imaginables.

Il savait quand cesser temporairement les négociations.

— Tu verras que je le peux, dit-il doucement. Tu es mon univers, chérie.

Il leva un sourcil.

— Alors ? demanda-t-il en lui montrant son téléphone cellulaire, j'ai ton accord pour appeler le médecin ?

CHAPITRE 8

Dominic et Kate attendirent le médecin dans la chambre à coucher de Dominic, une vaste pièce dominée par un lit à baldaquin du XIXe siècle. Construit en teck pour résister à la chaleur et à l'humidité des Tropiques, le bois avait pris au fil des siècles une chaude teinte ocre, l'ancien verni ayant acquis un lustre soyeux. Des portes pliantes, maintenant fermées, menaient à une véranda ; l'air conditionné tenait la chaleur à distance, de même qu'un ventilateur qui tournait lentement sur le haut plafond. Le lit, les fauteuils et le canapé étaient tous recouverts d'un lin naturel pâle, découpé simplement et sans ornement. Le plancher, les deux commodes et le bureau étaient aussi en teck poli. C'était une chambre masculine.

Dominic leur avait trouvé deux peignoirs, celui de Kate de plusieurs tailles trop grand. Ils étaient assis côte à côte sur son énorme lit où ils venaient d'avaler un assortiment de sandwiches et de biscuits, et du lait que Dominic avait commandé pour Kate ainsi qu'une bière et de la nourriture de rue malaise qu'il préférait et qu'il ne l'exhorta pas à essayer parce qu'il se montrait extrêmement poli plutôt que manipulateur. Il mangea tout cela jusqu'au dernier bâtonnet de concombre.

— Bon sang, c'est bien d'avoir faim de nouveau, dit-il avec un soupir de satisfaction en repoussant le plateau. J'ai à peine mangé depuis Hong Kong.

Offrant à Kate le dernier biscuit, il fit un geste en direction des assiettes vides.

— Devrais-je en commander encore ?

— Probablement pas avec — elle leva les sourcils — *ton* médecin sur le point d'arriver.

Il comprit le message cinq sur cinq.

— Demande-le-lui quand il sera ici. Yash te dira que tu es la seule. Il ne fait pas ça pour moi d'habitude.

— Mon Dieu…, soupira-t-elle. J'aimerais ne pas être si…

— Jalouse. Ne te sens pas seule. J'ignorais même le sens de ce mot jusqu'à ce que je te rencontre.

Il la regardait sans sourciller, un petit sourire aux lèvres.

— Je découvre un nouveau territoire avec toi, chérie. Pas de doute là-dessus.

— Tout à propos de toi, ceci, « nous », c'est nouveau pour moi aussi. Je me sens tout à la fois confuse, jalouse, follement excitée. Comme une adolescente amourachée qui n'a plus aucun sens des proportions.

— Je suis désolé, fit-il calmement. Tu n'as pas vraiment *fréquenté* quelqu'un à l'école secondaire, n'est-ce pas ?

Elle lui jeta un regard moqueur.

— Et toi non plus ?

— Bien sûr que non.

Elle rit.

— Tant que nous ne nous éloignerons pas de cet univers fantaisiste, tout ira bien.

— En effet.

Son sourire incarnait la beauté même — assassin, absolument magnifique, tendre, avec un côté mâle alpha tout juste suffisant pour faire accélérer son cœur.

— Tu as dit « en effet » avant le dîner à Amsterdam de la même manière sexy. J'ai failli m'élancer sur toi et te promettre tout ce que tu voulais.

— Quant à moi, j'aurais voulu t'entraîner à l'étage cette nuit-là et te baiser jusqu'à ce que tu ne puisses plus bouger.

Elle eut un large sourire.

— Qu'avons-nous fait pour que ça n'arrive pas alors que nous étions sur la même longueur d'onde ?

Il haussa les épaules, la soie grise de son peignoir scintillant dans la lumière de la lampe.

— Ça t'a pris un certain temps. Tu étais nerveuse.

— C'était ça que j'étais ?

— Ou tu luttais contre moi, fit-il en arquant un sourcil. À ton choix.

— Ta réputation *était* décourageante.

— C'est du passé, maintenant.

Sa voix était rauque et basse, d'une touchante gravité. Elle leva les yeux, soutint son regard.

— Alors, tout est bien, maintenant ? murmura-t-elle.

Il se pencha et l'embrassa sur la joue.

— Tu as ma parole, chérie, dit-il doucement. Rien ne va mal, cette fois. Absolument rien. Alors, souris-moi et donne-moi ce demi-biscuit. Nous en commanderons d'autres quand Yash sera parti.

Dominic détournait consciemment la conversation. Elle n'était pas surprise. Il évitait les scènes émotionnelles. Elle brisa en deux le biscuit au beurre d'arachides, lui en tendit une moitié et sourit.

— Juste pour cette fois, je vais suivre les ordres.

— Hé, une fois, c'est mieux que rien, dit-il en riant, et je vais m'en satisfaire.

Il lui prit le biscuit des doigts, puis saisit le verre de lait sur le plateau et le lui offrit.

— Je vais faire en sorte que tu aies du lait au chocolat demain.

— Ça va. Le lait est parfait avec les biscuits.

Elle trempa son biscuit dans le lait.

— En ce moment, *tout* est parfait, dit-il en lui frôlant la joue de ses jointures. Et ça va demeurer ainsi. Nous le méritons après un mois de souffrance.

Il glissa le demi-biscuit dans sa bouche.

— J'ai déjà oublié tout ça. C'est le paradis. Vraiment.

— Sans blague, murmura-t-il en mâchant.

Mais tout en parlant, il se trouva envahi d'un petit malaise agaçant. Katherine représentait tout ce qui était bon dans sa vie. Pourtant, leur rencontre avait constitué un tel hasard du destin, comme gagner à la loterie, qu'il s'inquiétait que le vieil adage — *la seule certitude à propos de la chance, c'est qu'elle changera* — puisse être vrai.

— Hé. La Terre appelle Dominic.

Il avala son demi-biscuit, puis sourit.

— Désolé, j'étais en train de m'assoupir, mentit-il. Je n'ai pas beaucoup dormi, ces derniers temps.

— Après que le médecin soit parti, tu dormiras, dit-elle en lui rendant le verre. Je ne vais nulle part.

« Je ne vais nulle part », se répéta-t-il mentalement.

Son assurance tranquille était comme la pluie après une décennie de sécheresse, ou de la nourriture pour un homme affamé, ou la délivrance d'une vie de désespoir.

— Merci, je pourrais bien faire ça.

Il avait parlé avec une hésitation perceptible, les habitudes d'une vie entière difficiles à changer, son nouveau sentiment d'espoir trop fragile pour le mettre en péril.

Il se sentit soulagé quand on frappa à la porte. Peu habitué à composer avec ses sentiments, son esprit était de plus en plus surchargé ce soir. Il déposa le verre.

— C'est Yash, fit-il en se glissant hors du lit.

— Tu restes, n'est-ce pas ? demanda-t-elle avec une légère trépidation dans sa voix. Je ne fais pas ça sans toi.

Dominic lui lança un regard par-dessus son épaule.

— Comme si j'allais te laisser seule avec un autre homme.

— Oh, c'est bien. J'aime que tu sois jaloux aussi, alors je ne suis pas la seule.

Il se retourna, parut mélancolique pendant un moment avant de se souvenir de ses manières et effaça l'expression de son visage.

— Le mot « jaloux » est encore loin de décrire l'intolérance que j'éprouve en t'imaginant avec d'autres hommes, fit-il d'une voix tranquille. Un petit avertissement, chérie : tu m'appartiens. C'est clair ?

Il soutint le regard de Kate. Attendit.

— Je suppose.

Une minime concession.

Il secoua la tête, le mouvement si léger qu'il était à peine perceptible.

— Mauvaise réponse. Allez, chérie, fais-moi plaisir.

— Oh, d'accord. Oui, alors. Mais pas toujours, Dominic. Pas chaque fois.

— Nous verrons.

— Dominic !

— Désolé.

— Non, tu ne l'es pas.

— Accorde-moi au moins le mérite d'essayer, grommela-t-il. J'ai l'impression de marcher dans un foutu champ de mines; chacun de mes mots, chacune de mes pensées, pouvant déclencher une explosion. Oh, merde, je ne voulais pas dire ça. C'était impoli.

Il hocha la tête en un petit geste de conciliation, changea de position.

— Écoute, je vais m'habituer. Ça prendra seulement quelque temps. Pourrions-nous discuter de la jalousie et des limites plus tard? S'il te plaît, chérie? Yash attend.

Il était incroyablement attirant, agité, cette petite ride d'inquiétude entre ses sourcils.

— Bien sûr, répondit-elle en affichant un sourire.

— Merci, fit-il tout en expirant.

Il se tourna, puis se rendit à la porte et l'ouvrit.

— Bonsoir, Yash. Entre et fais la connaissance de ma dulcinée.

« Ma dulcinée », se répéta-t-elle mentalement.

Quels beaux mots, chaleureux, charmants! Kate se sentit comme si elle avait 14 ans et tombait amoureuse pour la première fois. Toutefois, un premier amour était une expression trop gentille, en ce qui concernait Dominic. C'était plutôt comme perdre les pédales, devenir dingue, être folle d'amour.

Un moment plus tard, les deux hommes étaient près du lit. Dominic fit les présentations, puis se tourna vers le médecin et sourit.

— N'est-elle pas adorable?

Yash dissimula son étonnement. Il connaissait Dominic en tant qu'étalon, mais en tant qu'amoureux? Il était renversé.

— Absolument, répliqua-t-il tranquillement en se tournant vers la jolie rousse avec un sourire. Enchanté de vous connaître, Mlle Hart.

Elle rougit en entendant le compliment *vraiment* adorable de Dominic. Elle était également petite et délicate dans le peignoir trop grand de Dominic — une partie de sa nouveauté sans doute. Dominic avait toujours été attiré par les grandes femmes minces et chics.

— Appelez-moi Kate, s'il vous plaît.

Lui rendant son sourire, elle contempla le beau jeune homme vêtu de manière décontractée avec un jeans et un polo blanc, ses traits représentant un amalgame des multiples cultures chinoise, malaise et indienne de Singapour.

— Et je m'excuse, ajouta-t-elle. Dominic n'aurait pas dû vous appeler si tard le soir.

Le médecin éprouva de nouveau un choc.

« Une femme qui faisait des reproches à Dominic ? Sûrement une première », pensa-t-il.

— Je lui ai dit que ce n'était pas un problème. Dis-le-lui, Yash, fit Dominic en souriant, sinon je vais devoir l'écouter râler contre moi.

« Râler. Vraiment ? Elle doit être incroyablement bonne au lit », se dit-il. Yash n'avait jamais vu Dominic plier devant une femme.

— Ce n'est pas du tout un problème, répliqua-t-il poliment. Dominic et moi nous connaissons depuis des années.

« Souvent dans des circonstances qu'on ne pourrait qualifier que de contraires à la morale », songea-t-il.

— Nous nous sommes rencontrés à Londres, fit Dominic en se tournant vers son ami. Il y a probablement, quoi, quatre ou cinq ans ?

— Yash fêtait l'obtention de son diplôme de Cambridge en médecine et j'essayais de vider le stock de boisson du bar.

— C'était une soirée mémorable.

Dominic lui jeta un regard d'avertissement et Yash s'interrompit aussitôt, puis il indiqua du doigt le sac de cuir à l'épaule de Yash.

— Tu as apporté l'injection ?

Yash inclina la tête.

— Je dois d'abord poser quelques questions de routine. Je ne fais que suivre le protocole. Il peut y avoir des effets secondaires chez certaines femmes…

Quelques minutes plus tard, après que Kate ait répondu par la négative à toutes ses questions, Yash expliqua comment la substance fonctionnait immédiatement dans le cadre de certains paramètres liés aux menstruations d'une femme, puis parla de son aspect sécuritaire et de son efficacité, de sa durée et de possibles changements physiques.

— Vous avez des questions ?

— Que signifie « immédiat » ? demanda Kate en levant les sourcils. Réellement.

— Il n'y a pas de presse, intervint Dominic. Ça n'a pas d'importance.

Un autre haussement de sourcils.

— Parle pour toi.

— Apparemment, c'est pressant, fit Dominic d'une voix neutre en se tournant vers Yash. De combien de temps parlons-nous, des heures, des minutes ?

— La documentation sur le sujet utilise les mots « immédiatement » ou « tout de suite » et, même si la fonction de la substance est claire, la réaction de chaque femme varie. En fait, toujours d'après la documentation, 3 % des femmes deviennent enceintes même après l'avoir prise.

C'étaient de bons pourcentages. Dominic sourit à Kate.

— À toi de décider, chérie.

— Hum, 3 % ; tu décides.

— Pas de problème, fit-il en haussant les épaules.

— Tu en es sûr ? insista-t-elle tandis qu'une lueur espiègle brillait dans ses yeux verts. Dernière chance de te sauver.

« Bon Dieu », pensa Yash.

Si Dominic envisageait sérieusement la possibilité d'avoir un enfant avec cette jeune femme, même si cette possibilité était faible, rien ne pourrait plus le surprendre.

La bouche de Dominic se fendit d'un grand sourire.

— Pourquoi voudrais-je me sauver ?

Yash réprima un sursaut de surprise.

— OK, alors. Je suis sûre aussi… je pense.

Kate s'interrompit, leva les yeux vers Dominic qui l'observait avec un sourire indulgent.

— Oui… oui… faisons-le, dit-elle en se tournant vers Yash avec une légère grimace. Est-ce que tout le monde est aussi hésitant ?

Il prit une fraction de seconde avant de répondre en pensant encore à la réplique nonchalante de Dominic. Et une autre fraction de seconde pour décider quoi répondre compte tenu du fait que Dominic finançait son laboratoire de recherche. En fait, il n'avait pas de patients.

— Dis-lui que tout le monde hésite, Yash, sinon elle va continuer de te harceler. Ne me regarde pas comme ça, chérie ; tu sais que tu analyses exagérément chaque foutu détail.

— Yash peut répondre lui-même, Dominic, rétorqua Kate en fronçant les sourcils.

Dissimulant sa surprise devant l'audace de la jeune dame, sans parler de la bonne humeur conciliante de Dominic, Yash eut l'intelligence de répondre selon la volonté de son patron.

— C'est une grosse décision. Vous n'êtes pas la seule à vouloir être certaine.

— Voilà. Tu vois ? dit Dominic avant de se tourner vers Yash et le remercier d'un hochement de tête. Alors, que fait-on maintenant, docteur ?

Yash dirigea son attention vers Kate.

— Si vous voulez bien remonter votre manche, je vais prendre la seringue.

— Laisse-moi le faire pour toi, chérie, dit Dominic en s'avançant rapidement jusqu'au lit. Étends ton bras.

— Pour l'amour du ciel, Dominic. Je peux remonter ma manche.

— Je n'ai pas dit que tu ne le pouvais pas, mais laisse-moi t'aider, OK ? Les injections sont parfois difficiles. Parlant de ça, ajouta-t-il en se tournant de nouveau vers le médecin tandis qu'il remontait la manche de soie bleue, le bras de Katherine sera-t-il douloureux ?

— C'est difficile à dire, répondit Yash en levant la seringue. Les gens réagissent différemment aux injections.

— Alors, peut-être que tu devrais rester jusqu'au matin, Yash. Juste au cas, dit Dominic en fronçant les sourcils.

— Si tu préfères, certainement.

— Vraiment, Dominic, ne lui fais pas perdre sa nuit. Ce n'est qu'une injection. Tout ira bien pour moi.

— Pourquoi prendre un risque ? Ça ne dérange pas Yash, dit Dominic en jetant au médecin un regard qui ne prêtait à aucune interprétation. Tan s'occupera de toi. Prends le whisky que tu aimes bien avant d'aller au lit. Maintenant, ferme les yeux, chérie. Allons-y.

Quand ce fut fait, Dominic accompagna Yash jusque dans le corridor.

— Je pourrais avoir besoin de toi ici pendant environ une semaine, dit Dominic. Ton horaire te le permet-il ?

— Bien sûr, mais si tu t'inquiètes de la réaction de la dame à l'injection, ce n'est pas nécessaire.

— Tant mieux. Toutefois, ce n'est pas ça.

Dominic prit le bras de Yash et l'entraîna loin de la porte.

— Leo et Danny s'en viennent de Hong Kong. Ils devraient être ici dans quelques heures. Il existe une possibilité que la mafia des Balkans soit en ville, à la recherche de Katherine.

— Ne me dis pas qu'elle n'est pas ce qu'elle paraît être ?

Dominic sourit de toutes ses dents.

— Bon Dieu, est-ce que ça ne sortirait pas d'un film ?

Puis, son sourire s'évanouit, et il prit un ton contrit.

— En réalité, elle a fait du travail pour moi qui pourrait la mettre en danger.

— Le sait-elle ?

— Non, et je veux que ça reste comme ça. Elle est... — Dominic plissa les lèvres —, disons seulement qu'elle pourrait paniquer, si la mafia était à ses trousses. Alors, envoie chercher tout ce dont tu as besoin pour les urgences habituelles. Nous allons prendre l'avion tôt demain matin et, je l'espère, éviter des complications.

Yash faisait fonction de traumatologue quand Dominic et son équipe voyageaient d'un bout à l'autre du monde. Les investisseurs de capital de risque cherchaient constamment des ressources naturelles dans certaines régions les plus violentes de la planète. Alors, les risques et la sécurité, de même que les rançons, étaient des questions importantes. En fait, les rançons faisaient partie du modèle d'affaires dans certains pays du tiers monde ; le seul fait de porter une montre dispendieuse pouvait vous coûter la vie.

— Qu'est-ce qui a pu mettre en rogne la mafia des Balkans ?

— Katherine a trouvé 20 millions de dollars qui m'appartenaient et qui m'avaient été volés d'une manufacture que je possède à Bucarest et expédiés dans une banque à Singapour. Nous avons récupéré la somme ; ils l'ont perdue. Ils n'aiment pas perdre 20 millions.

— Tu parles. Ils tueraient pour seulement 1000.

— Absolument. Alors, je vais leur faire une offre qu'ils seraient sages d'accepter, mais entre-temps…

— Tu quittes la ville ?

Dominic acquiesça.

— Les États-Unis sont relativement sécuritaires. Avec l'important profilage et les exigences sévères en matière de visa, seuls les professionnels peuvent y entrer.

— Et ces gens ne sont pas des professionnels ?

Dominic secoua la tête.

— Des petits voyous ambitieux.

— Il me faudra environ une heure pour aller chercher ma trousse et revenir.

— Merci. Je te revois au matin, à moins que Katherine n'ait des effets secondaires après l'injection.

— La possibilité est pratiquement nulle.

— Peu importe. Je ne veux prendre aucun risque.

— J'ai remarqué. Elle est importante à tes yeux.

— J'ai à peine dormi le mois dernier sans elle. Nous sommes revenus ensemble il y a — Dominic jeta un coup d'œil à sa montre — 3 heures et 20 minutes précisément, et la vie vaut de nouveau la peine d'être vécue. Alors, ouais, elle est importante.

Un regard indéchiffrable, puis un sourire.

— Transmets mes salutations à Leo et Danny.

— Yash est installé, dit Dominic en revenant dans la chambre. Tout va encore bien ? Tu n'as pas mal ?

— Tout va bien maintenant que tu es revenu, lui répondit-elle en souriant. J'ai pratiquement des symptômes de sevrage quand je ne te vois pas. Aucune excuse. Aucune qui soit rationnelle.

— Nous avons été séparés trop longtemps; nous avons souffert trop longtemps. Le cauchemar est encore trop récent.

Il ferma brièvement les yeux, chassa ce pénible souvenir.

— Je songe à te menotter à mon poignet — sans blague, ajouta-t-il.

— Comme tu es gentil, roucoula-t-elle.

Il éclata de rire, puis prit une profonde inspiration et sa voix se transforma en un murmure.

— Je ne veux pas te quitter des yeux, c'est compris?

Kate sentit les larmes lui monter tout à coup aux yeux et elle inclina la tête.

Dominic s'élança sur le lit, la prit dans ses bras, l'installa sur ses genoux et l'enlaça.

— Nous allons faire en sorte que ça fonctionne. Je te le promets. Contre vents et marées, inondations, tremblements de terre, n'importe quelle foutue catastrophe naturelle. Tu as ma parole.

Un petit sourire hoquetant.

— Merci.

Essuyant les pleurs sur ses joues avec son pouce, il pencha la tête et l'embrassa tendrement.

— Nous sommes sur la route de briques jaunes cette fois, chérie. Toutes les méchantes sorcières sont disparues.

Elle écarquilla les yeux de plaisir.

— Tu as vu *Le magicien d'Oz* aussi?

— Il a bien fallu. Ma sœur, Melanie, adoooorait ça.

Kate rit.

— J'ai du mal à t'imaginer enfant.

— C'est mieux comme ça. J'étais un gamin intenable.

— Et ce n'est plus le cas, maintenant ? le taquina-t-elle.

— Ça dépend qui en juge, je suppose, dit-il avec un sourire libidineux. Il paraît que tu as parfois aimé les gens intenables.

— Parlant de ça, murmura-t-elle.

Il exhala doucement.

— Pourquoi n'attendrions-nous pas au matin ?

— Je ne veux pas attendre, fit-elle en plissant le nez.

— Tu ne le veux jamais, soupira-t-il. Mais cette fois, c'est différent. Peut-être qu'immédiatement ne veut pas dire immédiatement. Tu as entendu Yash.

— Alors, utilise un condom.

— Tu es allergique. Attendons jusqu'au matin.

— Et si je m'envoyais en l'air toute seule, proposa-t-elle avec un sourire séducteur. Tu pourras regarder, me donner des conseils.

— C'est tentant, chérie, mais je ne crois pas que ce soit possible.

— Moi qui m'envoie en l'air ou toi qui ne fais que regarder ?

— Devine, répondit-il sèchement.

— Alors, je peux être égoïste ? Je pense que cette injection m'a stimulée.

— Tout te stimule, fit-il en arquant un sourcil.

— Seulement quand tu es là. Parole de scout, dit-elle en voyant son air sceptique.

— Je trouve ça difficile à croire, mais merci.

— Hé, je suis sincère, dit-elle en passant ses bras autour de son cou et en l'embrassant. Tu peux parier toute ta fortune là-dessus, dit-elle avant de se rassoir et de lui sourire.

— Bonne nouvelle, dit-il doucement plutôt que de répondre avec le cynisme alimenté par son éducation.

Penchant la tête, il embrassa sa bouche pulpeuse et rose, puis espéra que le monde n'était vraiment constitué que de douceur et de lumière.

— Alors, tu acceptes ou non ? demanda-t-elle, plus impatiente encore, après quelques instants.

Le baiser de Dominic aurait pu ressusciter un mort.

— Pas cette fois, répondit-il en secouant la tête, mais je vais t'aider.

Elle lui adressa un sourire radieux.

— Tu es tellement adorable. Altruiste. Magnanime.

— Intelligent. Pragmatique. Qui évite les problèmes.

— Ça aussi, convint-elle en souriant.

— Tu es sûre de ne ressentir aucune douleur, maintenant ?

— Je vais hurler si quelque chose me fait mal.

— Ça ne veut rien dire, fit-il d'une voix traînante. Tu hurles toujours.

— Je vais crier « Ça fait mal ! » ; que penses-tu de ça ?

— C'est assez simple, répondit-il en lui jetant un coup d'œil séduisant. Aimerais-tu jouer un peu d'abord ?

— Laisse-moi une minute pour décider… oui.

Elle glissa ses doigts à travers la chevelure lisse de Dominic, puis lui pencha la tête pour un baiser.

— Oui, oui, oui… oui, ajouta-t-elle.

— Dieu du ciel, que c'est bon de t'avoir de nouveau avec moi, chérie, murmura-t-il, les yeux brillants, son ancien monde imparfait mis de côté. C'est le foutu paradis sur terre…

CHAPITRE 9

Un long moment plus tard — un lent baiser, chaleureux et provoquant plus tard —, Kate gémissait tandis que Dominic pensait « Au diable l'attente » quand une minuscule partie de son cerveau qui fonctionnait encore lui hurla : « MERDE, AS-TU PERDU L'ESPRIT ? »

La question ne s'enregistra pas dans son cerveau comme un hurlement parce que le désir occupait une part importante de sa perception ; le son était faible, distant, sa signification atténuée. Mais son réflexe aiguisé de lutte ou de fuite qui fonctionnait encore l'entendit, appuya frénétiquement sur le bouton de panique et hurla : « Alerte rouge ! Alerte rouge ! ». Les sonnettes d'alarme franchirent finalement les limites du désir maniaque de Dominic et, soulevant Kate de ses genoux à une vitesse folle, il la laissa tomber sur le lit, s'éloigna en un éclair et s'étendit sur le dos, les yeux fermés, le souffle court, baigné tout à coup d'une sueur froide.

— Je ne vais pas… te tenir… responsable, dit Kate d'une voix fiévreuse, saccadée, impatiente, son insatiable désir lui nouant l'estomac.

Elle se tourna vers lui, les yeux à demi fermés, embrumés par la passion.

— S'il te plaît, Dominic. Ne me *fais* pas ça !

Il n'osait pas la regarder, sa maîtrise de soi étirée jusqu'à la limite. Qu'arriverait-il, s'il l'écoutait, s'il lui faisait plaisir, se faisait plaisir ainsi qu'à sa libido déchaînée ? Toutes les possibilités lui traversèrent l'esprit, aucune n'étant avantageuse, toutes dépassant les 3 % de chance qu'il était prêt à accepter. Prenant une profonde inspiration, il leva d'abord la tête, puis s'assit avec une ondulation de ses abdominaux durs comme la pierre.

— Je vais te trouver... autre chose.

Sa voix était rauque, chaque muscle de son corps tendu par la contrainte.

— Je ne veux pas autre chose ! C'est toi que je veux !

Tremblante de frustration, Kate tenta de saisir son membre. Il attrapa sa main, puis l'autre qui visait la même cible, la redressa et la tint à bout de bras.

— Pardonne-moi, chérie, murmura-t-il.

Merde, il se détestait en se refusant à elle.

— Je promets de me rattraper demain, ajouta-t-il.

— Non, maintenant !

Tremblante de désir, insensible à tout raisonnement, elle lutta pour se libérer, se tordant dans sa poigne.

— S'il te plaît, je ne peux pas attendre ! Je n'arrive pas à me persuader de ne pas jouir comme toi ! Dominic, aie *pitié* de moi !

Ses narines frémirent, tandis qu'une voix l'exhortait : « Ce n'est qu'une fois... allez ». Elle était tellement petite et sans défense, son besoin si grand, que ses anciennes pulsions bien ancrées le poussaient à la pénétrer sans attendre. Son érection prit vie à cette pensée.

— Tu vois, tu le veux aussi !

Son regard fixé sur le membre de Dominic qui grossissait à vue d'œil, Kate essaya de nouveau de se libérer.

— Juste une fois de plus Dominic ! Ça ne peut pas être si terrible, plaida-t-elle.

Il écarta l'image primitive qui lui remplissait l'esprit, mais il lui fallut un moment de plus pour annihiler ses pulsions sauvages, maintenir sa libido en laisse, et un autre moment pour se souvenir que la dernière chose qu'il souhaitait en ce moment, c'était d'effrayer Kate au point où elle veuille partir.

— Chérie, sois raisonnable, dit-il plus calmement qu'il ne se sentait. Tu n'as pas besoin de ma queue pour jouir. Nous allons faire autre chose. Et dans quelques heures, tout sera de nouveau possible, d'accord ?

— Non, je ne suis pas d'accord ! siffla-t-elle, rouge de désir et à bout de nerfs, tellement proche de l'orgasme que la logique ne se profilait même pas à l'horizon. Je ne suis absolument *pas* d'accord ! Je pensais qu'il s'agissait de moi et non de toi, mais tu es toujours le maître du jeu, n'est-ce pas ; à chaque foutue minute !

Elle essaya de nouveau de se libérer.

— Lâche-moi, merde !

Sa poigne restait ferme, mais sa voix au contraire demeurait douce.

— Tu n'es pas obligée d'attendre parce que je le fais, chérie. Il y a des dizaines d'autres choses que je peux faire pour t'aider.

Oh, merde. Le regard de Kate était passé en une seconde d'enflammé à glacial.

— Seulement des dizaines ?

Sa voix aurait refroidi l'enfer.

— Ce n'était qu'une expression.

Il comprenait qu'il valait mieux ne pas prolonger un mensonge en donnant trop d'explications.

Un silence tendu s'installa.

Kate essayait de composer avec ces dizaines comme une adulte rationnelle.

Dominic se disait qu'il était tellement plus facile de traiter avec des femmes qui ne voulaient que son argent.

— Oh, va te faire foutre, marmonna-t-elle. Ça ne me dérange même plus, dit-elle en essayant encore de se libérer. Lâche-moi, tu veux bien ?

— Dans une minute.

La tension se faisait sentir dans l'air.

— Tu permets ? dit Kate d'un ton sec en regardant ses mains qui la retenaient, se tordant dans sa poigne.

— J'attends que tu te détendes.

Kate lui jeta un regard perçant. Furieux et méchant.

— As-tu peur que je te blesse ?

Il eut un regard amusé.

— Devrais-je m'inquiéter ?

Elle grogna.

— Bon Dieu, je déteste quand tu es si foutrement calme.

— L'un de nous deux doit l'être.

Dans un esprit de conciliation, il ne mentionna pas qu'il savait de qui il s'agissait.

— Je peux être calme.

— Bien. Dis-moi quand et je vais te lâcher.

— Dieu du ciel, tu me fais toujours sentir comme une enfant indisciplinée.

— Ce n'est pas mon intention. Je suis plus âgé. Et…

— Tu as foutrement plus d'expérience.

Ses cils s'abaissèrent en signe d'acquiescement.

— C'est peut-être ça. Je suis plus…

— Blasé ? Tu es déjà passé par là quelques milliers de fois ?

Il soupira doucement.

— Probablement. Par ailleurs, dit-il avec un petit sourire, c'est préférable que nous ne soyons pas tous deux des débutants.

Une lueur d'amusement illumina son regard.

— À tout le moins, je sais comment te divertir, n'est-ce pas ? ajouta-t-il.

Il sourit en la voyant acquiescer à contrecœur.

— Et franchement, chérie, j'aime vraiment ta personnalité rebelle. Je ne rejette pas ça du revers de la main. J'essaie seulement de faire en sorte que nous ayons le moins de problèmes possible. OK ?

Un autre acquiescement réticent.

Dominic pencha la tête et soutint son regard.

— Alors, c'en est fini de cette lutte ?

— Du moment où il ne s'agit pas d'un de tes jeux, Monsieur-j'ai-le-dessus, dit-elle d'un ton irrité.

— J'aimerais que ça le soit. Je suis seulement pragmatique.

— Comme toujours. N'est-ce pas ta devise avec les femmes ?

— Pas avec toi, jamais avec toi… et c'est là le problème. Écoute, ça ne fait que quelques heures et, admets-le, tu ne veux pas davantage que moi… eh bien… de conséquences non désirées. N'est-ce pas ?

Elle ne répondit pas immédiatement.

— Je crois, dit-elle finalement avec une grimace contrite.

Puis, elle soupira doucement.

— Ouais, tu as raison, ajouta-t-elle en rougissant légèrement tandis qu'elle reconnaissait son bon sens. Et je ne veux pas dire « comme d'habitude », alors ne t'enfle pas la tête.

— Merci. Je vais m'en abstenir, fit-il en souriant.

Il déposa un baiser sur ses jointures, puis relâcha ses mains.

— Maintenant, laisse-moi trouver quelque chose qui te permette de survivre à la nuit.

Elle haussa les sourcils.

— Tu as des jouets ici ? Pourquoi tu ne l'as pas dit ; nous aurions pu éviter toutes ces bêtises ?

Ce n'était pas le moment de lui souligner qu'il lui *avait* proposé des solutions de rechange.

— Parce que je n'ai pas de jouets ici, voilà pourquoi, dit-il plutôt.

— Vraiment ?

— Vraiment.

Il ne voulait rien dire de plus sur ce sujet parce qu'il souhaitait éviter toute discussion à propos des jouets qui pourraient générer des souvenirs de la vidéo du jardin d'hiver.

— Je devrais pouvoir trouver quelque substitut pour te rendre heureuse.

Le soudain sourire de Kate était celui, familier, dont il se souvenait après plusieurs de leurs querelles. Le sourire ouvert et épanoui qui le séduisait instantanément.

Elle ne gardait jamais de rancune ; elle se souciait même très peu d'avoir gagné ou perdu une fois la controverse terminée.

— Comment fais-tu ça ? murmura-t-elle en faisant courir son doigt le long de la mâchoire de Dominic en un petit geste possessif qui l'aurait hérissé de la part de n'importe quelle autre femme. Tu restes toujours super raisonnable quand je panique. Merci aussi à propos… eh bien… des conséquences non désirées. Vraiment. Je t'en suis reconnaissante.

— Tu n'es pas la seule à être déraisonnable, dit-il en souriant. J'ai aussi mes moments.

Comme le fait de surveiller les activités de Kate au cours du mois passé.

— Maintenant, peux-tu attendre quelques minutes pendant que je trouve des jouets ?

— Qu'est-ce que quelques minutes ? répondit-elle en souriant. Ne te presse pas.

Il lui rendit son sourire.

— Combien ?

— Cinq.

— Dix. La maison est grande.

— Huit.

— Neuf.

Elle tourna les yeux vers le réveil sur la table de chevet.

— Et 8 minutes 59, 8 minutes 58…

— Est-ce que j'aurai une récompense, si je reviens avant ce moment ?

Mais il était déjà à mi-chemin de la porte.

— Je vais y réfléchir.

— Fais ça ou peut-être que je ne vais pas te laisser le choix ; peut-être que tu devras…

Promesse ou menace, la porte se referma sur le reste de sa phrase.

Dominic revint en un temps record et trouva la chambre vide. Les portes de la véranda n'avaient pas été ouvertes. Il était peu probable que Katherine joue à cache-cache et il ne l'avait pas rencontrée dans le corridor. Il ne restait que la salle d'habillage. Il laissa tomber sur le lit les articles qu'il avait trouvés et marcha à grands pas jusqu'à la porte fermée.

Il l'ouvrit lentement, s'arrêta sur le seuil de sa salle d'habillage et sentit un frisson lui parcourir l'échine. Kate se trouvait au milieu de la pièce et fouillait parmi ses chemises soigneusement suspendues.

— Je peux faire quelque chose pour toi ? demanda-t-il d'une voix extrêmement douce.

Elle se retourna vivement, le long peignoir de Dominic frôlant le plancher.

— Bien sûr que tu le pourrais, dit-elle en souriant.

— Je voulais dire pourrais-je t'aider avec quoi que ce soit ici ?

Il ne s'était jamais considéré comme un être crédule. C'était peut-être là une première.

Un autre sourire.

— Ici, c'est bien.

Il ne lui rendit pas son sourire.

— Que cherches-tu ?

— Des vêtements de femmes. Compte tenu de tes antécédents au jardin d'hiver, je suis encline à te faire confiance, mais à vérifier. Tu n'es peut-être pas le seul à vouloir tout diriger.

Il sentit ses muscles se détendre, éprouva un profond sentiment de soulagement — les questions délicates de méfiance réglées.

— Toi ? Dominante ? Ça pourrait être intéressant.

Elle lui lança un rapide coup d'œil par-dessus son épaule tandis qu'elle se tournait de nouveau vers le mur de rangements.

— Appelle ça une curiosité morbide si tu veux ; c'est ce que je fais dans mon domaine de travail. Je cherche des choses : des indices, des tendances, des détails qui clochent dans l'ensemble du portrait.

Il s'appuya contre le montant de la porte.

— La curiosité est un vilain défaut, chérie. Je blague, dit-il rapidement, quand elle se retourna brusquement. Tu peux chercher toute la nuit. Tu ne trouveras rien. Je suis un moine ici.

— Ça doit compenser le fait de ne pas en être un partout ailleurs, rétorqua-t-elle.

— C'était une phase, rétorqua-t-il en haussant les épaules. Je me dirige vers une meilleure époque.

— Avec moi.

Elle était la seule femme à qui il aurait permis d'être si ouvertement présomptueuse et il se demanda si c'était parce qu'elle était la seule femme à l'avoir quitté. Mais, plus intéressé par le présent, il dit gentiment :

— C'est ce que je projette. Toi et moi. De bons moments, une époque heureuse. Un soleil brillant et de foutues roses à partir de maintenant.

D'un rapidement mouvement du doigt, il indiqua la garde-robe.

— Allez, tu perds ton temps. Laisse-moi plutôt te divertir.

— Je vais me dépêcher, dit-elle en souriant. Qu'en penses-tu ?

Il leva les yeux au ciel et elle recommença à fouiller parmi ses vêtements.

— Bon Dieu, tu as vraiment beaucoup de… eh bien… de tout, dit-elle sur un ton de reproche.

— Oui, répondit-il, d'un ton neutre parce qu'il n'avait aucune intention de se quereller.

— Comment peux-tu porter tout ça ?

Elle commença à ouvrir et refermer systématiquement les tiroirs encastrés.

— Trois cent soixante-cinq jours par année multiplié par deux ou trois avant que les vêtements ne soient plus à la mode. Fais le compte.

— Tu es quand même vraiment privilégié.

— Je suis désolé si ça te blesse.

— Non, tu ne l'es pas.

Refermant un tiroir rempli de chaussettes bleues, elle en ouvrit un autre rempli de chaussettes noires et en prit plusieurs.

— Un si grand nombre d'une seule couleur, vraiment ?

Elle les laissa retomber dans le tiroir, le referma brusquement, puis indiqua d'un geste les autres.

— Brunes, beiges, blanches, je suppose. Ça laisse quand même deux tiroirs. Quelles autres couleurs ? À losanges gris ? Que me manque-t-il ?

— Je finance plusieurs fondations caritatives, si ça peut aider, dit-il d'une voix scrupuleusement neutre. Je pourrais te les montrer, si tu veux.

Elle se retourna en plissant les lèvres.

— Tu ferais ça ?

— Certainement, mais plus tard. Je pensais que tu voulais jouer.

— Essaies-tu de changer de sujet ?

— Non, seulement le déroulement des événements. Tu ne trouveras rien d'autre que mes vêtements ici parce que je n'ai jamais emmené une femme dans cette maison.

Il leva brièvement la main.

— Parole d'honneur ; pas même ma mère. Elle préfère faire des emplettes à Hong Kong. Et je m'excuse pour ma richesse, mais elle contribue à me garder sain d'esprit.

Un léger sourire apparut sur ses lèvres, puis il ajouta :

— Je considère aussi que c'est une bonne cause. Pour revenir à nos moutons, j'ai trouvé quelques choses que tu pourrais aimer. Ces questions pourraient-elles attendre ?

— Jamais aucune femme ?

Elle n'était pas si facilement détournée de ses objectifs.

— Seulement toi, le mois dernier, quand tu es venue parler aux banquiers.

— Pas de personnel féminin ? Tu vois, je suis terriblement jalouse.

— Non. Je suis terriblement prudent.

Elle sourit.

— Alors, je pourrais te traîner en cour et te soutirer de l'argent si je joue bien mes cartes ?

— Tu pourrais essayer, murmura-t-il.

Il lui donnerait tout de même volontiers tout ce qu'elle voulait pour le plaisir qu'elle lui procurait.

— Je suppose que tu as une armée d'avocats qui vous protègent toi et tes biens.

— Oui. De pleins bureaux.

Elle sourit gentiment.

— Mais ils ne te protègent pas de moi.

Elle savait.

— Mais pas de toi, acquiesça-t-il tranquillement.

— Je n'ai aucune défense contre toi non plus.

Elle déglutit pour éviter de pleurer.

— Pas une seule.

Ses yeux se remplirent tout à coup de larmes.

Il était près d'elle avant même que la première larme glisse sur sa joue et, la prenant dans ses bras, il la tint contre lui.

— Nous sommes tous deux impuissants face à nos sentiments, murmura-t-il en lui essuyant les joues. Mais heureux aussi, n'est-ce pas ?

Elle inclina la tête et s'étira sur le bout des orteils pour l'embrasser.

Penchant la tête, il l'embrassa et, qu'il s'agisse du destin, d'un accident ou de la chance qui les aient réunis, ils comprenaient que ce qu'ils avaient était un don stupéfiant.

« Un foutu miracle, en fait », songea Dominic, immunisé qu'il était contre l'idée de bienveillance.

Un miracle qu'il avait l'intention de préserver.

CHAPITRE 10

Un peu plus tard, Kate était étendue contre une pile d'oreillers, nue, les bras au-dessus de la tête, les poignets attachés aux colonnes de lit avec les ceintures de leurs peignoirs.

— Maintenant, écoute, chérie, dit Dominic en s'assoyant sur les talons après avoir noué le dernier lien et pointant un doigt au-dessus de la tête de Kate. Ce sont des nœuds coulants, les ceintures ne sont pas serrées. Tu peux facilement atteindre les nœuds. Défais-les quand tu le voudras… si tu le veux. OK ? Je te l'ai déjà dit : nous faisons ce que tu veux ce soir. Je suis seulement là pour t'aider.

Ramassant le peignoir qu'il avait laissé tomber sur le lit, il le jeta par terre.

— Alors, tu es tout à fait altruiste.

— Pas tout à fait, dit-il en grimaçant brièvement, mais mon inclination à tout régenter fonctionne dans les deux sens. Je suis généralement assez discipliné.

— Lui aussi ? demanda Kate en dirigeant son regard vers sa monstrueuse érection. Il paraît impatient.

— Nous y travaillons. Toi en premier, ensuite, nous verrons.

— Mais je ne l'aurai pas avant le matin ?

Il abaissa à demi les paupières.

— Songes-y de cette façon : demain, il t'appartiendra toute la journée.

— Ce qui veut dire ?

— Ce qui veut dire qu'il sera entièrement à ton service.

Pas de limites à son engagement, mais à quoi s'attendait-elle de la part d'un homme qui voulait obtenir une entente d'exclusivité ?

Plutôt que de poursuivre une conversation qui n'allait nulle part où il l'aurait souhaité, Dominic sourit et dit :

— Alors, d'ici là, que penses-tu de ça ?

Il brandit un petit concombre asiatique.

— Ou ça ?

Il prit une aubergine japonaise miniature.

— Ou ça ?

Laissant tomber les légumes, il agita les doigts et sortit la langue.

Il ne servait à rien de refuser des orgasmes parce qu'il ne voulait pas fixer une date de mariage. Il n'était pas le Prince charmant, elle n'était pas Cendrillon — ce n'était pas un conte de fées.

— OK, répondit-elle.

— Tous en même temps ? fit Dominique en souriant.

— Non, pas tous en même temps, petit malin. Ce n'est pas humainement possible.

— Tu en es sûre ?

— Très drôle.

— Je suis sérieux.

— Maintenant, tu m'inquiètes.

— Tu peux dire non n'importe quand.

— Alors, non merci.

Il haussa les épaules.

Les joues de Kate s'empourprèrent.

— Je suppose qu'elles disent toujours oui.

— Je l'ignore. Je ne joue pas de jeux sexuels improvisés. Quelqu'un a toujours payé pour fournir l'équipement. Je n'ai pas besoin de partir en mission de recherche. Oh, merde, maintenant tu es fâchée. Écoute, contentons-nous de vivre le moment présent. Je vais m'occuper de toi ce soir. Tout ce que tu as à faire, c'est me dire quand arrêter.

Puis, il ajouta d'un ton plus bas :

— Ou non.

Ce commentaire laissant présager une séance de sexe ininterrompue imprégnait vraiment ce moment d'une saveur particulière. Elle oublia immédiatement sa jalousie qui ne mènerait à rien.

— Arrogant, dit-elle, mais sa voix était tout aussi douce. Si je n'étais pas attachée, je te frapperais.

— Détache-toi, dit-il en écartant les bras et en penchant sa superbe tête. Frappe-moi.

— Maintenant, tu frimes.

Il était l'image même de la beauté, assis les jambes croisées sur le lit dans une pose nonchalante, dégageant une puissance brute et un machisme, son corps mince et musclé se pliant magnifiquement des abdominaux aux pectoraux jusqu'aux biceps quand il levait les bras.

— Parlant de frime, murmura-t-il en laissant retomber ses bras et en les tendant pour tirer doucement sur ses mamelons durcis, les regardant gonfler sous ses doigts, tu vas remporter ce concours. Je me rappelle avoir dit que j'allais baiser ces magnifiques nichons ce premier soir à Hong Kong, mais je ne l'ai jamais fait. Ça pourrait être ce soir, dit-il doucement.

— Si je te laisse faire.

Il lui lança un regard mêlé de dureté et d'étonnement l'espace d'un instant, puis reprit une expression polie.

— Je ne peux que l'espérer, alors, dit-il d'une voix traînante en relâchant ses mamelons et en se penchant vers l'arrière sur ses mains. Avons-nous fini de parler ? Je demande ça comme ça. Ta chatte m'a senti tirer sur tes mamelons, n'est-ce pas ?

— Un peu.

— Tu en veux davantage ? demanda-t-il en souriant.

— Ne dis pas ça comme ça, Dominic. Ce soir, je ne demande pas et je ne supplie pas. Tu as dit que nous faisions ce que je voulais. Alors, fais-moi sentir bien.

— Avec plaisir, chérie.

Il se pencha sur sa droite, étira son bras et prit la petite aubergine luisante qu'il avait placée sur le lit.

— Elle est toute propre ; je l'ai lavée et rincée deux fois. Apparemment, le protocole exige qu'elle soit dans un condom ; non pas que je le sache personnellement, alors tu n'as pas à faire la grimace. Mais comme les condoms représentent un problème pour toi — il sourit —, nous allons adopter le plan B.

— Nous ?

— Le nous royal, mentit-il platement parce qu'il n'allait pas lui révéler que son personnel l'avait aidé à chercher les objets pour satisfaire Kate.

Elle ne comprenait pas le concept de serviteurs personnels. Ils étaient bien rémunérés pour faire en sorte que sa vie se déroule sans anicroche. Tan lui avait même proposé des boules de geisha en argent, toutes nouvelles dans leur boîte, qu'il avait l'intention d'offrir à sa femme.

— Maintenant, couche-toi, détends-toi, et nous allons nous occuper de faire ton bonheur.

Il tendit de nouveau la main, prit les deux derniers articles, déposa le concombre asiatique à côté de l'aubergine et ouvrit la petite boîte couverte de soie rouge.

— As-tu déjà essayé ça ?

Il avait brandi les boules de geisha et les agita pour qu'elle puisse entendre les petites cloches à l'intérieur.

— Ce n'est pas tout à fait improvisé, lança-t-elle en faisant la moue[3]. Où les as-tu obtenues ?

Comme la vérité était délicate — pour elle, non pour lui —, il eut recours à un autre mensonge.

— Je les ai trouvées dans la chambre où demeure Danny quand il est en ville. Je me suis dit que si quelqu'un pouvait avoir des jouets, c'était certainement lui.

— Alors, il reçoit des femmes ici, mais pas toi ?

Il secoua les épaules.

— Quand je ne suis pas ici, il peut faire ce qui lui plaît.

— Tu es *vraiment* consciencieux.

— Ça épargne du temps, de l'argent et des poursuites judiciaires.

— Alors, le pont-levis est toujours levé ?

— Fondamentalement. Pourrions-nous parler d'autre chose ? Ma vie n'est pas si intéressante.

— Plus intéressante que la mienne, mais — elle jeta un bref coup d'œil à ses poignets attachés et sourit — pas en ce moment. En particulier puisque tu sais probablement te servir de — elle hocha la tête en direction des boules de geisha dans sa main — ces jolis trucs argentés.

Il lui était si reconnaissant de faire preuve de tact en changeant de sujet qu'il faillit dire : « Quelles sortes de bijoux préfères-tu ? » Mais elle n'était pas comme toutes les autres femmes qu'il

3. N.d.T.: En français dans le texte original.

connaissait ; elle s'en serait offusquée. Alors, il sourit, leva légèrement la main et dit plutôt :

— Pourquoi ne disons-nous pas simplement que nous sommes ici pour rendre *ta* vie plus intéressante. Après avoir placé ces objets, je pourrai t'entendre quand tu bougeras ou quand tu marcheras. Ou quand tu jouiras parce que ces petits bidules te garderont excitée et mouillée. Un de ces jours, je t'emmènerai faire des courses ou dîner et je verrai combien de temps je vais tenir avant de chercher un endroit où baiser. Tu aimerais ça ? demanda-t-il doucement en glissant une des boules d'argent dans son sexe moite vibrant de désir.

Elle secoua la tête.

— Je suis sûr que tu aimerais.

— Non, Dominic.

Mais elle s'interrompit brusquement à la dernière seconde quand il glissa la deuxième sphère vers le haut où elle frappa la première et que la faible sonnerie se mêla à la plus délicieuse sensation de plaisir. Un gémissement doux, involontaire, jaillit de sa bouche en un petit son haletant.

— Tu vois ? Tu avais tort, dit-il sur un ton nonchalant. Maintenant, voyons voir à quel autre propos tu as tort. Pas humainement possible, tu as dit.

Il poussa un peu plus loin les boules de geisha, ce qui mit fin à son désaccord et donna plutôt lieu à un petit ronronnement terriblement excitant.

— Ne t'en fais pas, c'est tout petit, dit-il inutilement puisqu'elle se concentrait sur ses sensations et que son désir brûlant s'étendait en des mouvements de spirale incessants jusqu'à chaque terminaison nerveuse frémissante dans son corps.

Il écarta les lèvres de son sexe avec son pouce et son index, fit glisser doucement l'extrémité convexe de l'aubergine cylindrique et poussa doucement jusqu'à ce qu'un tiers du fruit disparaisse, puis il leva les yeux.

— Tout va bien jusqu'ici ?

Ses yeux étaient fermés, ses mamelons durcis, sa respiration saccadée, la rougeur qui envahissait son cou et son visage manifestant son excitation.

— Réponds-moi, chérie. Tout va bien ?

Il n'avait pas besoin d'une réponse ; il en voulait seulement une.

Elle reconnut le petit ton rude dans sa voix. Elle aurait pu refuser de répondre, mais, baignant dans une douce béatitude, elle était tout à fait prête à l'apaiser. Elle leva légèrement les cils, soutint son regard calme et sourit.

— Tout est parfait.

— D'accord, dit-il.

Enfonçant l'objet lisse un peu plus profondément, il observa son visage.

— Comment trouves-tu ça ? *Encore plus* parfait ?

Elle retint son souffle alors que la pression sur son point G s'intensifiait et que le faux godemiché repoussait les boules de geisha si bien qu'elles glissèrent de manière émoustillante, douce comme de la soie, le long du réseau de nerfs à fleur de peau qui s'excitèrent immédiatement. Avide d'éprouver encore davantage cet exquis sursaut de plaisir charnel, follement impatiente, elle souleva les hanches pour aller au-devant de la prochaine sensation torride, explosive, le tintement des cloches exprimant son besoin urgent.

— Tu aimes ça ? murmura-t-il sans s'attendre à une réponse ni en exiger une, la conciliation étant son mot d'ordre ce soir.

C'était le divertissement de Kate. Il n'était qu'un instrument dans ce but.

Posant sa paume juste au-dessus de son mont de Vénus, il pressa doucement et se sentit satisfait quand elle s'immobilisa immédiatement. Ce n'était pas qu'il doutait de son abstinence le mois précédent — ou tout au moins pas beaucoup —, mais sa réaction rapide mettait un baume sur tout soupçon qu'il aurait pu avoir. Elle était avide de sexe, sa détente orgasmique prête à se déclencher.

Bon Dieu. Depuis quand gérait-il dans les détails la vie privée d'une femme ?

Puis, le premier petit mouvement orgasmique surgit à travers les sens de Kate depuis longtemps inassouvis, affamés de Dominic, et elle retint son souffle.

— Désolée… je ne peux pas attendre.

Il sourit.

« Certaines choses ne changent jamais », se dit-il.

— Ne sois pas désolée, chérie ; c'est pour ça que je suis là. Alors, tu n'as pas à attendre.

Et ses pensées troubles firent place à des sujets plus immédiats. Augmentant la pression de sa paume sur l'objet solidement enfoui dans le sexe luxuriant de Katherine, il massa doucement son clitoris, tout à fait conscient qu'elle retenait son souffle, les yeux fermés, au bord du précipice. Son dos se courba, son corps tendu, le tremblement léger, irrésistible qui se faisait sentir sous sa paume signalant sa jouissance imminente.

— Tu as besoin d'un peu d'aide ?

C'était une question purement théorique posée avec la douceur d'un murmure et à laquelle il répondit lui-même.

— Essaie ça.

Glissant son autre main entre les jambes de Kate, il enfouit doucement son majeur entre le godemiché improvisé et son clitoris enflé, puis caressa délicatement le bourgeon moite, distendu.

Écoutant ses petits gémissements à peine audibles qui s'accéléraient pendant que son excitation commençait à atteindre un sommet, il caressa doucement son petit clitoris impressionnable avec une facilité découlant d'une longue pratique et, enchanté — comme toujours — par son manque total de discrétion, il observa sa course folle vers l'orgasme.

Puis, quelques moments plus tard, tandis qu'elle franchissait le bord du précipice, il sourit avec indulgence, heureux d'être complice de ce qui allait sûrement être une nuit extraordinaire et encore plus heureux de l'intensité du puissant raz-de-marée orgasmique qui la submergeait.

Il attendit calmement son hurlement inévitable.

Mais Kate retenait son souffle devant l'extase pure, renversante, qui traversait son corps, préservant instinctivement ce qui lui avait manqué pendant si longtemps — la splendeur insondable, le ravissement incompréhensible, le chaud, chaud délire.

Jusqu'à ce que finalement ses poumons se révoltent. Elle prit une brusque inspiration.

Tirant parti de cette brève pause, Dominic plaça l'extrémité du concombre où s'étaient trouvés ses doigts, poussant plus profondément le deuxième godemiché, le pressant à la fois contre son clitoris et son point G, puis le poussant encore très légèrement.

— Est-ce trop ? murmura-t-il juste avant de poser sa paume contre la partie encore visible et pousser.

Son hurlement sauvage brisa le silence, puis tout son corps devint immobile. Et un second orgasme tumultueux submergea les vestiges du premier en une explosion ahurissante de plaisir qui se prolongea et se prolongea et se prolongea…

Parce que Dominic possédait le talent de faire durer un orgasme et qu'il était particulièrement désireux de plaire à la magnifique jeune femme qui avait saboté complètement son style de vie, reconfiguré ses notions de liberté personnelle et lui avait apporté un bonheur inexplicable.

C'était sa façon de l'accueillir de nouveau près de lui.

Quelque temps plus tard, Kate se sentit graduellement revenir au monde : un son, une perception faible, une odeur — Dieu qu'elle aimait le shampoing de Dominic si c'était ce qui le faisait sentir si bon : une odeur à la fois musquée et douce, avec une légère nuance de cèdre qui lui rappelait son foyer. Elle ouvrit les paupières.

— Tu t'es bien amusée ? demanda-t-il.

Elle leva les yeux vers le beau visage de Dominic et son regard bleu amusé.

— Tu te sens plein de suffisance, n'est-ce pas ?

Mais sa voix était langoureuse, adoucie par la béatitude.

Il secoua la tête, le léger mouvement déplaçant une mèche de cheveux qu'il avait accrochée derrière son oreille.

— Seulement utile.

Elle lui adressa un sourire serein.

— Modeste aussi.

Il secoua les épaules.

— C'est toujours facile de te faire plaisir. Tu le sais.

Sachant à quel point il avait tort — elle n'avait jamais joui avec quiconque à part lui —, elle choisit de changer de sujet plutôt que d'admettre sa seule et unique passion pour un homme qui n'aimerait probablement pas l'aveu ; toutes les femmes tombaient amoureuses de lui. À son avis, il en avait toujours été ainsi.

— Tes cheveux ont allongé, dit-elle en réorientant à la fois ses pensées et la conversation.

— J'ai été trop paresseux pour les faire couper.

Et trop indifférent alors que sa vie était totalement chamboulée.

— J'aime ça, dit-elle en tendant la main et en raccrochant la mèche folle derrière son oreille.

— J'aime tout à propos de toi, dit-il simplement.

— C'est bien, parce que tu es devenu ma drogue préférée, mon accoutumance, mon plus grand plaisir.

Elle lui adressa un sourire mal assuré, ses intentions objectives annulées par son cœur non conformiste.

— Tu ne peux pas partir cette fois, murmura-t-elle.

— Je ne le ferai pas.

Il ne s'interrogea même pas sur sa promesse ni ne discuta de qui avait quitté qui. En fait, comme quelque dégénéré d'une époque révolue, il envisageait sérieusement d'emprisonner Katherine et de jeter la clé. Ou peut-être comme un mégalomane — ce qui était plus proche du Dominic Knight insouciant, débridé, indiscipliné.

— Oh, mon Dieu, fit-elle en grimaçant. Ne te gêne pas pour me ramener à la réalité quand je deviens trop exigeante. Je n'aurais pas dû dire ça.

— Tu peux dire tout ce que tu veux. Je suis sincère. La plupart des gens me disent ce qu'ils croient que je veux entendre. Tu es différente.

Il lui frôla doucement la joue.

— De toutes les façons imaginables, ajouta-t-il.

— Et j'aime tes fabuleux orgasmes de-toutes-les-façons-imaginables, dit-elle en haussant les sourcils, désireuse de reprendre le jeu plutôt que de déposer son cœur à ses pieds où il serait probablement piétiné. Vraiment, je ne peux te remercier assez.

Il lui adressa instantanément son sourire expert.

— Alors, nous avons bien fait ça ? répondit-il en retirant les godemichés improvisés.

Le sourire de Kate était angélique.

Ou peut-être n'était-ce que ses yeux écarquillés, son regard émerveillé, qui évoquaient des mots comme « angélique ». Un concept qu'il aurait trouvé impensable seulement quelques semaines plus tôt.

— C'était mille fois meilleur que bon, fit-elle en s'étirant paresseusement comme si elle se souvenait de la merveilleuse sensation. Dieu que tu m'as manqué ; et tout ça… le désir impuissant, le besoin insatiable — elle sourit —, les époustouflantes fins heureuses.

Même si le fait d'enfermer des femmes et les sourires angéliques étaient des considérations aberrantes dans sa vie, il comprenait *ça* avec une clarté non équivoque — le sexe torride, intense. Ça lui avait manqué aussi.

— Je ne vais nulle part, dit-il calmement.

Le sourire que Kate lui adressa était de nouveau mal assuré, son ardeur affectant son emprise fragile sur son bon sens.

— Je suis si follement en manque ; je vais probablement te faire fuir.

— J'aime ta folie.

Il se pencha, ses cheveux retombant de chaque côté de son visage, et il déposa un baiser sur l'arête de son nez.

— Je l'aime depuis le début. Alors, tu ne vas pas me faire fuir, ajouta-t-il en arquant un sourcil. Et pour mettre les choses au clair, tu ne partiras pas bientôt non plus.

— Je ne le peux pas.

Elle fit courir ses doigts le long de son bras et dit d'une voix saccadée :

— Je suis vraiment accro.

— Tu aimes seulement baiser, dit-il en souriant.

— J'espère que ce n'est pas un problème.

Sa voix était de nouveau séductrice; ce jeu comportait certaines règles.

— J'espère que ce n'est pas un problème si je te baise jour et nuit, sept jours sur sept.

Une déclaration ferme, sans une nuance de séduction.

Une lueur de malaise passa dans le regard de Kate.

— C'est une blague?

— Non.

Il tendit la main vers le lien à son poignet gauche, le libéra, dénoua le deuxième.

— Tu ne peux pas être sérieux.

Son inquiétude était évidente.

— Je le suis, dit-il en lui jetant un regard terne. La nuit, je ne rêve que de sexe avec toi, chérie.

Le fait de révéler ses émotions représentait un changement radical qu'il gérait mieux par petites doses. Au cours des dernières minutes, il avait davantage avoué ses sentiments que pendant toute sa vie. Il préférait l'univers familier du sexe débridé. C'était là sa zone de confort.

— Si tu ne me faisais pas si peur, je te remercierais.

— C'est moi qui devrais te remercier. Je n'ai jamais autant eu envie de baiser. Viens, lui dit-il en la soulevant et en la déposant sur ses genoux. Voyons si ces boules de geisha t'excitent quand tu marches. Ensuite, je pense à ma queue, tes gros nichons et quelques orgasmes. Ne panique pas, ajouta-t-il rapidement. Deux orgasmes — le tien et le mien. Toi d'abord, bien sûr, parce que je ne suis pas stupide.

Il glissa son index en elle pour vérifier rapidement; rien ne la détournait de ses pensées autant que le sexe. Et il avait assez parlé de caresses pour une soirée.

Elle retint son souffle immédiatement, puis émit un petit gémissement de gorge. Puis, un autre tandis qu'il la faisait glisser hors du lit, la pression de son avant-bras sur ses fesses, enfonçant un peu plus les sphères argentées.

— Tu vas bien ? demanda-t-il en la mettant sur pied.

— Pas vraiment.

Elle prit une profonde inspiration tandis que ses genoux faiblissaient et qu'un plaisir fou envahissait ses sens en une frénésie tumultueuse.

Il la tint poliment debout jusqu'à ce que son agitation diminue, puis il dit : « Ça va, maintenant ? » comme s'il comprenait parfaitement son degré d'excitation.

Elle inclina la tête.

Il laissa retomber ses mains.

— Maintenant, ne bouge pas sans ma per…

Il se rattrapa.

— Détends-toi seulement pendant une minute.

— Tu t'es bien rattrapé, lança-t-elle en souriant faiblement.

— Je marche sur un foutu fil de fer ce soir, chérie, murmura-t-il en souriant paresseusement. Pas de doute là-dessus.

— Considère ça comme un apprentissage, ronronna-t-elle.

Le regard de Dominic se fit tout à coup brûlant.

— Peut-être pour tous les deux, dit-il avec une courtoisie exagérée.

Puis, il se tourna, traversa la chambre jusqu'à un ensemble de canapés recouverts de lin et s'assit en lui faisant face. Il étira ses bras sur le dossier du canapé, se laissa glisser sur sa colonne vertébrale, écarta légèrement les jambes, sa parfaite érection foutrement belle, pensa Kate comme une véritable accro de première classe.

— OK, chérie, dit-il en lui faisant signe d'approcher. Voyons si tu peux te rendre jusqu'ici.

— Je ne le pense pas, dit-elle en secouant la tête.

— Ces boules de geisha sont petites, dit-il doucement. Tu peux y arriver.

— Que veux-tu dire par « petites » ?

Elle pouvait les sentir au bout de chaque terminaison nerveuse ; elle était terriblement mouillée et agitée.

— Comme dans « pas grosses », répondit-il avec un demi-sourire. Tu peux en prendre davantage. Tu sais que tu le peux. Tu n'as pas à argumenter à ce propos. Maintenant, viens vers moi, chérie. Avance lentement. Un pas, puis un autre.

Il pointa un doigt vers le plancher devant ses pieds, puis leva les yeux.

— Tu as compris ?

— J'espère que ce n'est pas un ordre.

— Ce serait un problème ? demanda-t-il d'un ton mielleux.

— Peut-être. Pourquoi tu ne viendrais pas ici et me baiser plutôt ?

— Parce que ce n'est pas de cette façon que ça fonctionne.

Son ton était manifestement patient, comme s'il expliquait la physique des particules à un débutant.

— Tu as dit…

— Fais-moi confiance, chérie. Je sais ce que je veux. Si je continue, tu vas jouir seulement en te tenant debout à cet endroit. Tu aimes les ordres.

— Toi aussi, rétorqua-t-elle.

— Alors, tout va bien, dit-il en souriant. Je donne les ordres, tu obéis, et je continue à te faire jouir toute la nuit. Et demain aussi, bien que…

Il aurait le temps de mentionner San Francisco quand ils se dirigeraient vers l'aéroport. En ce moment, il devait s'occuper de la chatte de Kate et de sa queue au plus vite. Il était vraiment sur le point d'exploser ; la maîtrise de soi avait ses limites.

— Quoi à propos de demain ?

— Je vais te baiser demain. N'ai-je pas dit ça ?

— Finalement, fit-elle d'un ton maussade, je n'aurai pas à te supplier pour avoir ta queue.

Le regard de Dominic se fit perçant.

— Tu n'as toujours aucune foutue patience, dit-il calmement.

— Et tu sais toujours comment être un salaud, dit-elle d'une voix tranchante. À titre d'information, tes problèmes de domination sur les autres ne m'intéressent pas.

Elle lui adressa un sourire tendu.

— Traite-moi d'égoïste.

Le fossé entre eux s'élargit soudain, l'atmosphère devenant acrimonieuse.

Le silence tout aussi caustique.

Cinq secondes plus tard, le petit soupir de Dominic fit à peine vibrer l'air. Se redressant en un mouvement souple de ses muscles bronzés, il se passa les doigts à travers les cheveux, laissa retomber ses mains et dressa un doigt dans la direction de Kate.

— Comme tu veux, alors. Il y a des condoms dans le tiroir derrière toi. Si tu te fiches de ton allergie au latex, je ne vois pas pourquoi je m'en soucierais.

Quand elle se tourna et qu'elle retint son souffle, il se trouva près d'elle en un instant, la tint debout, deux de ses doigts enfoncés profondément en elle, puis retira les boules de geisha. Les lançant sur le lit, il pencha la tête et murmura à son oreille :

— Je t'avertis. Je ne fais ça qu'une fois avec un condom. J'ai des projets à long terme qui n'incluent pas le fait que tu ne puisses pas bouger à cause de ton allergie au latex. Alors, pas de discussion. D'accord ?

Il la souleva, l'assit sur le rebord du lit, puis fronça les sourcils.

— J'ai besoin d'une réponse.

— Ai-je le choix ?

— Tu as toujours le choix, dit-il d'un ton courtois.

Elle céda devant son regard froid et acquiesça.

— Bon Dieu, traiter avec toi, c'est comme réécrire *L'art de la guerre*, grommela-t-il en se penchant et en ouvrant le tiroir de la table de chevet.

Il attrapa un condom et en déchira l'emballage.

— N'utilise pas ça. OK ?

Sur le point de jeter l'emballage, il lui lança un regard étonné.

— Je ne veux pas me montrer difficile, laissa-t-elle tomber.

— Tu aurais pu me berner.

— Ne le fais pas, dit-elle en le regardant avec de grands yeux suppliants. S'il te plaît ?

— Tu me tues, chérie, dit-il en la fixant du regard.

Sa mâchoire se tordit, il déglutit — deux fois —, le silence entre eux suffoquant, sa liberté en jeu, tous ses instincts hurlant leur désaccord. Puis, il jura à voix basse et lança le condom dans le tiroir.

— Je suppose que s'il s'agit de sexe de rattrapage, c'est toi qui fixes les règles, dit-il d'un ton sec.

— Merci.

— Garde tes remerciements, fit-il en levant les yeux au ciel. Ça ne pourrait que prendre 30 secondes, si je me fie à la façon dont je me sens.

— J'espère que non. Désolée, ajouta-t-elle rapidement.

— Tu ferais mieux. C'est toi la fille qui n'a jamais joui avec Andrew ou l'autre. Ne t'attends pas à ce que je me chronomètre.

— Désolée. Vraiment. Tu es toujours merveilleux.

— Une humilité polie ? Tu m'impressionnes, dit-il en lui adressant finalement un sourire.

— Et je te suis reconnaissante, ajouta-t-elle.

— Tu es seulement reconnaissante que je sois meilleur qu'Andrew.

— De mille façons, fit-elle gentiment. Bien que, parlant d'Andrew, j'ai une question.

— Ça pourrait attendre ?

S'il était en train de participer à un jeu de roulette russe, il préférait un orgasme rapide qui compenserait l'épée de Damoclès suspendue au-dessus de sa tête. La poussant au milieu du lit, il la força à s'étendre.

— Andrew m'a dit qu'il était au Groenland, dit Kate en ignorant la question de Dominic et en levant les yeux vers lui, sourcils froncés. As-tu fait ça ?

— Peut-être, répondit-il.

Posant ses mains à plat de chaque côté des bras de Kate, Dominic se pencha, ramena ses jambes sous lui et s'installa entre ses cuisses en un mouvement souple qui mit en valeur ses biceps gonflés. Il lui écarta les jambes.

— Il a une petite amie là-bas. Le savais-tu aussi ?

Guidant son membre vers le sexe humide et luisant de Kate, il s'arrêta et leva les yeux.

— Merde. J'aurais dû y penser.

— Alors, tu gères vraiment ma vie ?

Désireux de s'envoyer en l'air, il poussa l'extrémité de son pénis juste assez pour souligner son intention.

— Que va-t-il arriver si je dis oui ? demanda-t-il d'une voix douce, assurée. Vas-tu rompre avec moi ?

— Va te faire voir, murmura-t-elle en bougeant légèrement ses hanches pour qu'il se glisse plus profondément, pour que la délicieuse friction de sa chair contre la sienne élimine les petites rancunes. Comme si je le pouvais.

— OK alors, oui.

Après quoi, il mit fin à la conversation en plongeant jusqu'à la garde dans le corps accueillant de Kate avec un mélange de finesse et d'autorité, et une érection vraiment spectaculaire.

Le grognement charnel de Dominic était profond et primaire. Kate gémit en sentant les poussées frénétiques électrifier ses sens.

Il y eut un long silence chargé.

— Tu es sûr que mon insistance à le faire… sans condom ne te dérange pas ? demanda Kate, d'une voix contrite, brisant ainsi le silence.

Écartant plusieurs répliques brutales, Dominic se rappela qu'il était en ce moment confortablement enfoui dans l'équivalent humain du paradis et en mesure d'agir poliment pendant quelques secondes.

— Bien sûr que ça me dérange, répondit-il comme si la conversation l'intéressait, mais ma queue a du mal à te dire non.

Kate leva les yeux et lui sourit.

— C'est gentil.

— Écoute, chérie, dit-il en soupirant lentement, te baiser n'est pas vraiment une chose que je m'impose. Bien que je pourrais te faire payer ce foutu pari plus tard.

— Tu étais prêt à parier la dernière fois, lui rappela-t-elle. Pourquoi ce ne serait pas mon tour ?

— C'est acceptable de faire des erreurs pourvu qu'elles soient nouvelles. Si nous n'arrêtons pas de faire celle-là, chérie, nous allons avoir des problèmes.

— Je suis *comptable.* Je peux traiter des chiffres à une grande vitesse.

— Nous ne pourrions pas en parler plus tard ? dit-il. J'ai du mal à me concentrer sur plus d'une chose, en ce moment.

Il plia ses jambes en douceur, se retira légèrement, puis balança de nouveau ses hanches vers l'avant et plongea en elle jusqu'à ce qu'elle soupire de ravissement et qu'il grimace sous le coup d'une super poussée sensorielle qui faisait en sorte que même les risques calculés comme celui-là en valaient la peine.

— D'accord pour plus tard.

— Bon Dieu, fit-il en éclatant de rire. Est-ce que je fais quelque chose de mal ?

— J'ai senti ça.

— Sens ça, chérie.

Et à partir de ce moment, il s'assura qu'elle n'ait plus suffisamment de souffle pour parler.

Mais elle sentit chaque plongée lente, parfaitement mesurée, et retint son souffle devant la profondeur de chaque coup de reins, les frissons de plaisir irradiant en une somptueuse vague d'extase, lui offrant chaque fois la perspective d'un nirvana rayonnant. Elle s'accrochait à lui, aux muscles de son dos qui se pliait et bougeait sous ses doigts écartés, à l'odeur musquée de ses cheveux frôlant son visage, à la chaleur de son corps lui procurant un confort et un contentement palpables après des semaines de manque. Et, pantelante, impatiente, obsédée, elle frémissait de désir, gémissant du besoin de jouir.

Sa respiration était chaude sur l'épaule de Dominic, ses petits sons impatients de plaisir étant une puissante drogue pour ses sens, raidissant son membre déjà dur comme la pierre, ajoutant de la puissance à son élan suivant, et le suivant, et le suivant tandis qu'il s'enfonçait de plus en plus profondément dans sa chaleur veloutée et ravissait, séduisait, étourdissait ses sens.

Jusqu'à ce que, tremblante et presque éperdue de désir, elle lève les yeux, les joues empourprées, les paupières à demi fermées et supplie :

— S'il te plaît, s'il te plaît…

Les yeux grand ouverts et le regard clair, il pencha la tête, embrassa sa joue rose et murmura « N'importe quand, chérie ». Puis, il la fit jouir dans un délire fou, parfumé, suivi par son propre orgasme, qui se répandit librement, sinon sagement, dans le sexe délectable de Kate.

Quelques moments plus tard, tandis qu'elle flottait encore, rayonnant toujours, il pencha la tête, embrassa le creux derrière son oreille et, sous l'emprise de quelque désir maniaque chuchota contre sa peau :

— Je vais me masturber sur tes nichons. Tu n'as pas besoin de bouger. Celle-là, c'est pour moi.

Il se retira d'un mouvement souple, s'appuya sur ses mains, ramena ses jambes vers le haut et s'agenouilla, puis lui chevaucha la taille.

Le seul fait d'observer sa force tranquille, coordonnée, ses muscles se tendre et fléchir, son corps athlétique se mettre en position avec une telle détermination déclenchèrent une fascination incontournable dans quelque réflexe féminin soumis à l'évolution. Non seulement était-il superbe à regarder, pensa Kate, mais sa détermination provoqua une réaction vive, primaire, qui envahit immédiatement ses sens. Ses mamelons se durcirent, le désir embrasa son corps, son sexe frémit d'un appétit nostalgique et elle gémit doucement, n'éprouvant aucune honte devant son avidité.

Dominic sourit faiblement. Cette baise n'allait *vraiment* pas traîner — pas de jeux, une jouissance purement égoïste.

Peut-être la prochaine fois.

— Tu en veux un peu, chérie ? demanda-t-il en caressant ses durs mamelons. On dirait.

Se balançant sans effort à quelques millimètres au-dessus de ses côtes, des années de pratique du surf ayant forgé ses muscles des jambes de façon enviable, Dominic éloigna son érection de son ventre, la poussa entre les seins de Kate et dit :

— Tiens ça là.

Quand ses doigts se refermèrent autour de la crête enflée de son membre, il prit une profonde inspiration.

— Lentement, lentement, sinon ce sera fini en un instant.

Saisissant les côtés de ses seins entre ses paumes, il pressa ses mains ensemble et la chair douce, résiliente se referma sur son membre.

— Ça y est, maintenant, murmura-t-il.

Ses cheveux étaient retombés vers l'avant, cachant la majeure partie de son visage, même si la sensation de plaisir aiguë commençait à envahir son cerveau et qu'il ne la vit peut-être pas de toute façon. Et, quand elle écarta les mains, il se concentra plutôt sur la satisfaction tactile.

— Tu veux que je vienne sur toi ? Ce n'est pas vraiment une question, murmura-t-il en fermant les yeux.

Se balançant doucement, confortablement entre ses seins magnifiques, il recula quand l'extrémité de son membre lui toucha le cou, puis il poussa de nouveau vers l'avant et, avec un soupir, adopta un rythme des plus satisfaisants.

Mais en fin de compte, le son de la respiration frénétique de Katherine s'enregistra dans la petite partie de son cerveau qui n'était pas complètement envahie par la sensation fiévreuse et il se rappela qu'il n'était pas seul à éprouver cette implacable excitation. Il ne soupira pas, même s'il aurait aimé le faire, mais se rappela ses manières, ou peut-être qu'il se souciait suffisamment de Katherine pour se les rappeler.

— Comme ça, chérie, dit-il d'un ton indulgent en lui prenant les mains et en les positionnant. Tiens tes nichons. Voilà, serrés, comme ça, pour que je puisse les sentir. C'est bien. Maintenant, tu peux m'accompagner.

Serrant doucement un mamelon d'une main, il passa l'autre derrière lui, trouva son clitoris enflé, glissa profondément son doigt en elle, cibla son point G et murmura :

— Tu aimes ça ?

Le léger soupir de Kate se termina en un doux grognement. Incapable de parler en ce moment, elle acquiesça d'un geste de la tête au cas où ça aurait eu de l'importance pour Dominic.

Il saisit le message, glissa un autre doigt.

Et elle comprit soudainement, comme si les paradoxes de l'univers lui avaient été révélés, que cette sensation d'intense plaisir n'avait rien à voir avec le libre arbitre, mais avec la détermination de ce Dominic Knight qui la tenait envoûtée. Même si, à ce moment précis, il bougeait ses doigts en de délicieux cercles lents sur son point G frémissant et que la triste vérité s'évanouissait rapidement devant la folle excitation qui s'était emparée de son sexe, remontait le long de sa colonne et explosait en un grand cri aigu.

« Première étape », pensa Dominic.

Puis, comme le jeu avait changé et que la vitesse n'était plus en cause, il bougea ses hanches en de longues et lentes poussées, prenant son temps. Se laissant aller au plaisir avec elle, l'excitant de nouveau, caressant habilement ses mamelons durs et roses, se penchant de temps en temps pour sucer ses aréoles gonflées, continuant à masser son clitoris et son point G, lentement, délicatement, provoquant doucement un orgasme après l'autre dans son sexe humide et frémissant. Jusqu'à ce qu'il dise finalement, le souffle court « C'est fini », qu'il posa ses mains sur les siennes, exerça une pression supplémentaire et parvint à un orgasme puissant, prolongé, qui ébranla son univers.

Quand il put respirer de nouveau et qu'il sut où il se trouvait, il écarta ses cheveux de son visage, sourit à Kate et caressa ses boucles ébouriffées dans un élan de gratitude et de contentement.

— Dieu du ciel, que c'est bon de t'avoir de nouveau avec moi, chérie. Meilleur que tout. Plus que fantastique. Vraiment.

Il secoua la tête afin de revenir à la réalité pour se souvenir qu'il s'agissait toujours de sexe.

— Maintenant, quel gâchis j'ai fait ?

Il tendit la main pour prendre une serviette, puis la regarda et sourit.

— Désolé, dit-il en lui essuyant la joue.

— Pas de problème, dit-elle en lui rendant son sourire, s'apercevant qu'il revenait par à-coups d'un autre monde. Tu as été bon pour moi. Je n'ai aucune raison de me plaindre.

— Super. Deux personnes ayant des intérêts communs. Ce doit être le karma.

— Ou les hasards du destin, ronronna-t-elle sans savoir combien de temps durerait son paradis, mais désireuse d'en jouir chaque minute. D'une manière ou d'une autre, nous sommes gagnants.

CHAPITRE 11

— Nick a éteint son téléphone cellulaire. Que se passe-t-il, bon sang ?

Max jeta un coup d'œil à l'horloge sur la table de chevet et sortit rapidement du lit, son cellulaire à l'oreille.

— Bon Dieu, parle plus bas. Tu vas réveiller Liv.

— Eh bien, *merde*, où il est ?

Roscoe, le directeur financier de Dominic de retour à San Francisco, baissa à peine la voix.

— Tu m'as réveillé à 2 h du matin pour me demander ça ? grommela Max en s'éloignant du lit pour éviter de réveiller sa femme.

— Nick répond toujours à ses appels. Est-il mort et personne ne me l'a dit ? grogna Roscoe.

— Il est amoureux, dit Max en se dirigeant vers la salle de bain.

— Alors, il ne peut pas parler au téléphone ?

L'idée que Dominic soit amoureux était trop ridicule pour y accorder crédit.

— À mon avis, il est occupé à baiser sa dulcinée.

— Nick n'a pas de dulcinée. Il ne comprend même pas la signification de ce mot. Alors, que fait-il réellement ?

— Je suis sérieux. Il a une bien-aimée ; ou quelque mot équivalent qui correspond mieux à son point de vue personnel sur la baise, bien que je ne sois pas tout à fait certain qu'il ne soit pas en train d'apprendre le langage de l'amour. Que penses-tu de ça ?

Max attrapa son peignoir sur le crochet de la porte de la salle de bain.

— Je pense que tu es complètement *fou*.

— Je ne le suis pas, mais Nick pourrait l'être… du moins, pour le moment.

Max traversa le plancher de marbre blanc et ouvrit la porte de son bureau.

— Il est à Singapour, à la poursuite de la femme de ses rêves. Toutefois, ajouta-t-il en allant s'asseoir sur une chaise près de la fenêtre, je t'accorde que ce désir ou ce mal d'amour ou quoi que ce soit pourrait ne pas durer. Mais, pour être bref, notre PDG têtu, pragmatique, insensible, a complètement perdu l'esprit pour l'instant. Et je n'exagère pas. Justin m'a dit que Nick lui avait ordonné de créer un boulot pour Katherine à Singapour et qu'il allait assumer toutes les dépenses, y compris son salaire princier.

— Merde, qu'a-t-elle qu'un millier d'autres n'avaient pas.

— Ce qu'elle a… c'est qu'elle n'est pas comme l'autre millier. Elle n'est pas une décoration ni une compagne d'escalade. C'est une fille belle et sexy qui vient d'une petite ville. Elle est intelligente et se fout de son argent. *Et* elle l'a largué à Hong Kong.

— Alors, c'est un foutu défi pour lui, dit Roscoe d'un air dégoûté. Il ne peut jamais résister à un défi. S'il y a une montagne à gravir, il va s'entêter à l'escalader.

— C'est ce que je pense.

— Alors, quand il l'aura eue, il aura atteint le sommet et ce sera fini. Ce qui serait foutrement commode parce que j'ai besoin qu'il réponde à mes appels.

— *Peut-être* que ce sera fini, dit Max sur un ton d'avertissement en plissant les yeux devant la brillante lune argentée au-dessus du port de Hong Kong. Mais Nick n'a pas touché à une femme depuis un mois. Pas de club, pas de prostituées ; Vicky n'arrêtait pas d'appeler à Paris et j'ai dû lui dire qu'il était parti en safari et que son téléphone cellulaire était hors de portée. Alors, je ne suis pas tout à fait sûr où ça s'en va. Il n'agit pas comme avant.

— Merde, est-il malade ?

La voix stridente de Roscoe prit tout à coup un ton inquiet.

— Tu n'es pas en train de me dire qu'il est malade, n'est-ce pas ?

— Non, non, sa santé est parfaite, bien qu'une de nos avocates parisiennes qui est tombée sur lui et s'est fait remballer répandait une histoire différente dans le bureau. Je lui ai parlé aussitôt que j'ai entendu la rumeur et j'ai tout fait cesser. Nous n'avons pas besoin de ragots à propos d'une supposée maladie de Nick. Ça n'a pas d'effet sur le prix des actions puisque les Entreprises Knight sont une entité privée, mais les rumeurs comme celle-là peuvent nuire aux projets à long terme de la compagnie.

Le soupir de Roscoe se répercuta sur la ligne.

— Nous n'avons vraiment pas besoin de ces bêtises, en ce moment. Nous avons une dizaine de nouveaux projets sur les rails. Merde, dis-moi que ce sera bientôt fini. Mens, si nécessaire.

— J'aimerais pouvoir.

— OK, ce n'est pas comme si j'avais le choix, lança-t-il en soupirant de nouveau. Il est complètement hors du coup. Je vais faire de mon mieux pour calmer le directeur de notre installation aérospatiale qui avait besoin d'un foutu carburant à fusée spécial hier. Mais si tu parles à Nick, demande-lui de m'appeler. Cette compagnie ne fonctionne pas sans lui. Elle ne l'a jamais fait.

— À qui le dis-tu. J'ai eu cette conversation avec lui quand il déraillait à Hong Kong. Ça n'a pas duré longtemps comme tu peux voir. Mais quand on a une vie comme la sienne et qu'on peut avoir n'importe quoi, acheter n'importe quoi, contraindre n'importe qui, plier sans vergogne le monde à sa volonté… c'est difficile à arrêter.

— Ce n'est pas toujours une mauvaise chose, murmura Roscoe, têtu comme l'était Dominic dans l'art de négocier, quand il s'agit de faire de l'argent.

— Katherine n'a rien à voir avec l'idée de faire de l'argent, toutefois. Ce n'est qu'une de ses qualités hors de l'ordinaire. Elle n'est pas sa compagne de jeu typique, et je soupçonne que c'est ce qui l'attire le plus chez lui.

— Mais c'est quand même une compagne de jeu, répondit brutalement Roscoe. Alors, qu'en penses-tu ? Une semaine ou deux avant qu'il retrouve la raison ?

— Je ne peux vraiment pas le dire. Cette fois, ça pourrait être différent.

— Merde, grommela Roscoe. Tu ne me dis rien que je veuille entendre.

Et il raccrocha.

Max se leva péniblement de sa chaise, retourna à la chambre, laissa tomber son peignoir et se remit au lit. Il n'y avait rien qu'il puisse faire ou dire pour maîtriser la situation. Nick faisait ce qui lui plaisait. Il avait toujours été comme ça.

Max ferait tout aussi bien de se rendormir.

Liv avait prévu un pique-nique en famille le lendemain. Un sourire se dessina sur ses lèvres en songeant aux cris d'excitation de son fils quand ils le lui avaient dit. Pour une quelconque raison, son petit ange adorait les pique-niques, même en hiver.

CHAPITRE 12

Dominic se réveilla en entendant s'ouvrir la porte de la chambre et jeta un coup d'œil sur les chiffres illuminés du réveil. Il était 3 h 21.

Émergeant des premières heures de sommeil paisibles qu'il avait eues depuis un mois, il leva les yeux vers la forme obscure de Leo qui approchait.

— Je suis réveillé.

— Nous devrions partir.

Les deux hommes parlaient à voix basse.

— Au Raffles ?

— La chambre de Mlle Hart est vide et ses bagages sont dans l'avion.

Dominic fit lentement glisser Katherine de sous son bras et descendit du lit.

— Combien ?

Il marcha à grands pas vers sa salle d'habillage, Leo sur ses talons.

— Huit.

— Bon Dieu. Gora est sérieux. Et nous en avons ?

— Dix, mais nous serons en vol avant qu'ils puissent réunir une équipe entière.

Dominic referma lentement la porte de la salle d'habillage une fois à l'intérieur, puis alluma la lumière.

— OK, raconte-moi tout pendant que je m'habille.

Leo déclina la position de chacun des hommes de Gora, où ils avaient ramassé leurs armes, celle de l'équipe de sécurité de Dominic qui les surveillaient.

— La femme de chambre du Raffles a emballé les choses de Katherine et envoyé son bagage dans un chariot de blanchisserie, dit-il. Un des hommes de Tan l'a pris sur le quai d'embarquement et le gars de Gora assis au bar n'y a vu que du feu.

Ayant enfilé un jeans et glissé ses pieds dans des sandales, Dominic passa un t-shirt par-dessus sa tête et vérifia l'heure sur sa montre.

— L'avion est prêt ?

— Sur le tarmac.

— Nous allons te rejoindre à l'extérieur. Et remercie tout le monde.

Quelques minutes plus tard, Kate marmonna d'une voix ensommeillée « Que fais-tu ? » pendant que Dominic l'enveloppait dans une courtepointe.

— Une légère modification des plans.

Et il expliqua ce léger changement d'une voix si basse qu'elle retomba dans le sommeil avant qu'il n'ait trop à mentir. La soulevant du lit, il resta immobile à l'observer pendant une seconde au cas où le mouvement la réveillerait. Endormie, elle était comme une enfant : angélique, docile, sa détermination temporairement en suspens. Il sourit en soupçonnant que quelques orgasmes avaient sans aucun doute contribué à sa tranquillité.

Toutefois, la tranquillité de tous serait gravement perturbée, s'ils n'échappaient pas à l'escouade d'assassins à leurs trousses. Il se tourna et s'éloigna du lit.

Quelques moments plus tard, ayant traversé toute la maison, Dominic s'arrêta devant la porte d'entrée rapidement ouverte à son approche par un des domestiques sous la direction de Tan.

Celui-ci inclina la tête vers Dominic.

— *Selamatjalan*. (Faites bon voyage.)

— C'est mon intention. Toi, par ailleurs, tu dois te considérer comme étant assiégé. Ils vont venir ici quand ils ne la trouveront pas.

Il parla doucement en malais au cas où Kate ne serait pas profondément endormie.

— Tout est bien verrouillé, répondit Tan d'une même voix basse. Et nous sommes à la hauteur. Les membres de ma famille sont arrivés il y a une heure.

— Alors, l'armée est en position, dit Dominic en souriant.

— Puisque les guerres entre clans font sourciller, ils n'ont plus souvent la possibilité d'avoir du plaisir, lança Tan en secouant les épaules. Tout le monde est heureux.

— Remercie-les de ma part. Tu sais quoi faire si…

— Nous savons comment nous débarrasser des corps.

— Alors, merci encore. Leo m'a dit qu'ils avaient envoyé huit hommes, dit Dominic en haussant un sourcil. Pour une femme.

— Une exagération barbare, répondit Tan en souriant. Sans vouloir vous offenser.

— Pas de problème.

Dominic était parfaitement conscient que les Européens étaient considérés comme des barbares depuis la première fois où ils avaient posé le pied sur le continent asiatique sept siècles auparavant.

Tan leva le menton en direction de l'allée.

— Leo fait les cent pas. Vous feriez mieux d'y aller.

Dominic regarda Leo, puis Tan.

— Reste en contact. Et, sérieusement, pas de sang versé s'il est possible de l'éviter.

— Tous le savent, patron.

— Bon Dieu, ne souris pas quand tu dis ça.

— Oui, *Monsieur*... patron.

— De ta part, la déférence me rend nerveux dit Dominic en levant les yeux au ciel. Reste hors du champ de bataille au moins, OK ?

— Bien sûr, patron.

— J'abandonne, fit Dominic en soupirant. Si tu as besoin de quoi que ce soit, appelle Leo.

Il pencha la tête, sourit faiblement et murmura « *Selamattinggal* » (Au revoir). Puis, il sortit dans la nuit étouffante.

Dès que Dominic apparut sur le porche, Leo arrêta de faire les cent pas, se retourna et marcha jusqu'à une berline grise dont le moteur tournait au ralenti dans la cour.

Devant et derrière la Mercedes grise deux VUS Mercedes noirs, les trois véhicules blindés, tous munis de vitres et de pneus à l'épreuve des balles et de chauffeurs professionnels au volant. Le convoi à trois véhicules était la norme lorsqu'ils voyageaient dans des situations dangereuses. Dominic avait fait venir ces voitures dans un de ses avions-cargos ; il gardait aussi en permanence des véhicules à ses maisons de Londres et de Rome. Ceux-ci étaient venus de Hong Kong avec Leo et Danny.

En s'approchant de Leo, Dominic dit à voix basse :

— Tan semble avoir les choses en main.

— Sans blague, répondit Leo en ouvrant la portière arrière de la berline. C'est la fête là-bas.

— Ils savent quand même ce qu'ils font, fit remarquer Dominic en se penchant pour entrer dans la voiture.

— C'est un euphémisme.

Quand Dominic se trouva à l'intérieur, Leo referma la portière, prit place à l'avant sur le siège passager et fit signe à Jake de partir.

Jake alluma ses phares, le VUS de tête démarra, les portails de lourdes poutres bardées de fer commencèrent à s'ouvrir et, quelques secondes plus tard, les trois voitures quittaient le domaine, maintenant une courte distance entre eux et se déplaçant rapidement.

Danny voyageait dans la voiture de tête avec un homme à l'arrière tandis que deux autres hommes avaient pris place dans celle qui suivait la berline. Deux hommes de Dominic gardaient son avion. Tous étaient armés jusqu'aux dents.

Dominic s'était installé à l'arrière de la berline avec Kate dans ses bras, heureux qu'elle n'ait pas exigé une explication détaillée à propos de leur départ précipité. Moins elle en savait, mieux c'était. Il allait régler le problème que constituait la mafia. Il ne fallait que de l'argent et suffisamment de force, de la persuasion et un caractère impitoyable pour conclure une entente avec ses adversaires. Il n'était pas inquiet. Après une décennie dans un monde des affaires impitoyable, il avait maîtrisé l'art de la conciliation.

À cette heure de la nuit, la circulation ne posait pas de problème et, d'après Leo, la mafia des Balkans ne s'était pas encore complètement mobilisée. Les septième et huitième hommes venaient juste d'arriver à Singapour en soirée; Dominic et ses gens avaient encore l'avantage.

Le convoi se déplaça à grande vitesse le long des rues de la ville et atteignit l'autoroute où les chauffeurs accélérèrent immédiatement, envoyant dans la zone rouge l'aiguille des tours par minute. Il y eut un bref moment d'inquiétude quand deux camions entrèrent sur l'autoroute dans la dernière bretelle avant l'aéroport, mais les chauffeurs contournèrent simplement les camions comme s'ils étaient immobiles et, quelques instants plus tard, franchirent à toute vitesse les barrières du terminal réservé aux avions privés.

Les VUS se mirent en position de défense sur le tarmac entre l'avion de Dominic et les barrières pendant que la berline roulait jusqu'à la rampe d'accès du 747-8. Deux gardes armés se tenaient debout de chaque côté de la rampe pendant que Dominic grimpait rapidement l'escalier avec Kate. Quand il fut monté, tous les hommes sauf les chauffeurs grimpèrent à bord. La porte de l'avion se referma, un des chauffeurs écarta la rampe d'accès et, quelques secondes plus tard, le pilote reçut la permission de décoller et roula le long de la piste sous le rugissement des moteurs à faible régime.

Au moment même où Dominic mettait Kate au lit, l'avion s'éleva dans le hurlement de ses moteurs.

— Ce n'est que l'envol, chérie. Tout va bien, la rassura-t-il quand elle se réveilla en sursaut.

Remontant la courtepointe sous son menton, il pencha la tête et l'embrassa tendrement.

— Nous serons en vol pendant 15 heures, alors dors aussi longtemps que tu le pourras. Tu ne rates rien.

— Tu viens au lit ? demanda-t-elle d'une voix sirupeuse.

— Dans quelques minutes.

— Dépêche…, dit-elle sans terminer sa phrase.

Ses paupières s'étaient lentement refermées pendant qu'elle parlait, mais il demeura assis près d'elle jusqu'à ce qu'elle s'endorme profondément avant de quitter la chambre. Il se rendit à son bureau voisin, son esprit concentré sur la logistique et les horaires, sur tout ce qu'il devait régler avant d'atterrir, il pénétra dans le corridor extérieur qui faisait toute la longueur des quelque 80 mètres de fuselage. Passant rapidement devant les six chambres avec lits jumeaux, il s'arrêta brusquement à la porte de la cuisine quand il vit son cuisinier ranger les provisions.

— Tu peux aller te coucher, Sese. Nous n'aurons besoin de rien jusqu'au petit déjeuner.

L'énorme Tongan se détourna des armoires et sourit.

— Vous en êtes sûr ? Les gars là-haut fument du kif. Ça veut dire qu'ils vont avoir faim.

— Ils peuvent prendre des collations ; des croustilles, des viandes froides, n'importe quoi. Je vais leur dire de s'organiser. Tu as terminé ton quart.

— Vous voulez quelque chose de particulier pour le petit déjeuner de la dame ?

Dominic parut déconcerté pendant un moment.

— Avons-nous du lait au chocolat ?

— Bien sûr. J'ai entendu dire que la dame aimait le lait au chocolat la dernière fois.

— Efficace, fit Dominic en souriant.

— Pensiez-vous que je ne l'étais pas ? Et comme vous ne paraissez pas en mesure de penser à tout, je vais m'assurer qu'il y ait aussi quelques sandwichs au bacon de prêts au cas où. Leo m'a dit de parler à Deshi, alors je suis au courant. Et je connais vos goûts, bien que vous puissiez demander n'importe quoi d'autre demain matin.

— Apparemment, tu as toujours un pas d'avance, dit aimablement Dominic.

Sese fit une petite courbette.

— Je suppose que vous devez conserver vos forces. Quant aux désirs de la dame, je suis tout ouïe.

— Nous te le ferons savoir. Avec les fuseaux horaires que nous allons traverser — Dominic haussa les épaules —, j'ignore quand elle va se réveiller.

— Pas de problème. Leo m'a dit que j'aurais quelques jours de congé pour visiter ma parenté quand nous aurons atterri à San Francisco.

— Je songe plutôt à une semaine.

— Super.

— Je suis tout à fait d'accord. Maintenant, va dormir.

Dominic avait embauché Sese, qui travaillait à ce moment-là dans un restaurant de Jakarta, après avoir mangé le meilleur bœuf rendang de sa vie. Le fait que le jeune chef se soit admirablement débrouillé dans une échauffourée au bar plus tard en soirée avait scellé l'entente et avait également établi immédiatement de bons rapports entre Sese et les membres du personnel de sécurité de Dominic. En outre, le géant polynésien pouvait boire plus que n'importe qui dans l'équipe, une prouesse qui avait son importance parmi le groupe qui voyait à sa sécurité.

Toutefois, Sese acceptait mal les ordres de quiconque à part Dominic. Les autres hommes avaient appris à le demander poliment s'ils voulaient qu'il leur cuisine quelque chose de particulier.

Dominic dépassa la salle à manger, la salle d'exercice et la petite bibliothèque, puis atteignit l'escalier en colimaçon qui menait au bar.

Leo leva son verre et sourit quand Dominic apparut au haut des marches.

— Nous sommes en sécurité, fit-il d'une voix traînante. Au diable la mafia des Balkans.

— Temporairement, lui rappela Dominic en s'approchant du bar et en se versant trois doigts de whisky. Mais merci à tous.

Il regarda le groupe de vétérans aguerris qui se détendaient dans les fauteuils de cuir vert, un verre à la main, l'odeur âcre du kif flottant dans l'air.

— Katherine est en sécurité. J'en suis ravi, dit-il.

Se laissant tomber dans un fauteuil libre, il avala la moitié de son whisky, déposa le verre sur l'accoudoir, s'appuya contre le dossier et exhala doucement.

— Mais elle va se demander pourquoi nous voyageons avec tant de gardes. Je vais devoir lui trouver une explication logique. Je ne veux pas l'effrayer inutilement.

— Tu as du talent pour ça, Nick. Dire aux femmes ce qu'elles veulent entendre.

Un sourire rapide, accent australien, un verre levé en signe d'admiration.

— Je pense que c'est ton domaine, Clive, dit Dominic en lui rendant son sourire. Il faudra que tu me donnes des conseils.

Le beau jeune homme au bronzage australien permanent, avec le cou d'un haltérophile et des cheveux d'un blond presque blanc le regarda d'un air faussement surpris.

— C'est à moi que tu parles, mec ?

— Ouais, à toi. Quelqu'un qui peut s'échapper pendant son propre mariage et laisser la fiancée souriante, c'est ce que je qualifie de foutrement persuasif.

— Nous étions amis, ça a aidé, répondit Clive en haussant les épaules. Ce n'est pas ton style, Nick.

Il adressa à Dominic un sourire de guingois.

— Non pas que ton style ne soit pas efficace.

— Les résultats sont meilleurs, maintenant, dit Dominic d'une voix extrêmement douce. Katherine est un cadeau des dieux. Je ne suis pas sûr de la mériter.

Un silence gêné s'installa. Ils n'avaient jamais entendu Dominic parler d'une femme avec une telle tendresse.

— Pensez-vous qu'ils vont nous suivre ? demanda l'un des hommes pour briser le silence.

Dominic parut avoir l'esprit ailleurs pendant un moment, puis il parla d'une voix normale, un peu traînante qui évoquait encore l'accent d'un surfeur californien.

— La plupart des fantassins de la mafia ne peuvent passer les douanes américaines. Quelques-uns le pourraient, mais pas tous ceux qui sont venus à Singapour. Ce qui me rappelle, ajouta-t-il en se tournant vers Leo : Es-tu entré en contact avec Gora ?

— Un émissaire part de Sofia ce matin. Je vais en apprendre davantage dans un jour ou deux.

— J'ai besoin d'une semaine avant de le rencontrer.

— Je suppose que je n'ai pas besoin de demander pourquoi ?

Dominic le regarda froidement.

— Je comprends que le plus tôt sera le mieux, mais ça ne va pas arriver. Une semaine au minimum. Après ça, n'importe où, n'importe quand ; je suis prêt à parlementer.

— Ça va te coûter cher.

— Nous verrons. Gora a une famille qui le rend vulnérable. Et aussi une maîtresse à peine légitime à Rome dont il ne peut rester éloigné longtemps. Je pense qu'elle représente notre meilleur atout.

— Peux-tu lui faire confiance ? demanda Danny, retenant son souffle après une énorme bouffée de la pipe à eau.

— Difficile à dire, répondit Dominic en haussant les épaules. Il s'est montré fiable dans le passé, mais peu importe à quel point on peut lui faire confiance, Katherine aura besoin d'être en sécurité.

— Quelle sorte de sécurité ? demanda Leo d'une voix mesurée.

— La mienne.

Des sourcils se haussèrent dans tout le bar, mais personne n'exprima ses pensées. Ils étaient tous avec Dominic depuis qu'il avait rencontré pour la première fois Max, Leo, Danny et les autres dans un bar du Cap où tous buvaient leur petit déjeuner avant une journée de surf. En tant qu'employeur, Dominic versait d'excellents salaires, accordait de généreuses allocations de déplacement, réglait les factures de maisons ou d'appartements, organisait des horaires flexibles qui offraient du temps avec les familles. C'était un brave type. Chacun d'entre eux était prêt à recevoir une balle pour lui même si ça ne faisait pas partie de leur boulot.

L'expression de Leo était indéchiffrable.

— Quand veux-tu que l'équipe de sécurité de Katherine soit en place ?

— Dès maintenant. Fais les ajustements nécessaires. Embauche qui que ce soit dont tu aies besoin. Fais-le rapidement. Il ne faut pas que Katherine se rende compte de la surveillance supplémentaire. Je refuse que sa vie soit perturbée par Gora ou n'importe qui d'autre.

— N'aie pas l'air si surpris, dit Dominic en affichant un large sourire. C'est une femme incroyable. Je ne vais pas la mettre en péril.

Il pencha la tête.

— Pour des raisons purement égoïstes, ajouta-t-il. C'est mieux comme ça ? Moins renversant ?

— Tu dois avouer, Nick, répondit Danny en écartant d'un coup de tête une mèche dans ses yeux, que le fait de te voir avec une femme pendant plus de quelques heures *est* renversant.

— Tu devras t'y habituer, dit Dominic en souriant de nouveau. Et moi aussi.

La sonnerie de son téléphone cellulaire se fit soudainement entendre. Le tirant de la poche de son blouson, il jeta un coup d'œil à l'écran. Il se leva, déposa son verre, et dit :

— Allez dormir pendant que vous le pouvez. Je ne suis pas certain de ce que sera notre horaire à San Francisco. Je vous verrai à l'atterrissage.

En s'éloignant, il pressa le bouton de réponse.

— Accorde-moi une minute pour me rendre à mon bureau, Justin. Comment va la famille ?

CHAPITRE 13

— La famille se porte très bien, dit Justin. Mandy est à son club littéraire. Le bébé est au lit; non pas qu'Adam sera le bébé encore bien longtemps puisque Mandy devrait accoucher dans trois mois. Je prends un verre et je regarde l'équipe de Manchester United se faire botter les fesses.

— Quel âge a Adam?

Il hésita une fraction de seconde avant de répondre. Le Nick qu'il connaissait ne s'intéressait pas aux enfants.

— Il aura 19 mois jeudi prochain, en fait.

— A-t-il les cheveux blonds comme Mandy ou noirs comme toi?

Justin fut tenté de dire « Qu'es-tu en train de fumer? ».

— Il a ma couleur de cheveux, répondit-il. Inutile de dire que mes parents sont ravis.

— J'imagine. Ce sera une fille ou un garçon, cette fois?

« Vraiment, Nick doit être défoncé », songea Justin.

— Une fille.

— Et Mandy doit s'être mise à acheter des petits trucs roses à dentelle, je suppose.

— Ouais, depuis des mois. J'espère que nous ne sommes pas sous surveillance, dit comiquement Justin. Des trucs roses à dentelle ? Ça ne fait pas partie de ton vocabulaire habituel.

— Ma sœur a six enfants. J'ai tout connu ça.

« Mais tu ne l'as jamais mentionné », se dit-il.

— Alors, tu as des neveux et nièces.

— Ouais. Ils sont super. En fait, nous sommes en route pour San Francisco, en ce moment. C'est l'anniversaire de ma sœur.

— Nous ?

— Max a dit qu'il t'avait appelé, répondit Dominic. Alors, je suppose que tu sais de qui il s'agit.

— Je vérifiais seulement. En réalité, c'est pour cette raison que je t'appelle. Bill McCormick débordait d'enthousiasme pour les talents de Mlle Hart en informatique. Il a un autre boulot pour elle, mais j'ai pensé que je ferais mieux de t'en parler en premier. Je me suis dit que tu voudrais le savoir.

— Quel est le mandat ?

— Quelque chose à Londres. Ta dulcinée est vraiment une virtuose de la technologie et, apparemment, elle est en grande demande de partout. Strictement du point de vue professionnel, OK ? Calme-toi. Je peux sentir d'ici la fumée qui te sort par les oreilles.

Dominic fronça les sourcils parce qu'il y avait du vrai dans la raillerie de Justin, puis il demanda sur un ton délibérément neutre :

— Tu as les détails ?

Justin expliqua ce qu'il savait du projet tel que le lui avait décrit Bill McCormick. Quelqu'un faisait de petites transactions pour lui-même. Pas beaucoup encore, mais CX Capital s'inquiétait après que les transactions risquées chez JP Morgan à Londres aient coûté à la banque six milliards de dollars.

— Ou c'est en tout cas le montant que JP Morgan a déclaré, ajouta sèchement Justin.

— Ou détecté, fit Dominic d'une voix traînante.

— Et c'est pourquoi CX Capital est impatiente d'avoir à son bord ta brillante Mlle Hart. Mais je dois t'avertir : ils aimeraient l'avoir comme consultante pendant six mois.

— Dis à McCormick que c'est probablement un oui. Je ne peux pas parler avec certitude pour Katherine. C'est elle qui décide. Mais d'une façon ou d'une autre, il devra attendre une semaine. Nous sommes en vacances.

— C'est une blague ! Tu es en *vacances* ?

— Oui, répondit froidement Dominic. D'autres questions ?

— Non.

« Pas avec ce ton qui me prévient de ne pas trop m'enquérir de ta vie privée », pensa-t-il.

— Je vais dire à Bill de communiquer avec Mlle Hart dans une semaine, ajouta-t-il.

— Demande-lui de lui envoyer tout de suite une proposition par texto. De cette façon, je vais pouvoir te rappeler quand je saurai ce qu'en pense Katherine. Je crois qu'elle voudra accepter le mandat. Si c'est le cas, j'aimerais bien avoir ton aide, si tu voulais bien lui trouver un appartement. Quelque chose près de chez moi, à Eaton Place. Si elle accepte, tu devras lui expliquer que tu en as un à sous-louer. Mets la location au nom d'une de mes compagnies satellites pour qu'elle ne soit pas reconnaissable. Parle à Roscoe. Il va t'aider. Tu as bien compris ?

— Tu as une idée à propos du prix ?

— Je m'en fiche. Quelque chose de bien.

— Tout est bien dans ce quartier.

— Tu devrais chercher un appartement à deux chambres. Katherine pourrait avoir des soupçons, s'il est plus grand.

Demande à Mandy ce qu'elle en pense. Elle a du goût. Et si ça ne la dérange pas ou même si ça lui tente, j'aimerais qu'elle meuble l'endroit. Je comprends que c'est beaucoup demander compte tenu du délai et de sa grossesse, alors je m'attends à ce qu'elle me fasse parvenir une facture en conséquence pour son aide. Dis-lui d'embaucher un décorateur soit pour aider, soit pour faire le travail ; je vais ouvrir un compte à son nom à ta banque. De mon côté, je vais m'assurer que Katherine comprenne qu'il y a une bonne occasion à saisir pour un appartement à peu de frais. Un chiffre qui n'est pas trop élevé, mais qui peut l'attirer. Elle fait beaucoup d'argent, maintenant.

— Pas assez pour un appartement dans Belgravia.

— C'est là où j'interviens, répondit Dominic en un superbe euphémisme.

— Pour expliquer qu'un appartement de cinq millions de dollars coûte en fait…

— Cinq cent mille parce que quelqu'un y est décédé et qu'on n'a découvert le corps qu'après deux semaines. Et aussi, je veux bien être son banquier. Alors, ne t'inquiète pas à propos de l'explication. Je vais m'en occuper.

— Ne m'arrache pas la tête maintenant, mais je ne peux pas m'empêcher de dire qu'elle doit être vraiment spéciale. Tu es le genre de gars à envoyer son chauffeur prendre une femme avec qui tu as rendez-vous pour dîner. Et 9 fois sur 10, tu arrives au restaurant en retard. Il y a quelque chose que je rate ?

— Si Katherine vient à Londres, tu verras par toi-même. Elle ne répond pas aux critères habituels. Elle me reprend sans arrêt. Un événement sans précédent pour lequel je n'ai aucune explication raisonnable. Alors, ne demande pas.

— Maintenant, tu m'intrigues vraiment.

— Garde tes distances. Elle m'a foutrement intrigué en premier.

— Tu n'as pas besoin de m'avertir, Nick. Je ne regarde même plus les autres femmes. Sans blague. Qui l'eût cru ?

— Certainement pas moi, mais félicitations. Le bonheur est une chose rare.

— Apparemment, tu t'engages sur cette voie.

— Peut-être. Il est trop tôt pour le dire. Je te rappelle dans deux ou trois jours pour te tenir au courant de la décision de Katherine.

Dominic venait tout juste de terminer l'appel avec Justin et il se retournait vers son ordinateur quand son beau-frère téléphona.

— Je n'ai pas oublié, dit-il en s'adossant à sa chaise. Je suis en route.

— Je voulais seulement vérifier, dit Matt. Je sais que ton horaire est serré.

— Jamais à ce point.

— Melanie s'inquiète, c'est tout. Je vais la rassurer et lui dire que tu es vivant, en bonne santé et en route pour la maison.

— Dis-lui que j'emmène quelqu'un.

La joie était plus que perceptible dans le ton de Dominic.

— Quelqu'un qu'elle connaît ? demanda Matt extrêmement curieux d'en savoir plus à propos de ce nouvel enthousiasme.

— Une fille… en fait, une *femme* que j'ai embauchée comme consultante il y a un peu plus d'un mois.

La taille de Katherine par rapport à la sienne lui donnait toujours l'illusion qu'elle était plus jeune qu'en réalité.

— Elle a travaillé pour moi pendant deux semaines. Je l'ai rencontrée par hasard à Singapour. Vous allez l'aimer.

— Bien. J'ai hâte de la rencontrer.

— Elle s'appelle Katherine Hart.

— Je vais le dire à Melanie.

— Mère l'a rencontrée à Hong Kong. Dis-le à Melanie aussi.

— Alors, elle doit déjà avoir entendu parler d'elle.

Quand Dominic mentionna Letitia et Hong Kong, Matt se souvint tout à coup des commentaires vulgaires de sa belle-mère à propos du statut de Kate dans la vie de Dominic. Elle s'était moquée du fait que Dominic s'intéresse à ses talents de comptable judiciaire.

— Ça ne m'étonne pas vraiment, mais mère s'est montrée si foutrement impolie à Hong Kong que ça m'enrage encore.

— Seulement à Hong Kong ? dit Matt d'un ton amusé.

— Ouais, tu as raison. À quoi je pensais ? Soit dit en passant, j'ai l'œuvre en jade que tu voulais pour Melanie, dit Dominic écartant le comportement inadmissible de sa mère comme étant au-delà de toute solution licite.

— J'allais justement le demander.

— Sœurette va l'adorer ; XVIIe siècle. Une de ces œuvres mystiques réalisées par un ermite sur sa montagne. Le travail de l'artisan est incroyable. Je lui ai acheté la pièce qui l'accompagne, alors elle aura la paire.

Sa sœur collectionnait les objets d'art en jade et Matt était suffisamment riche pour la gâter, son entreprise de construction familiale étant une des plus vieilles et des plus importantes dans la baie de San Francisco.

— Alors, à 20 h demain ?

— Arrive plus tôt. Nous avons une fête de famille à 18 h, seulement nous et les enfants.

— Dis-leur que j'ai apporté des trucs bien.

— Tu le fais toujours.

— C'est pour ça qu'ils m'aiment, dit Dominic d'un ton léger.

— C'est faux, Nick. Ils t'aiment parce que tu les écoutes.

— Je les écoute parce qu'ils sont intéressants. Alors, on se voit à 18 h.

— Parfait. Je vais te montrer mon nouveau yacht de croisière.

— Un autre ?

Matt remettait à neuf d'anciens Chris-Crafts.

— Celui-là, c'est une merveille. J'ai des tonnes de photos d'avant et après.

— J'ai hâte de voir ça. Embrasse Melanie pour moi.

Dominic passa une autre heure à répondre à ses courriels les plus urgents. Il ne voulait même pas penser au chaos qu'allait provoquer une semaine de vacances. Roscoe paniquait déjà parce que Max était également en congé.

Il appela Roscoe dans le but de le calmer et, après avoir patiemment écouté son directeur financier se plaindre du fait qu'il était impossible de lui laisser toutes les prises de décision pendant une semaine *entière*, Dominic admit poliment qu'il comprenait ses inquiétudes.

— Je sais que c'est beaucoup demander. Délègue davantage. Ce n'est pas comme si nous n'avions pas plusieurs équipes de gestion compétentes. Et tu sais foutrement bien que je n'ai jamais pris de vraies vacances depuis que nous avons démarré cette entreprise. Tu peux toujours me joindre en ligne ou par téléphone. Alors, je ne m'excuse pas de prendre du temps libre. Je serai quand même là pour les urgences. Mais seulement s'il s'agit de vraies urgences. Tout le reste peut attendre.

— Tout le reste est une foutue urgence ! rugit Roscoe comme si Dominic n'avait pas poliment exprimé ses sentiments sur le sujet. Tu dois répondre à tes appels !

Comme Roscoe hurlait la plupart du temps, Dominic était immunisé. Et dans ce cas, indifférent au fait que Roscoe se sente offusqué.

— Pas cette semaine, Roscoe, fit-il d'un ton sec. Il n'y a aucune urgence à moins que je sois sur le point de perdre toute ma fortune. C'est ma seule limite, OK ? Rien d'autre n'a assez d'importance. Absolument. Rien. D'autre.

— Bon Dieu, qui aurait bien pu croire que tu puisses tomber amoureux, grommela Roscoe.

Dominic se tut pendant un moment.

— Ça n'a aucun rapport, Roscoe. Et ça ne te regarde en rien, de toute façon.

— Désolé, Dominic, fit Roscoe d'une voix chagrine, mais à peine plus basse qu'un mugissement. Tu me mets sur les bras toute une charge de travail sans pratiquement de préavis, c'est tout.

— Je m'excuse, mais c'est important pour moi.

Roscoe soupira. Même après deux divorces, il n'écartait pas encore tout à fait le concept d'amour. Et selon son opinion éclairée, Dominic n'en était même jamais venu près. Son propre mariage avait été une relation d'amitié avec avantages puisque Julia avait été une compagne de Dominic lors d'expéditions de sport extrême et ils avaient des liens étroits et profonds, mais d'après Roscoe, étonnamment platoniques.

— OK, mon garçon, je comprends. Oublie ce que j'ai dit. Nous avons la situation bien en main. Passe de belles vacances.

— Merci, Roscoe, répondit Dominic d'une voix redevenue chaleureuse. Je t'en dois une.

— Tu as foutrement raison, dit Roscoe sur un ton bourru en songeant qu'il allait appeler son fils et lui dire qu'il l'aimait même si, à 15 ans, Jamie ne voulait probablement pas entendre ça.

Mais un enfant devrait savoir que ses parents se soucient de lui ; l'esprit encombré de Dominic lui servait d'avertissement. Il savait que Dominic avait quitté la maison à 13 ans. Il n'en avait jamais su les raisons, mais quiconque part de chez lui si jeune a des problèmes.

— Une semaine, quand même ? Je peux compter sur toi pour être de retour et en forme après ça ? Seulement pour savoir.

— Compte là-dessus, fit Dominic en souriant devant la demande de Roscoe exprimée d'une voix douce. On se revoit dans une semaine.

Mais le commentaire de Roscoe à propos de l'amour le dérangeait.

Il devait l'avoir entendu dire par Max. Bon Dieu, était-ce là ce que Max pensait ? Qu'il s'agissait d'amour ? Merde, non. *Non !* Ce n'était que pur désir.

Le sexe avec Katherine était fantastique ; elle était audacieuse, affamée, impatiente.

Et elle ne voulait que lui.

Il y avait là un concept.

Il sentit se détendre les muscles de ses épaules.

Sentit son vieil univers familier du jeu sexuel revenir à la normale.

N'étant plus d'humeur à travailler, il éteignit son ordinateur et s'écarta de son bureau.

Mais il se tint debout devant la porte de la chambre pendant un long moment avant d'y entrer. Puis, il resta près du lit à regarder dormir Katherine pendant quelques minutes de plus, se demandant s'il se rendait le moindrement compte de ce qu'il était en train de faire. Où tout cela menait. S'il voulait seulement que ça mène quelque part. S'il était possible, seulement *possible* que ce soit davantage que du sexe.

Sentant sa présence, Kate ouvrit lentement les yeux.

— Viens me tenir dans tes bras, murmura-t-elle d'une voix adoucie par le sommeil.

— J'arrive tout de suite.

Elle sourit en entendant cette phrase qu'elle connaissait bien, puis bougea les lèvres, mais sa réponse ne réussit pas à franchir la barrière de ses sens endormis.

Dominic lutta contre l'attrait de ses douces lèvres roses. Il aurait voulu la saisir par les cheveux, lui renverser la tête, l'embrasser violemment, la conquérir, la posséder. Marquer son territoire.

Il réprima cette impulsion insensée en se rappelant qu'elle venait seulement de lui revenir. Reculant devant ses désirs violents comme devant un incendie, il prit une profonde inspiration, puis passa son t-shirt par-dessus sa tête et le laissa tomber sur le plancher.

Au moment où il grimpa dans le lit et la serra contre lui, elle était retombée dans le sommeil. Son souffle était léger contre sa poitrine, ses boucles soyeuses lui chatouillaient la gorge et le rythme lent de son cœur contre ses côtes était étrangement apaisant.

Il se sentit bizarrement coupé de la désolation de sa vie : sa triste histoire et ses souvenirs impitoyables, ses vieilles rancœurs et ses drames familiaux encore plus lointains. Et le monde autour de lui se résuma à ce lit sur cet avion avec cette femme dans ses bras. La terre désolée de ses souvenirs s'évanouit, et il décida que si le fait de se sentir un peu déséquilibré à propos de l'amour et de l'intimité était le prix à payer pour cette douce paix intérieure, il allait le verser sans se plaindre.

Et même en remercier les dieux.

Il inspira profondément. L'odeur de fleurs qui monta de la peau de Katherine était curieusement thérapeutique. Comme l'aromathérapie, décida-t-il. Apaisante.

Délicieuse.

Il ferma les yeux et s'endormit.

CHAPITRE 14

Il pensa qu'il rêvait, puis il comprit qu'il était en elle. Il ignorait depuis quand le rêve et la réalité s'étaient entremêlés, mais son membre était dur comme la pierre, profondément enfoncé, et Katherine ronronnait doucement tandis qu'il allait et venait délicatement en elle… oh, merde — la sensation était si intense que sa mâchoire lui faisait mal. Il l'attira contre lui, passa son bras autour de sa taille alors qu'elle gisait, lovée contre lui, son dos plaqué contre sa poitrine. Écartant ses doigts sur le ventre de Kate, il l'attira sur son érection, s'enfonça un peu plus et sourit quand son ronronnement ensommeillé se transforma en petits gémissements haletants et gourmands.

Remontant sa main, il promena lentement sa paume sur la douce courbe de son sein, remplit sa main, puis plia les doigts et serra doucement. Le gémissement qui surgit du fond de la gorge de Kate était un plaisir audible.

— Tu sens ce petit frémissement le long de ma queue ? murmura-t-il en plongeant son membre en elle de toute sa longueur.

— Hummm… Hummm. Oh, mon Dieu… ne bouge pas, ne bouge pas…

— Et si je le fais ?

— Je vais mourir, dit-elle dans un souffle.

— Nous ne pouvons pas accepter ça, fit-il d'une voix amusée. Ça gâcherait nos vacances.

Laissant glisser sa main, il caressa doucement son clitoris avec une délicatesse extraordinaire, l'extrémité de son doigt exerçant une pression infinitésimale.

La réaction de Kate fut immédiate et prévisible : elle retint son souffle, se tendit et devint tremblante.

À ce moment, Dominic bougea, mais d'une bonne façon, d'une façon qui provoqua un petit frisson d'excitation le long de la colonne vertébrale de Kate, courant qui surgit dans tout son corps, l'amena en quelques brefs moments au bord de la jouissance, et quand son érection massive se fraya un chemin jusqu'à son point G, elle retint son souffle, puis hurla tandis que son orgasme explosait.

— Bonnes vacances, murmura-t-il contre son oreille tout en inondant son sexe d'un flux ardent de sperme au diapason de son état d'esprit parce que le matin était si proche qu'il ne s'inquiétait plus des conséquences indésirables.

Maintenant immunisé contre les responsabilités, il était libre de baiser de tout son soûl.

Quand le dernier spasme ravageur de Kate se termina, elle prit une respiration ensommeillée.

— Je ne sais pas si c'était un rêve, mais c'était vraiment super…

— Hummm…, murmura-t-il doucement parce qu'il n'était pas tout à fait éveillé non plus après un mois pendant lequel il avait à peine dormi.

Repoussant les cheveux de Kate sur son cou, il lui embrassa tendrement la nuque, puis la serra contre lui, encore partiellement en érection en elle.

— Rendors-toi, chérie. Je suis ici…

Quelques heures plus tard, émergeant d'un profond sommeil, Dominic plissa les yeux devant la lumière filtrant de chaque côté des stores du hublot.

— Tu es réveillé ?

— Presque, marmonna-t-il, la douceur de sa voix le tirant des profondeurs du sommeil.

Elle agita les fesses en une petite rotation ondulante.

Il retint son souffle tandis que son membre devenait immédiatement en érection.

— Ça fonctionne toujours, dit-il sur un ton normal. Je suis réveillé.

Puis, elle passa une main entre ses jambes, trouva un de ses testicules du bout des doigts, serra doucement, tira sur la chair sensible en même temps qu'elle poussait son petit cul vers l'arrière et murmurait :

— J'ai besoin de toi. Plus profondément.

— Tu nous as, chérie, murmura-t-il. Nous sommes *tous* réveillés.

Et obéissant à ses directives, il donna un puissant coup de rein qui malmena le bout de son membre, le réveilla *vraiment* et provoqua chez Katherine un grand cri aigu de plaisir gourmand qui le faisait toujours bander davantage. Comme si le ravissement de Kate stimulait sa libido. Comme si le fait qu'elle le veuille avec une insouciance égale à la sienne constituait leur justification et leur intention, la splendeur étourdissante qui façonnait leurs désirs obstinés.

Ce fut bientôt terminé, tous deux avides après des semaines de souffrance et, toujours haletante, elle dit :

— J'espère… que ça ne te dérange pas… mais je vais compenser… pour le temps perdu ce soir ou ce matin ou quelle que soit l'heure. Mes excuses à l'avance.

— Pas besoin de t'excuser, chérie, répondit-il en lui embrassant une épaule. Nous n'allons nulle part.

Il déplaça légèrement ses hanches.

— Nous aimons ça ici, ajouta-t-il.

CHAPITRE 15

Quand ils atterrirent, il pleuvait légèrement, un couvert nuageux lourd et dense, aucune étoile visible, même la lune complètement voilée. Dominic transporta Kate jusqu'à la voiture qui attendait, et la laissa dans la chaleur du siège arrière pendant qu'il parlait aux douaniers à l'extérieur.

Il entra dans l'auto quelques minutes plus tard et lui demanda doucement :

— Tu es réveillée ?

— En quelque sorte.

— Nous sommes presque arrivés, dit-il pendant que quelqu'un refermait la portière derrière lui. Encore une quinzaine de minutes.

— J'aurais dû m'habiller.

Dominic l'avait enveloppée dans une couverture de cachemire grise.

— Je ne voulais pas te réveiller. Pete me connaît. Je fréquente cet aéroport depuis des années. Il a vérifié ton passeport pendant que je te transportais.

Il sourit.

— Il t'a trouvée magnifique.

Se penchant vers elle, il l'embrassa doucement.

— J'étais entièrement de son avis.

Il se cala contre le siège, puis regarda par la fenêtre tandis que la voiture accélérait le long de la voie de desserte.

— Bon Dieu, c'est bien d'être de retour à la maison. Ça faisait un bon moment.

— Tu n'as pas aimé Paris ?

— C'était désagréable sans toi, répondit-il en lui souriant. Maintenant, je connais la signification du mot « révélation ».

— Une poussée dans ton circuit neuronal ?

— Non, chérie, lui dit-il en lui touchant la joue du revers de la main. Je n'ai pas un esprit techno. Ça veut dire que la vie est un enfer quand tu n'es pas là.

Il lui prit la main, se laissa glisser un peu plus sur le siège, étendit les jambes.

— Maintenant, voici ce que j'aime, dit-il en lui serrant la main. Tu ne peux pas t'enfuir.

Elle aurait aimé pouvoir parler d'une manière aussi nonchalante, mais elle était si profondément amoureuse que *son* circuit neuronal était surchargé, la délestant de sa raison, ébranlant sa confiance. Elle était certaine de lui servir une réponse inadéquate et alors il la regarderait d'un air confus — ou pire, alarmé. Alors, elle se contenta de resserrer sa poigne sur sa main pour lui faire savoir qu'elle comprenait.

Il ne remarqua pas son silence, tenant toujours pour acquis dans sa vie l'acquiescement d'une femme. Et de toute façon, il était distrait, passant mentalement en revue son horaire de travail bouleversé. En fait, il n'était jamais complètement en congé — vacances sans précédent ou non.

Compte tenu des fuseaux horaires traversés et de son sommeil irrégulier dans l'avion, Kate se rendormit, puis se réveilla mollement quand la voiture s'arrêta. Ouvrant progressivement les yeux, elle vit Dominic se pencher, parler brièvement au chauffeur d'une voix doucement autoritaire, ce dernier inclinant la tête ou répondant en monosyllabes. Elle tourna son attention sur ce qui l'entourait et observa le quartier chic tranquille, les rues parfaitement propres flanquées de villas sur des terrains près de l'océan avec des panoramas spectaculaires — l'odeur de la prospérité dans l'air.

Quand elle se redressa pour s'asseoir, Dominic mit rapidement fin à sa conversation et se tourna vers elle avec un sourire.

— Comment te sens-tu ? Nous venons d'arriver.

— Je me sens bien, répondit-elle d'une voix ensommeillée. Quelle heure est-il ?

— Presque minuit.

La portière s'ouvrit côté trottoir.

— Bonsoir, Nick.

Un jeune homme ayant une queue de cheval, parapluie en main, se pencha vers l'intérieur de la voiture.

— Bienvenue chez toi, ajouta-t-il.

— Merci, Eddy. C'est bien d'être de retour. C'est une pluie qui va durer toute la nuit ?

— C'est ce qu'ils disent. Mais pas de vent ; un faible front venant du sud.

— Alors, nous n'aurons pas de vagues, dit Dominic en se retournant vers Kate tout en serrant la couverture autour d'elle comme un sarong, et laissant l'extrémité pour lui entourer les épaules.

Kate choisit d'ignorer la tranquille efficacité avec laquelle Dominic accomplit la tâche. Un point pour elle. Cocher la case « adulte mature ».

— Pas de vagues, cette fois. Peut-être d'ici la fin de la semaine.

— Il y a des possibilités, alors.

Prenant Kate dans ses bras, Dominic sortit de la voiture avec une force tranquille, sans effort.

Elle éprouvait toujours un petit sursaut au ventre devant sa supériorité physique si évidente. Une quelconque régression émotionnelle vers l'époque préhistorique, décida-t-elle en souriant intérieurement.

Pendant qu'Eddy tenait un énorme parapluie pour les protéger de la pluie, Dominic observa les règles de la courtoisie.

— Eddy, Katherine Hart ; Katherine, mon vieil ami Eddy O'Brian.

— Enchantée, dit Kate en lui adressant un sourire.

Heureusement, l'obscurité dissimula le rouge à ses joues. Elle n'était pas capable d'ignorer sa quasi-nudité comme l'auraient fait les deux hommes.

— Tout le plaisir est pour moi, répondit Eddy d'une voix traînante. Nick n'emmène pas beaucoup de visiteurs. Content de vous voir ici.

Il se tourna vers Dominic.

— Patty a préparé tout un menu depuis que tu as appelé.

— C'est pour ça que j'ai appelé, dit Dominic en lui lançant un regard oblique. Décalage horaire, dit-il. Je te parlerai plus tard.

Le grand jeune homme dégingandé s'écarta en douceur, puis les suivit le long du sentier menant à la maison, tenant toujours le parapluie. Parvenus à l'entrée, il inclina la tête.

— La porte est ouverte. Allez vous reposer.

Le regard de Kate glissa le long de la maison de trois étages recouverte de calcaire gris, chaque étage doté de grandes fenêtres à guillotine encadrées de pierre blanche donnant à l'extérieur un petit air français.

— Enfin le nid douillet, chérie, murmura Dominic en ouvrant la porte du pied.

Puis, Kate fit l'expérience d'un de ces moments renversants digne d'un film hollywoodien parce que Dominic lui fit franchir le seuil, referma la porte avec son épaule, s'arrêta et l'embrassa tendrement.

— C'est bien ? murmura-t-il en levant la tête.

— Super bien.

Comme dans bien voler son cœur.

— Ça l'est toujours avec toi, ajouta-t-elle avec un petit mouvement de tête séducteur.

— Vraiment, répondit-il d'un ton espiègle.

Puis, il la mit sur pied et haussa les sourcils.

— Tu veux faire le tour du propriétaire maintenant ou demain matin ? demanda-t-il en touchant le doux cachemire. Tu as assez chaud ?

— Absolument, dit-elle en agitant les orteils. Tous tes planchers sont chauffés ?

— Probablement. As-tu faim ?

— J'ai toujours faim.

— Ça doit être pour ça que nous nous entendons si bien.

— Ce n'est pas la seule raison.

— C'est vrai, fit-il en riant. Il y a cette folle accoutumance que nous avons. Mais retiens cette pensée jusqu'à ce que je t'aie fait visiter l'endroit.

Dominic lui montra les pièces du rez-de-chaussée : un salon, une salle à manger, une cuisine, un bureau, une chambre de domestique avec un verre vide et une bouteille de Macallan de 25 ans d'âge sur la table de chevet. Tous les meubles donnaient l'impression que la maison était habitée et ne ressemblait en rien aux intérieurs aseptisés des photos de magazine, la grande cuisine luisant d'acier inoxydable avec des appareils destinés à une vraie cuisine.

— Impressionnante, fit Kate en indiquant du doigt l'immense cuisinière en émail rouge. Pas pour toi, je présume.

— Non. C'est pour Patty. Tu vas faire sa connaissance plus tard.

Elle regarda le verre vide et la bouteille de whisky.

— Elle est ici ?

— Non. Elle vient surtout de 8 h à 17 h.

— Alors, elle sera ici de 8 h à 17 h ?

— Tu n'es toujours pas habituée à avoir du personnel, n'est-ce pas, chérie ?

Il prit son visage dans ses mains.

— Si tu ne veux pas qu'elle soit autour, elle ne le sera pas, dit-il gentiment en soutenant son regard. Mais Patty est à mon service depuis une éternité. Nous nous entendons bien. Alors, songes-y.

Il laissa glisser ses mains et recula d'un pas. Le point de vue nonchalant de Dominic à propos des domestiques était à des années-lumières de la zone de confort de Kate.

— Ma présence ne la dérangera pas ?

— Il faudra le lui demander, répondit-il en souriant. Tu es la première.

— Tu dis toujours ça. Je ne sais pas si je te crois.

Il vit ses joues s'empourprer et comprit ce qu'elle voulait dire. Mais il voulait écarter tout malentendu, alors il dit :

— Crois-moi. Tu es la première femme que j'aie invitée dans mes maisons pour davantage qu'une tasse de thé. OK ?

— Une tasse de thé, vraiment ?

— Ce n'est qu'une expression, chérie. Je ne bois pas beaucoup de thé. Comprends-tu bien ta position dans ma vie ? Tu n'es pas un divertissement. Loin de là. Tu es ma bien-aimée.

— Alors, tu es en train de me dire de me calmer ?

— Pratiquement, répondit-il, un sourire dans les yeux en se penchant vers elle. Si tu as besoin de plus d'explications, dis-le-moi.

Étourdie par sa beauté renversante, comme toujours, elle se trouva le souffle coupé.

— Ça ira, murmura-t-elle en retrouvant sa voix.

De toute façon, elle ne voulait pas vraiment connaître les détails alors qu'il y avait un tel fossé entre ses rêves et ceux de Dominic — tout comme l'interprétation qu'il avait de « ma bien-aimée » était probablement plus passagère que la sienne.

Il recula d'un pas et lui tendit la main.

— Le prochain étage, alors ?

Elle le suivit au bas de l'escalier dans une pièce entièrement consacrée à l'exercice physique. Elle vit tous les appareils imaginables, chaque charge libre — une piscine pour longueurs et un studio de tai-chi aux murs en miroirs qu'il ne montra que d'un geste de la main en passant.

Mais il dit :

— Le studio de tai-chi n'est que pour moi, OK ?

Comme elle ne répondait pas, il l'arrêta.

— C'était la vérité.

Le cœur battant, elle se contenta de cligner les yeux et d'acquiescer d'un signe de tête, ces photos de Noël choquantes, en particulier toutes ces femmes nues attachées à divers appareils dans son studio de tai-chi, imprimées à tout jamais dans son esprit.

Sachant qu'il valait mieux ainsi, il n'ajouta rien.

— Je vais te montrer les étages quand nous aurons trouvé quelque chose à manger.

Quatre salles de bain, quatre chambres à coucher, un bureau plus petit, sa grande chambre donnant sur l'océan ostensiblement remplie d'un bric-à-brac d'adolescent : des casques de baseball, des ballons de football et de soccer, une moto tout-terrain poussée dans un coin, trois PlayStation, deux iPod, une paire de skis, deux planches de surf, une guitare, une pipe à eau. Des photos de surf partout.

Elle tourna lentement sur elle-même, au milieu de la pièce, absorbant du regard les divers objets collectifs de la jeunesse.

— Tu es ici depuis longtemps.

Il n'avait pas bougé de la porte.

— Un bon moment. Je n'aime pas le changement. En tout cas, pas ici.

— C'est évident.

— Ouais, eh bien, certains changements sont agréables, dit-il en passant lentement la main dans ses cheveux. Comme le fait de t'avoir ici.

Il parlait avec une sorte de réticence atténuée, ses yeux clairs fixés sur elle. Il ouvrit la bouche pour parler, la referma, demeura là avec ses larges épaules et sa minceur, son t-shirt North Coast élimé, les hanches étroites dans ses jeans, le regard soucieux. Puis, sans un mot, il couvrit la distance entre eux, cet homme dans une chambre d'adolescent, fort et puissant maintenant, impitoyable et logique, jamais possessif, *jamais, jamais, jamais* — sauf avec elle. Il glissa une main derrière la tête de Kate, la prit dans sa large paume, l'attira lentement contre son corps dur et élancé et abaissa sa bouche sur la sienne.

— J'ai besoin d'être en toi.

Son grognement sourd et doux rappela à Kate à quel point elle était sans défense contre ses ordres nonchalants, comment elle se sentait quand il était en elle, comment il pouvait lui faire tout oublier à part le plaisir. Et son corps frémit comme il le faisait toujours quand il la regardait ainsi, ses intentions évidentes.

— Jusqu'où en moi ? ronronna-t-elle d'une douce voix profonde, son regard vert félin et sensuel, délibérément provocateur.

— Arrête ça.

Sa voix était froide, son regard tout à coup distant, comme une rétrogradation brusque dans une transmission, l'invitation sensuelle de Kate étant un brusque sentiment de déjà vu, le nombre de femmes qui s'étaient offertes à lui, infini.

— Je ne te paie pas à l'heure.

Il y eut un silence lourd, puis il ajouta :

— Franchement, tu n'en as pas les talents.

Le bras de Kate jaillit, ses yeux exprimant sa douleur.

Il lui attrapa la main avant qu'elle ne le frappe au visage, la retint aisément d'une façon encore plus insultante tandis qu'elle essayait de se libérer.

— Fais attention, dit-il, déséquilibré par ses souvenirs, se demandant pour la première fois si elle se jouait de lui. Tu pourrais te faire mal.

— Tu me menaces ?

Elle hocha la tête comme s'ils avaient une simple conversation, comme si son ton sarcastique était en réalité mielleux, ignorant le fait qu'il la surmontait de toute sa taille, son regard dur.

— Vas-tu sortir les fouets ?

Il la regarda pendant si longtemps d'un air stoïque qu'elle se demanda si elle avait finalement franchi quelque marque invisible, si elle lui avait répliqué une fois de trop et que quelque chose de déplaisant allait se passer. Puis, le regard stoïque disparut aussi rapidement qu'il était venu, et Dominic était de retour dans le temps et l'espace de Kate.

— Détends-toi, dit-il en souriant lentement. Tu ne saurais pas quoi faire, si je sortais un fouet.

Et le fait qu'il soit l'objet d'un jeu ou non n'avait aucune incidence sur ses projets immédiats.

— Tout ce que j'ai besoin que tu fasses, chérie, c'est d'écarter les jambes. Tu sais comment faire ça.

Sa colère ressurgit immédiatement.

— *Lâche-moi!* dit-elle les dents serrées.

Il n'y avait aucune peur dans ses yeux. Dominic avait toujours aimé ça chez elle.

— Si je te laisse aller…

Il prit un moment pour démêler l'enchevêtrement d'émotions dans son cerveau : la rancœur devant le grand bouleversement qu'elle avait provoqué dans sa vie, ce foutu désir d'elle qui ne le quittait jamais et, peut-être surtout, l'idée perturbante de l'avoir dans sa chambre.

— Tu ne peux pas partir.

— Ne me dis pas que je *ne peux pas* partir, Dominic, fit-elle en lui jetant un regard glacial. C'est vrai : tu ne me paies pas à l'heure. En fait, là d'où je viens, nous n'avons pas de partenaires de jeu payés à l'heure.

— Je n'en serais pas si sûr, rétorqua-t-il, mais il lui lâcha la main et ouvrit grand les bras, le brillant négociateur obtempérant. Je retire mes paroles. À toi de décider, chérie.

— Ce sont des conneries.

Il sourit, étrangement ravi qu'elle le défie.

— Je sais. Viens me baiser.

— Je ne suis pas d'humeur, répondit-elle sur un ton glacial.

— Dommage, dit l'homme qui avait conquis le monde. Peut-être la prochaine fois.

Et, tendant les bras, il posa ses mains sur les hanches de Kate, la tira contre lui malgré ses jurons et ses tortillements, pencha la tête et l'arrêta de jurer avec un baiser dur, violent. Poussant brutalement sa langue au fond de la gorge de Kate pour bien lui faire comprendre qui était le maître, il profita de sa surprise momentanée pour glisser ses mains sous ses aisselles et, la tenant à bout de bras, se dirigea vers le lit — ignorant ses coups de poing désordonnés, ses pieds qui battaient l'air, comme si le sexe querelleur constituait la norme dans sa vie. Oh, c'était vrai, ça l'était. Il atteignit le grand lit couvert d'un brillant édredon vert et bleu psychédélique, il l'y jeta nonchalamment, passa son t-shirt par-dessus sa tête et le laissa tomber par terre.

— Merde, dit Kate, le souffle coupé. N'as-tu… aucun foutu… respect ?

— Respect ? répéta Dominic en la regardant d'un air amusé. Qu'est-ce que tu es, pour l'amour de Dieu ? Quelque belle[4] du sud ?

Sa voix était douce.

— On s'en fout à moins que tu ne veuilles respecter *mes* souhaits et que tu écartes les jambes, ajouta-t-il d'un petit ton moqueur. Même si je suppose que ce n'est pas ce que tu avais en tête.

Se penchant, il arracha d'une main la couverture dans laquelle il l'avait enveloppée, puis de l'autre, descendit la fermeture éclair de son jeans. Et pendant qu'il détachait le bouton à sa taille, il s'élança soudain sur le lit.

Il attrapa la cheville de Kate avant qu'elle puisse s'éloigner en s'aidant des pieds et des mains, il la ramena vers lui et la retourna.

---

4. N.d.T.: En français dans le texte original.

— Tu rends la situation plus difficile qu'elle devrait l'être, Katherine, dit-il d'un ton neutre en ignorant la colère dans ses yeux. Tu sais que tu aimes baiser. Nous le savons bien. Quel est ton problème ?

— C'est toi, mon problème. Tu es foutrement cinglé.

Les mots se répercutèrent dans la pièce silencieuse.

Dominic écarquilla légèrement les yeux, mais autrement il demeura absolument immobile.

— Quoi ?

— Tu m'as bien entendue. Tu as besoin d'un foutu thérapeute.

Il y eut un court silence.

— N'oublie pas que tu es chez moi. Je surveillerais mes paroles, si j'étais à ta place.

Elle ignora la menace implicite dans sa voix, le petit tic insistant le long de sa mâchoire.

— Je suis allée dans plusieurs de tes maisons.

— Mais pas dans *celle-ci*, dit-il d'un air inquiétant.

— Ce qui signifie ?

Il la regarda sans broncher.

— Ce qui signifie que je ne suis pas certain que tu devrais être ici.

Il lâcha sa cheville, replaça son pied sur le lit avec un soin inutile, lutta avec ses sentiments chaotiques, la voulant et ne la voulant pas dans sa maison, dans cette chambre. Dans sa vie.

— Ça te dérangerait de me dire pourquoi ?

Elle n'était pas psychologue, mais elle comprenait que cette chambre était une capsule temporelle.

Le regard de Dominic demeura indéchiffrable pendant un moment, puis il secoua les épaules. Il n'allait pas admettre que cette chambre avait toujours été son dernier rempart contre le monde, son sanctuaire et son refuge. Ou bien qu'il composait mal avec l'émotion. Ou avec les relations interpersonnelles.

— Disons seulement que c'est étrange de t'avoir dans cette chambre.

Elle sentit la retenue dans sa déclaration tranquille, son tumulte intérieur inattendu, la désolation soudaine.

— Peut-être que ce n'est pas un bon moment pour toi.

Il la regarda gisant, pâle et nue et voluptueuse sur son lit, fixa son membre dur comme le roc, puis tourna de nouveau les yeux vers elle.

— Je ne dirais pas ça.

Sa bouche se raffermit devant l'indifférence désinvolte de son ton.

— Peut-être que ce n'est pas un bon moment pour moi.

— Je ne suis pas certain que ça ait de l'importance.

— Bon Dieu, cette attitude de maître de l'univers ne te quitte jamais, n'est-ce pas ?

— Merde, à quoi tu t'attends ? dit-il d'une voix qui n'était plus douce ou nonchalante ou inquiète à sa façon légèrement dédaigneuse, mais tranchante comme le fil d'un rasoir. Tu penses que je vais changer ? Tu penses que le sexe torride avec toi va modifier ma vie ? Faire disparaître 32 foutues années de méfiance bien ancrée et l'ombre malveillante de mes parents ? J'ai des nouvelles pour toi, chérie. Ça ne va pas arriver. Alors, fous le camp. C'est ma chambre.

— Ta dernière ligne de défense, tu veux dire.

Son regard était d'un bleu perçant.

— Ouais, ça l'est et tu n'es pas censée être ici.

Elle sauta hors du lit, se tenant à bonne distance de lui, le rouge lui montant aux joues.

— J'ai besoin de mes vêtements.

Il la fixa des yeux, regardant sa pâleur de rousse, sa peau translucide, sa beauté qui accélérait les battements de son cœur, ses magnifiques nichons et son corps doux et galbé qui allait à son propre corps comme un gant.

— Plus tard, dit-il.

En entendant ses paroles, elle dressa l'échine, se releva de toute sa taille bien qu'il la surmontât d'une tête, se força à croiser son regard implacable.

— Je ne vais pas te laisser me piétiner, Dominic. Je n'ai pas peur de toi. Bon Dieu, vas-tu arrêter ? Ne me regarde pas comme ça. Comme si tu faisais une analyse de coût et que ta queue avait la décision finale.

— Ma queue a toujours la décision finale avec toi, chérie. Et la 1e et la 10e et la 100e. Et, en ce moment, elle veut te baiser jusqu'à l'épuisement.

— C'est bien de savoir que tu te soucies de moi, dit-elle, les lèvres serrées, une évidente animosité dans son regard. C'est vraiment un moment mémorable.

— Ne t'énerve pas, dit-il comme s'il ne se tenait pas debout devant elle avec une solide érection derrière sa fermeture éclair ouverte. C'est peut-être de cette façon que je me soucie de toi. C'est peut-être ma seule façon. Peut-être que je n'en connais pas d'autres.

— Bon Dieu, tu es tellement perturbé, lança-t-elle.

— Non, tu l'es, rétorqua-t-il aussitôt.

Il l'atteignit en un éclair, la saisit et la relança sur l'édredon, se débarrassa de ses sandales et, debout à côté du lit, libéra le bouton métallique à la taille de son jeans. Glissant ses doigts dans sa fermeture éclair ouverte, il abaissa suffisamment son caleçon boxeur pour sortir son membre.

Elle le regarda d'un air furieux.

— Tu agis tellement comme un enfant.

— Je n'ai jamais été un enfant, Katherine, dit-il avec un petit soupir. Pas d'aussi loin que je me souvienne. Dis-moi que tu veux ça. Ce n'est pas trop difficile, n'est-ce pas ?

Sans tenir compte de son esprit lubrique, il était hors de question qu'il ne la baise pas. De ça, il était certain.

Elle essaya de ne pas regarder, mais son impressionnante érection défiait la gravité, toute droite, l'extrémité enflée dépassant son nombril.

— Il ne se sent pas insulté par les femmes vaches, chérie, dit-il tandis qu'un petit sourire passait rapidement sur son visage. Mais nous avons besoin que tu te conformes au programme. Tu sais comment ça fonctionne : je donne les ordres, et tu les suis.

— Va te faire foutre, lança Kate.

Un muscle se tendit sur la mâchoire de Dominic et son sourire disparut.

— Je ne joue plus à ce jeu, dit-il d'une voix calme, imperturbable, le PDG milliardaire revenu en force. Je te lèche le cul depuis Singapour. C'est une chose que je ne fais jamais.

Il la regarda par-delà le nombre d'années de vie difficile pendant lesquelles il avait pris ce qu'il voulait.

— J'en ai assez de ces bêtises.

— Excuse-moi ? C'est ce que c'est pour toi ?

— Je n'ai pas envie de t'excuser en ce moment, dit-il d'un ton dur en écartant sa deuxième question. Fais seulement ce que je t'ai dit.

Il fit courir ses doigts fermés le long de son membre frémissant, prit une profonde inspiration alors que le plaisir grimpait le long de son échine.

— Maintenant, dis-moi que tu veux ça au plus profond de toi.

Elle aurait dû lui dire d'aller se faire enculer. Mieux encore, elle aurait dû quitter cet homme enrageant et le monde invisible contre lequel il se battait ; elle aurait dû tourner le dos à cette relation impossible qui n'en était pas une à moins que la baise incessante puisse en porter le nom. Elle l'aurait peut-être fait, si les yeux de Dominic n'avaient pas été fixés sur les siens d'un air entendu, s'il n'avait pas fait courir si lentement son doigt tout au long de sa queue monstrueuse et qu'elle pouvait voir le sang se monter dans les veines distendues en alimentant son érection.

Un soudain élan de désir frémissant traversa son corps, franchissant imprudemment d'un bond les limites de sa raison, la laissant tremblante. Le souvenir instantané des conséquences des ordres brusques de Dominic envahit ses sens : l'hystérie sauvage, le besoin irrésistible, l'extase profonde ; la façon dont il pouvait faire durer le plaisir.

— Tu me mets en colère, Katherine. Parle-moi ou oublie ça ; je vais regarder un film porno et m'occuper de moi-même.

Il encercla son érection avec ses doigts, fit glisser sa main jusqu'à sa large base, l'orienta dans la direction de Kate et arqua ses sourcils.

— Seras-tu en vedette dans le film ? demanda-t-elle d'une voix amère.

— Pas nécessairement, répondit-il en haussant légèrement les épaules. Ça t'intéresserait, si j'y figurais ?

Son visage s'empourpra et pendant ce qui lui sembla une éternité, elle se trouva soumise au regard d'un observateur silencieux qui avait le pouvoir d'ignorer les contraintes ordinaires de la vie. Qui avait le pouvoir de se faire douloureusement désirer par elle.

— Le film peut attendre, dit-il doucement, comme s'il lisait ses pensées. Mais j'ai besoin que tu me répondes. Poliment. Il le faut, Katherine.

Elle tressaillit en entendant le ton dur dans sa voix, se traita de tous les noms parce qu'elle tremblait devant son exigence implacable. N'avait-elle rien appris ce dernier mois à propos de sa liberté et de ses choix ?

— OK, alors, oui, dit-elle comme si elle n'avait plus de volonté propre, comme si elle était sur une sorte d'autopilote charnel.

— OK ? demanda-t-il d'une voix douce parce qu'il marchait sur un foutu fil de fer depuis le Raffles en essayant de plaire à une femme pour la première fois de sa vie et qu'il avait besoin de le lui faire payer. Ça ne semble pas très enthousiaste. Tu peux faire mieux que ça.

— Je veux…

Sa voix était tremblante sous le regard perçant de Dominic.

— Je te veux… je veux ça, fit-elle en indiquant son membre gorgé de sang qu'il tenait nonchalamment entre ses doigts. Alors que je ne le devrais pas. Alors que je devrais partir et vous laisser derrière, toi et ta queue.

— Mais tu ne vas pas le faire, n'est-ce pas ?

Sa voix était à la fois douce et lourde de menaces.

Elle leva des yeux écarquillés, un sentiment courant de méfiance envahissant ses sens.

— Je devrais, murmura-t-elle.

— Je ne te laisserais pas faire, de toute façon.

Il leva langoureusement la main et, de son index, il lui fit signe d'approcher.

— Montre-moi, Katherine. Je veux voir si tu es mouillée.

Il fronça les sourcils en voyant qu'elle ne bougeait pas.

— Il ne s'agit pas de ce que tu veux, Katherine, mais de ce que je veux. Tu connais les règles.

Elle eut tout à coup un frisson en regardant ce regard bleu immobile ; ses mains commencèrent à trembler.

— Bon Dieu, fit-il d'une voix douce. As-tu peur ? demanda-t-il en la regardant, son visage rigide, sa mâchoire tendue. Cette situation est trop merdique.

Il secoua la tête, son regard infiniment las.

— La porte est là. Va-t'en. Je suis sûr que quelqu'un a rentré tes bagages, maintenant.

Un instant plus tard, elle se releva sur les coudes et le regarda droit dans les yeux.

— Je n'ai pas peur de toi.

Elle avait ce petit air bravache comme si elle le mettait au défi de la faire partir.

— Arrête seulement d'agir comme un salaud. Réintègre la race humaine.

— Facile à dire, dit-il en souriant légèrement.

— Eh bien, reviens juste un peu. Peux-tu faire ça ? Je ne vais pas pisser partout sur tes souvenirs d'adolescent. Je ne suis ici que pour quelques jours.

— On ne sait jamais, répondit-il parce que la déférence n'était pas naturelle chez lui, surtout en matière de sexe. Ça pourrait être plus que quelques jours.

— Oh, je le sais fort bien, dit-elle sans ciller, la déférence ne signifiant rien pour elle non plus. Maintenant, on peut s'y mettre ? dit-elle en pointant un doigt vers son membre.

— Pas de problème, dit-il avec un sourire radieux. D'autres directives ? Je ne voudrais pas faire de gaffes, murmura-t-il d'une voix doucement insolente.

— Une dernière, fit-elle imprudemment. Fais-moi sentir…

Bouillant de colère, il se retrouva sur elle avant qu'elle puisse finir sa phrase, s'abattant violemment sur son corps parce qu'elle pouvait le mettre foutrement en colère mieux que personne.

Ébranlée, elle retint son souffle.

— *Bon sang*, qu'es-tu en train de faire ?

Son membre à peine en elle, la chair de Kate tendue, résistante, étranglant l'extrémité de son membre. Il la regarda, ses lèvres courbées en un sourire glacial.

— J'essaie de te baiser, chérie, et tu ne m'aides pas beaucoup. Devrais-je faire venir du lubrifiant ?

— Pousse. Toi, dit-elle, en le foudroyant du regard. *Tout de suite.*

— Pas question.

Les raisons pour lesquelles il refusait étaient à la fois mystérieuses et territoriales. Il comprenait la partie territoriale ; c'était celle pour laquelle il la baisait.

— Pourquoi ne pas au minimum tenir compte de qui tu es en train de baiser alors ?

Elle avait parlé avec une froide intensité parce qu'il n'avait pas bougé et qu'il ne semblait pas sur le point de le faire, l'extrémité de son membre palpitant contre sa chair tendue.

— Je sais qui tu es.

Il ferma les yeux, puis soupira.

— Tu veux des excuses ? Alors, je m'excuse, ajouta-t-il.

— Pourquoi pas de vraies excuses ? Tu sais, du genre qui ne soit pas complètement dépourvu de sentiment.

— Tu n'exiges pas beaucoup, n'est-ce pas ? fit-il en lui jetant un regard menaçant.

— Bon Dieu de MERDE ! s'écria-t-elle, complètement révoltée. Je ne vais pas faire ça avec un homme qui se fout de qui est dans son lit. POUSSE-toi !

— Calme-toi, fit-il en haussant les sourcils. Prends une bonne respiration. Tu veux de meilleures excuses ? C'est ce que tu veux ? Je n'ai pas arrêté de m'excuser pour ceci et pour cela dernièrement, alors une fois de plus n'a pas d'importance, dit-il. Non pas que ça ait servi à grand-chose.

Son regard s'abaissa, puis se releva de nouveau.

— Quand je me heurte à ce genre de résistance, ajouta-t-il.

Elle pouvait le sentir l'examiner et se demanda dans le silence de plus en plus lourd si elle allait parvenir à concilier son désir insensé avec son jugement rationnel quand il s'agissait de Dominic, si elle allait un jour se refuser à lui avec conviction, si elle allait être capable de contempler sa beauté sombre et soucieuse sans le désirer.

— Accorde-moi une minute, dit-elle.

« Pour constater mes erreurs, pour retrouver ma santé mentale ».

— Entre-temps, je vais accepter tes excuses, ajouta-t-elle.

Quand il ne répondit pas, elle parcourut des yeux son beau visage avec son regard critique, ses mâchoires serrées.

— Qui résiste, maintenant ?

— Je m'excuse, Katherine, dit-il d'une voix dépourvue d'émotion.

— Tu n'as pas de talent pour ça, n'est-ce pas ?

Il soupira.

— Tu es une foutue sorcière.

Il n'était pas certain de la raison pour laquelle il se laissait aller à cette querelle autrement que parce que Katherine avait chamboulé sa vie parfaitement confortable, complètement égoïste — celle dans laquelle il n'avait pas à composer avec ses sentiments.

— Merci, dit-elle en souriant gentiment. Tu es tout aussi attrayant.

— Alors, nous pouvons mettre fin à cette leçon sur les bonnes manières ? demanda-t-il très doucement en ayant recours à toute sa maîtrise de soi après avoir vu ce sourire plein de suffisance.

— Certainement, répondit-elle en lui adressant un autre sourire doux.

Merde. Il plongea brutalement en elle comme s'il était furieux ou fou ou sous l'effet de tant de pression accumulée qu'il était aveugle aux nuances critiques de la plus élémentaire courtoisie, comme si les questions de pardon et d'excuse n'avaient jamais été mentionnées. Comme si à elle seule la violence faisait s'évanouir les sourires suffisants, rééquilibrait l'équation du pouvoir, maintenant son érection perpétuelle.

Le hurlement de Kate se répercuta dans la pièce.

Son cri le frappa comme un coup au ventre.

Il se retira brusquement et se tint suspendu au-dessus d'elle, tous ses muscles tendus.

— Oh, merde.

Il secoua la tête, cligna des yeux comme s'il revenait au monde.

Des larmes perlaient aux paupières de Kate.

— Oh, mon Dieu, dit-il. Je vais arrêter. Je peux arrêter.

— Ça va, répondit-elle.

C'était renversant à quel point elle consentait à abandonner son respect de soi pour lui plaire, comment les atomes crochus, l'attirance physique, son corps, étaient devenus à la fois son bonheur et sa malédiction. Son monde, sa raison, suspendus.

— Tu m'as surprise, c'est tout.

Elle grimaça, quand il changea accidentellement de position et la regarda d'un air chagrin.

— Je suis un vrai salaud, fit-il en écartant ses cheveux de ses yeux. Je n'ai aucune foutue retenue avec toi.

Mais son membre s'enfla indépendamment de ses remords, et il jeta un rapide regard vers son bas-ventre.

— Sérieusement, tu devrais le frapper à coups de pied.

— Je ne sais pas, dit-elle, le cœur battant, désarmée dans une bataille qu'elle ne pouvait remporter. Il a *vraiment* été bon pour moi.

Dominic leva les yeux, la regarda comme s'il essayait de comprendre le chaos de l'univers, comme si elle seule pouvait stabiliser sa dangereuse descente vers l'abîme.

— Et ?

Une question murmurée, douce comme la soie, chaleureuse, tendre, ses yeux bleus débarrassés de leur habituelle arrogance.

— Et j'ai besoin de toi en moi. Si je dis la chose convenablement ?

Son sourire apparut rapidement.

— Très convenablement, répondit-il. Merci.

— Et je vais bien, sérieusement.

Elle bougea légèrement pour le laisser pénétrer, voulant lui plaire pour toutes sortes de raisons : pour le plaisir inoubliable qu'il lui procurait au lit et ailleurs, pour la récompense de son sourire, pour ses moments de tendresse, pour les baises réellement incroyables — *n'oublions pas celles-là*.

— Tu en es sûre ?

Sauf son membre qui enflait, il était immobile.

Elle leva les yeux et vit une pure inquiétude dans ses yeux.

— Tu pourrais ralentir un peu.

— Je peux faire ça, acquiesça-t-il en souriant. Je ne suis plus un foutu ado. Je peux le faire. Mais laisse-moi d'abord m'occuper de cette fermeture éclair pour qu'elle ne te déchire pas la peau.

Se tenant de manière impressionnante sur une main tandis qu'il gisait entre ses jambes, il se débarrassa de son jeans et de son caleçon boxeur, puis lui prit la main, referma ses doigts en un poing et le posa contre sa poitrine.

— Frappe-moi ici si je te fais mal. Je vais arrêter. OK ?

— Oui.

— Tu es prête ?

Sans attendre une réponse, il la pénétra avec une lenteur douloureuse et une économie de mouvements grâce à ses muscles puissants. Et quand, après des moments infiniment langoureux de merveilleuse friction, de douce capitulation, il atteignit la profondeur ultime, elle était pantelante et frissonnante.

— C'est mieux ? murmura-t-il.

Kate hocha la tête. Heureusement qu'elle n'avait plus assez de souffle pour parler, sinon elle aurait pu lui dire qu'elle l'aimait parce qu'elle était éperdue de volupté, irradiée d'amour et enflammée. Tout en elle n'était que chaleur provoquant une tempête dans son sang — la sensation de lui en elle la remplissant complètement, faisant fondre son cœur, la faisant trembler. Elle leva la tête pour voir ses yeux fixés sur elle, d'un bleu clair, une ride d'inquiétude entre ses sourcils.

— Tu sais quoi faire si je te fais mal, n'est-ce pas ?

— Oui, répondit-elle dans un murmure à peine audible.

— Je ne veux pas te faire mal. Je suis vraiment désolé de l'avoir fait.

Comment pouvait-il s'exprimer si calmement, comme s'il commandait un café.

— Je sais, chuchota-t-elle dans un souffle si bien qu'il dut se pencher pour l'entendre.

— Je te désire beaucoup trop. Arrête-moi si…

Elle posa un doigt sur sa bouche.

— C'en est fini de parler ? demanda-t-il en souriant.

Elle inclina la tête, fit courir ses mains le long de ses bras, soupira doucement tandis qu'il se retirait avec une indolence fluide.

Puis, il s'arrêta avant d'être complètement sorti et murmura d'un ton espiègle :

— Et si je te faisais attendre ?

— Ne t'avise pas de faire ça.

Elle lui saisit les hanches à pleines mains.

Il ne bougea pas ; elle était terriblement mouillée maintenant, inondée, folle de désir.

— Soit dit en passant, fit-il d'un ton bourru, tu ne baises que moi, n'est-ce pas ?

Impatiente de le sentir en elle, elle acquiesça, haletante.

— Oui, oui, oui.

— Oui quoi ?

— Seulement toi, Dominic ! Pour l'amour de Dieu, Dominic, je ne veux personne d'autre !

Sa monstrueuse jalousie étant apaisée par la réponse ardente de Kate, il sourit.

— C'est ce que je veux entendre, chérie.

S'enfonçant de nouveau en elle, sans se presser, sa bouche sur la sienne, la respirant, son membre grossissant de plus en plus à mesure qu'il la pénétrait plus profondément, il vint finalement reposer à l'endroit où tout devient insignifiant sauf le plaisir inimaginable.

Puis, avec une patience magistrale, il attendit en elle sans bouger pendant que le corps de Kate palpitait autour de lui, pendant que ses sens se haussaient jusqu'à une frénésie débordante avec la rapidité et la violence qu'il en était venu à bien connaître. Sa Katherine n'était jamais calme et froide, toujours sauvagement débridée. Et quand il commença à aller et venir lentement en elle, doucement, avec précaution, la surveillant pour déceler tout signe d'inconfort, manœuvrant son membre avec une souplesse experte dans tous les bons endroits juste assez fort pour la faire geindre et grogner, se concentrant sur les terminaisons nerveuses de son point G, allant à la rencontre de ses hanches ondulantes avec un talent chevronné, il éprouva un plaisir fermement ancré. Comme si elle était chez elle dans son ermitage privé.

Kate eut l'impression d'être comblée d'émerveillement, remplie de joie, chacun de ses battements de cœur vibrant d'amour, ses sens l'entraînant à toute vitesse vers le délire grâce à l'indulgence gentille et altruiste de Dominic. C'était tout à la fois son génie et son talent d'être généreux comme maintenant… comme ça — oh mon Dieu. Elle enfonça ses ongles dans les bras de Dominic tandis que le premier tremblement incontournable faisait palpiter son sexe ; elle retint son souffle, ferma les yeux et s'immobilisa.

Reconnaissant les signes, comprenant la préférence de Katherine pour une jouissance immobile, il la pénétra lentement et profondément, entendit son gémissement, s'enfonça un peu plus, puis pencha la tête, posa sa bouche ouverte sur la sienne et goûta son cri passionné.

Leur orgasme s'empara de leurs sens en de spectaculaires vagues chaleureuses, le corps de Dominic sur elle, allant et venant en elle, la pressant contre le lit pendant que leur jouissance renversante, bourrée d'adrénaline, époustouflante, les faisait grimper au septième ciel.

Un orgasme flamboyant alimenté par Dominic qui lui laissa la gorge sèche et les nerfs frémissants.

Un élan de folie et de triomphe inimaginable provoqué par Katherine qui le laissa avec un sourire au visage.

Dominic s'excusa ensuite sans réticence, avec de tendres baisers, son corps reposant légèrement sur celui de Kate, son érection palpitant encore doucement en elle.

— À partir de maintenant, je vais maîtriser ma queue et mon tempérament. C'est promis.

Les bras de Kate lui entourèrent le cou, et elle lui sourit.

— Seulement pour que tu saches que je deviens tout excitée quand tu es exigeant et de mauvaise humeur, dit-elle.

Compte tenu du temps qu'ils avaient passé ensemble à Hong Kong, il avait déjà une assez bonne idée que c'était le cas, mais il dit d'un ton extrêmement poli :

— Merci pour le renseignement. Je m'en souviendrai. Maintenant, que veux-tu faire ?

— Vraiment ? C'est à moi de décider ?

Il n'hésita qu'une seconde avant de répondre :

— À toi de choisir, chérie. Je te suis redevable.

— Montre-moi les livres que tu aimais lire quand tu étais jeune, dit-elle en pointant un doigt vers l'étagère.

S'étant attendu à une demande d'ordre sexuel, il dut y songer à deux fois.

Elle lui servit un regard plein d'innocence, les yeux écarquillés.

— J'aimerais savoir. Commence par ton préféré.

— *Grant's Memoirs*[5].

Il se glissa hors du lit et se rendit à l'étagère.

---

5. N.d.T.: *Memoirs of the Civil War*, de Ulysses S. Grant, 18e président des États-Unis et commandant des armées nordistes pendant la guerre de Sécession.

— C'est un livre foutrement bon.

Et, revenant au lit, il lui décrivit ses passages favoris, lui dit les raisons pour lesquelles il les avait aimés, comment il avait découvert les livres à 11 ans.

Elle essaya de ne pas paraître ouvertement remplie d'adoration et posa des questions d'un ton neutre. Elle pourrait même avoir réussi à dissimuler son sentiment parce que, après un certain temps, il tourna la tête sur son oreiller, et dit avec un regard chaleureux :

— Parle-moi de ton livre préféré.

Il décida d'ignorer le fait qu'il n'avait jamais posé cette question à une femme, jamais même envisagé une conversation à propos de livres dans le cadre d'un échange homme-femme.

Quand Kate répondit « *Le Seigneur des anneaux*, de Tolkien », il sourit et dit :

— Évidemment.

Et quand elle eut fini d'expliquer pourquoi elle aimait cette histoire, elle s'assit et demanda doucement :

— Ça te va si je suis ici ?

Il marqua une longue pause pendant qu'il la regardait, puis il poussa un petit soupir.

— Je te veux avec moi. Je vais composer avec ça.

— Il y a quelque chose que je peux faire pour t'aider ?

Un petit sourire se dessina sur les lèvres de Dominic.

— Chérie, c'est une tâche trop immense même avec ton assurance. Je ne sais plus combien de thérapeutes ont essayé et échoué.

Ses yeux s'illuminèrent subitement d'une rage contenue, puis il prit une longue inspiration.

L'atmosphère se chargea d'électricité dans la pièce comme si un éclair avait frappé. Tout l'air sembla disparaître. Kate murmura :

— Combien ?

Il prit encore une profonde inspiration, leva les yeux au plafond.

— J'ai perdu le compte.

Il s'arrêta un moment, puis la regarda et sourit.

— Tu te comportes incroyablement bien. Ne t'en fais pas. Je suis tout à fait sain d'esprit.

— Tu es plus sain d'esprit que tous les gens que je connais, Dominic, dit-elle d'une voix tranquille. Vraiment.

Il la regarda de sous le voile noir de ses cils, puis déglutit.

— Tu es sûre de vouloir entendre ça.

— J'aime quand tu me parles. J'aime t'entendre parler.

« J'aime tout ce qui te concerne », pensa-t-elle.

Il inclina la tête, résigné ou inquiet.

Elle n'osait pas respirer de crainte qu'il ne change d'avis et ne retourne dans son monde inaccessible.

— Ne viens pas dire plus tard que je ne t'ai pas avertie, fit-il avec une grimace.

Elle aurait voulu lui dire « Il n'y a rien que tu puisses me raconter qui changera mes sentiments envers toi », mais elle se contenta de secouer la tête.

— Je ne le ferai pas.

— Quand j'étais un enfant, commença-t-il doucement en fronçant légèrement les sourcils, ma mère croyait que je voulais la tuer. Ça ne signifiait pas que j'allais le faire même si j'y ai certainement songé quelques fois, dit-il avant de s'interrompre et de respirer. En tout cas, pour une foutue raison que j'ignorais, elle prenait plaisir à me harceler émotionnellement. Et je me défendais. Alors, dès l'âge de six ans, elle m'a envoyé consulter un psychiatre après l'autre. Quand chacun d'eux comprenait qu'elle représentait la majeure partie du problème, elle annulait mes rendez-vous et trouvait un autre psy. Et ainsi de suite. Je ne peux pas te dire combien de thérapeutes gentils, ou incompétents, ou carrément dangereux j'ai vus, combien de milliers de pilules je n'ai pas avalées. On finit par devenir bon à ce jeu. Je pouvais garder une pilule dans ma bouche pendant le temps qu'il fallait avant que je puisse la recracher. Même si je devais ouvrir la bouche pour eux. Même si je devais avaler un foutu verre d'eau devant eux.

— Dieu du ciel. Est-ce même légal ? Donner de pareils médicaments à un enfant de six ans ? Surtout comme ça ?

Il haussa un sourcil.

— Ça l'est jusqu'à ce qu'on devienne assez âgé pour trouver une parade. Ce que j'ai appris très tôt, toutefois, c'était comment me refermer sur moi-même en moins de trois secondes. Comment survivre dans un monde hostile. Tout ça m'a bien servi en affaires.

Il eut un sourire amer.

— Si la vie te donne des citrons, fais-en de la limonade, n'est-ce pas ? Et Melanie était toujours là quand je revenais à la maison. Elle savait comment me faire sentir mieux, me calmer. Comment m'empêcher de réellement tuer ma mère.

Le cœur de Kate battait farouchement dans sa poitrine. Elle était sans voix.

Il lui jeta un regard oblique.

— Hé, ce n'est pas si mal. Je ne l'ai pas tuée, OK ? Et c'était il y a longtemps. Je vois rarement mon père ou ma mère, maintenant ; la guerre est pratiquement terminée. Très peu de retombées radioactives.

Mais l'amertume transparaissait dans sa voix.

— Je suis tellement désolée, murmura-t-elle.

— Ne le sois pas. C'est du passé.

Un muscle se tendit dans sa mâchoire, puis il lui servit un de ses sourires dévastateurs et lui tendit la main.

— Allez, chérie, tu es ici pour que je ne pense pas à toutes ces sottises. Raconte-moi une de tes histoires du temps où ton grand-père et Nana t'élevaient. Dis-moi quelque chose de bien.

Elle lui prit la main et commença à parler, à bavarder, à faire des blagues, lui parlant de l'alambic de Nana dans le menu détail parce qu'il semblait intéressé. Puis, de la collection de pistolets de son grand-père qui lui fit poser des questions. Ensuite, des histoires à propos de son chien et de son chat, à propos des camps de vacances, voulant le rendre heureux, voulant lui faire oublier le garçonnet effrayé chez le psychiatre, voulant le voir sourire et perdre ce regard tendu qu'il avait en parlant de son enfance.

Bientôt, la ride entre ses sourcils disparut et il sembla détendu, presque réjoui. Il releva à demi la tête de sur l'oreiller, puis s'assit en un mouvement gracieux de ses muscles qui ne cessait jamais d'éveiller brusquement ses sens, la prit par les épaules, puis se laissa retomber en l'entraînant contre la chaleur de son corps.

— Tu m'aides davantage que tu ne le crois, Katherine.

Il n'y avait plus aucune dureté dans sa voix ; seulement une douceur tranquille.

— Il faudra que tu m'envoies une facture pour des services de thérapie, murmura-t-il en fermant les yeux.

Elle respira son odeur, celle du musc et du cèdre, prit plaisir à sentir la chaleur de sa peau sous sa joue, le muscle souple sous sa chair bronzée — un corps discipliné par un esprit discipliné, intransigeant. Et elle eut envie de pleurer pour le petit garçon qui n'avait pas avalé toutes ces pilules, pour l'enfant victime de la cruauté d'adultes qui auraient dû l'aimer, mais l'avaient laissé tomber. Qui ne l'avaient pas seulement laissé tomber, mais l'avaient maltraité.

Ils dormirent pendant quelque temps et quand ils s'éveillèrent, ils se laissèrent aller langoureusement à des jeux amoureux, puis sous l'influence de la léthargie suivant un décalage horaire, dormirent de nouveau. Finalement, Dominic poussa Kate dans la douche avec des promesses de sexe, et ensuite, mû par la faim, il trouva des peignoirs pour descendre au rez-de-chaussée. Avec Kate à ses côtés, il regarda dans le réfrigérateur de taille commerciale, passant en revue les provisions à l'intérieur. Quatre des étagères contenaient des plats couverts, chacun portant une étiquette avec des directives sur le réchauffage ou non.

Kate indiqua une salade recouverte d'une pellicule de cellophane sur laquelle était inscrit « Ne pas passer au micro-ondes ».

— Elle n'est pas certaine que tu saches qu'il ne faut pas réchauffer une salade ?

— Je l'ai fait une fois et Patty ne l'a jamais oublié, dit Dominic en levant les yeux au ciel. Le fait que j'aie été complètement défoncé à ce moment ne lui a pas paru une bonne excuse.

Il prit un plat d'enchiladas, un autre de bœuf à la mongole et la salade.

— Prends le pouding au riz, tu veux bien ? demanda-t-il en l'indiquant du doigt. Il faut que tu goûtes au meilleur pouding du monde.

— C'est une louange modeste, le taquina-t-elle.

— Je ne blague pas, chérie. Il est de classe mondiale. Patty a pris l'avion jusqu'à New York et persuadé un chef de lui donner la recette qu'il m'avait refusée. C'est une recette afghane avec des pistaches, de la cardamome et un autre truc. En tout cas, j'en serai toujours reconnaissant à Patty. Et pour ceux-là moins savoureux, dit-il avec un sourire en inclinant la tête vers un pot de céramique en forme de Darth Vader.

— Des biscuits ?

Son sourire s'élargit.

— Mais oui ! dit-il. J'ai aussi commandé du lait au chocolat. À moins que tu ne veuilles une bière ou une boisson alcoolisée.

Après avoir réchauffé les plats au four micro-ondes, ils apportèrent leur buffet dans la chambre, le déposèrent sur le lit avec une bière pour Dominic et un lait au chocolat pour Kate. Puis, ils se nourrirent l'un l'autre des gourmandises de Patty comme le font les amoureux quand ils sont heureux, quand ils n'en finissent plus de vouloir se toucher, quand leur ravissement illumine leurs yeux et que les sourires semblent un droit naturel.

Ce fut une journée de plaisir et de contentement, de petits enchantements et ravissements hors de l'ordinaire. Mais Dominic jetait souvent des coups d'œil vers l'horloge et le temps arriva finalement où il embrassa Kate, descendit du lit et dit par-dessus son épaule en s'éloignant :

— Nous devons nous habiller pour la réception chez Melanie. Je t'ai fait livrer quelques vêtements. Alors, ne t'offusque pas, OK ?

Kate lui lança un regard fâché quand même — ou elle essaya, même si elle se contenta surtout de le contempler parce qu'il se tenait debout dans une splendide nudité à l'entrée de sa penderie, l'air incroyablement délicieux. Merde, si elle allait essayer de défendre raisonnablement son indépendance, il fallait à tout prix qu'elle réussisse à ignorer cette masculinité stupéfiante.

— Tu n'abandonnes jamais, n'est-ce pas, dit-elle, puis elle soupira. Suis-je un jouet à habiller ? Ou bien as-tu honte qu'on te voie avec moi dans mes vêtements ordinaires ?

Il se retourna pour lui faire face en un mouvement souple de ses muscles et avec une impatience rétive.

— Ni l'un ni l'autre. *Allez*, chérie, grommela-t-il. Jamais personne ne t'a fait de cadeaux ? Peut-être que nous *devrions* voir une quelconque thérapeute folle pour qu'elle puisse te dire d'arrêter ça.

Kate s'émerveilla devant sa capacité à oublier de manière si imperturbablement les tourments psychiatriques de son enfance, elle répondit avec le même détachement :

— Ou *elle* pourrait te dire d'arrêter. Parce que j'ai raison.

Une lueur d'amusement apparut tout à coup dans ses yeux.

— Quoi ?

— Les thérapeutes n'emploient pas des mots comme *bien* ou *mal.* Ils préfèrent des mots gris, ambigus. Des compromis du genre Répète-ce-que-tu-viens-de-m'entendre-dire qui ne sont pas vraiment des compromis, mais une forme d'apathie. De toute évidence, tu n'en as jamais fréquenté.

— Non. Toutefois, j'aimerais que quelqu'un *te* dise que tu ne peux pas régenter les gens jour et nuit, sept jours sur sept.

— Tu as peut-être remarqué que j'ai un peu de mal avec toi, dit-il sèchement.

Elle se laissa glisser sur les oreillers, émit un son de bateau à moteur avec ses lèvres, examina ses ongles d'orteil peints.

— Probablement que je réagis exagérément à tes cadeaux, répondit-elle d'un ton neutre sans cesser de regarder ses orteils. Alors, j'abandonne. Tu es heureux, maintenant ?

— Permets-moi d'être clair à ce propos. Tu veux dire que tu vas porter certains de ces vêtements ? Hé, regarde-moi.

Elle leva les yeux avec une lenteur calculée pour qu'il ne croie pas qu'elle cédait sur chaque petite chose.

— Si tu dois le savoir, tu m'as épuisée au point où je capitule.

— J'aime ce mot « capituler », dit-il avec un demi-sourire.

— Ne t'y habitue pas, marmonna-t-elle.

— Compris, dit-il en levant rapidement les mains en signe de reddition.

— Tu te comportes étonnamment bien, lança-t-elle en lui adressant un petit sourire.

— Ouais, eh bien, fit-il en affichant un petit sourire séducteur, j'ai des projets.

— Je pense que nous en avons tous les deux.

Elle était 10 fois, peut-être 1000 fois plus sensible au magnétisme de Dominic, à son charisme et à son charme dans cette chambre où s'étalaient une si grande partie de son enfance et de sa jeunesse : dans les photos sur les murs, les trophées sur les étagères, la collection de soldats de plomb dans une armoire vitrée, les étagères de livres cultivés. Il lui avait permis d'entrer dans sa vie, dans sa maison, lui avait nonchalamment proposé l'amitié de sa sœur. Non pas qu'il n'établissait pas ainsi sa propriété, elle le comprenait — mais avec une expression légèrement douloureuse et un sourire poli qui ne le rendaient que plus adorable. Elle n'était pas certaine que son indépendance pourrait survivre à un assaut en règle de sa volonté.

Mais elle l'aimait — de toute façon et de toutes les façons.

Dominic n'était pas le seul à souscrire à une philosophie de je-m'en-foutisme.

Elle leva les yeux et regarda les sourcils froncés de Dominic. Il devait lui avoir demandé quelque chose.

— Je me rends. C'est ce que tu voulais savoir ? Je vais porter tout ce que tu voudras.

— Ce n'est pas du sarcasme ?

Elle secoua la tête.

— Bien. Alors, merci. J'aime vraiment t'acheter des choses. J'aime te montrer. Je n'y peux rien, déclara-t-il en souriant. Merci, vraiment.

Elle se sentit bizarrement ravie alors qu'elle ne l'aurait pas dû, alors que l'expression « te montrer » était vraiment rétro et contrevenait à toutes ses convictions féministes.

— Je comprends le sentiment d'impuissance, dit-elle.

Elle avait légèrement levé la main, cherchant les mots qui convenaient.

— Je me dis que je ne dois pas m'engager. Pourtant, je suis ici. Je te laisse aussi me persuader de mettre ces vêtements. Que penses-tu de ça comme impuissance ?

Comme Kate était d'humeur accommodante — en dehors du sexe où elle l'était presque toujours —, Dominic décida d'aller plus loin.

— Pourrions-nous mettre ça dans notre entente d'exclusivité, que je peux t'acheter des choses quand nous sommes ensemble ?

Elle se mit immédiatement sur ses gardes.

— Quelles choses ?

— Seulement des cadeaux.

— Cette querelle ne prend jamais fin, n'est-ce pas ?

— C'est une querelle stupide, dit-il tranquillement.

— Oh, d'accord, répondit-elle en agitant le nez comme un lapin. Pas de bijoux, toutefois.

— Pourquoi pas ?

— C'est trop cher.

— Nous allons tirer à pile ou face.

Elle lui jeta un regard aigri.

— Tu ne me fais pas confiance ? demanda-t-il.

— Pas vraiment. J'ai une pile de valises pleines de vêtements et de bijoux dans mon salon à Boston en ce moment même.

— Nous en reparlerons plus tard.

— Oh, mon Dieu ! s'exclama-t-elle en s'assoyant et en pointant un doigt vers lui. Tu m'as déjà acheté des bijoux !

— Rien de dispendieux.

— Quoi que ce soit qui ne vienne pas de chez Walmart est dispendieux pour moi.

— Tu dois élargir tes horizons, chérie. Sans blague.

Puis, il changea de sujet parce qu'il était disposé à se contenter d'une victoire à la fois. Il allait la convaincre à propos des bijoux plus tard. Quand ils baiseraient.

Elle se laissait facilement convaincre après quelques orgasmes.

Et certains des bijoux *étaient* pour les jeux sexuels.

Il sourit quelques moments plus tard quand elle répondit à sa question avec une indifférence catégorique.

— Tu décides de ce que tu veux que je porte. Je m'en fiche.

— Là tu parles. Et, soit dit en passant, ça m'excite vraiment de t'habiller.

— Même chose pour moi ; ça m'excite aussi.

Si elle pouvait ignorer les sommes énormes qu'il dépensait pour elle, le fait qu'il l'habille *était* carrément excitant.

Le sourire de Kate était séduisant et sexy. Il faillit céder à la tentation jusqu'à ce qu'il jette un coup d'œil à l'horloge.

— Vas-tu sortir du lit ou devrais-je venir te chercher ?

— Pourquoi tu ne viendrais pas ici ? demanda-t-elle en tapotant la couverture.

— Impossible, répondit-il en secouant la tête avec réticence. Nous n'avons pas assez de temps.

— Quand devons-nous être là ?

— Dans 15 minutes.

— Tu veux dire que nous aurions pu nous envoyer en l'air plutôt que d'argumenter ? Pourquoi n'as-tu rien dit ?

— C'est parfois dur de savoir ce que tu penses, chérie. Je fais de mon mieux.

Elle soupira.

— Nous serons de retour dans quelques heures. Ou si tu deviens trop assoiffée de sexe, nous pouvons aller dans une des chambres de Melanie et verrouiller la porte.

— Je ne pense pas, fit-elle en écarquillant les yeux.

— Je disais ça comme ça.

— J'espère que tu n'es pas en train de dire que tu l'as déjà fait chez ta sœur.

Son visage demeura impassible.

— J'essaie seulement d'être utile.

— Si tu enfilais des vêtements, ce serait peut-être plus utile. Tu sembles trop foutrement délicieux debout devant moi.

Il s'habilla en moins de trois minutes, comme il le faisait toujours avec son esprit pratique bien masculin : il enfila un caleçon boxeur, un jeans noir — fermeture éclair, bouton — se tortilla dans un chandail de cachemire noir à col en V après l'avoir passé par-dessus sa tête, puis mit rapidement des chaussettes et des bottes de suède noires lacées, les attachant aisément avec quelques mouvements rapides de ses doigts.

Elle ne savait trop si Dominic était mieux une fois habillé. Il était presque impossible de ne pas saliver devant une telle sensualité renversante. Il était extraordinairement beau tout de noir vêtu, sombre, intense, sensuel, une sorte de héros romantique, d'une dureté et d'une puissance sans équivoque. Sa longue chevelure était du même style que sur la plupart des photos de surf qui remplissaient la pièce. Une immense photo en couleur couvrait un mur entier. Dominic se trouvait sous une puissante vague, glissant sur sa paroi en un mouvement fluide, l'écume si haute qu'il paraissait petit et, même de loin, même en filant sous la trombe d'eau qui avançait derrière lui, on pouvait voir son grand et magnifique sourire.

— Tu fais beaucoup de surf, maintenant ? demanda-t-elle en indiquant la photo. Ou bien ça fait partie du passé ?

— J'en fais quand j'en ai le temps. Mais c'était une de mes journées les plus extraordinaires, dit-il en souriant de toutes ses dents. À Hawaii. On avait fermé la plage parce que les vagues étaient trop dangereuses. Mais ça signifiait seulement qu'il fallait glisser audacieusement sur la vague, sans crainte. Ce jour-là, tout le monde est tombé à l'eau sauf moi. J'ai vaincu cette vague monstrueuse ; un de mes amis m'a pris en photo et voilà. Un de mes meilleurs souvenirs.

— Tu parais jeune.

Il plissa les lèvres pendant une seconde.

— Je devais avoir 15 ou 16 ans ; non, 16 : je vivais déjà ici. J'avais acheté cette maison pour être près de Melanie. J'ai gardé ses deux premiers enfants avant d'aller à l'université.

— Pouvais-tu faire ça ?

— Faire quoi ?

— Vivre tout seul à 16 ans.

— Je ne l'ai jamais demandé, répondit-il en haussant les épaules. Melanie signait pour moi. Ça fonctionnait.

Pendant que Kate réprimait une douzaine de questions indiscrètes qui lui venaient à l'esprit, Dominic tapota sa montre.

— Ça suffit pour les vieux souvenirs. Nous devrions t'habiller, dit-il en lui tendant les vêtements drapés sur son bras. Bien que, si tu le veux, il nous reste assez de temps pour que je te donne une petite récompense parce que tu es si gentille.

— Je suis gentille ? répéta-t-elle en souriant.

— Plus gentille que n'importe qui de ma connaissance, dit-il doucement, les paupières à demi fermées, l'ombre d'un sourire sur ses lèvres.

Un chaud frémissement de désir lui grimpa le long de l'échine. Elle avait déjà vu ce regard.

— Dis-moi que je ne serai pas obligée de parler à ta mère, fit-elle rapidement en se levant du lit, son cœur battant la chamade.

Elle refusait de céder à la luxure sur un simple signal.

— Ne t'inquiète pas, répondit-il calmement comme s'il n'avait pas remarqué sa réaction. Je ne *veux* pas que tu parles à ma mère. Elle est pénible, ajouta-t-il, ce qui est peu dire.

Kate vint se planter devant lui, renversa la tête et sourit.

— Tu es beaucoup trop bon pour moi.

— Ce n'est pas comme si j'étais perdant en ce qui concerne la bonté. Tout me semble bien là-dedans.

Il passa un doigt sur son front.

— La vie est étrange, n'est-ce pas ? dit-elle d'une voix douce. Comment nous nous sommes rencontrés, comment je ne peux pas vivre sans toi — elle sourit — en tout cas, pas pendant longtemps.

— C'est une bonne étrangeté, chérie. Et c'est pareil pour moi… ton absence me déchire.

Il faillit dire « Tu dois signer l'entente d'exclusivité », mais se retint. Ils auraient suffisamment de temps au matin pour entreprendre cette bataille.

— Lève les bras, maintenant. Nous sommes pressés par le temps.

Mise à part la perte de maîtrise, quand il s'agissait de pur assouvissement, elle devait avouer que le fait de se faire habiller par Dominic se situait au niveau du chocolat vénézuélien et d'un gros lot remporté à la loterie. Le geste lui-même représentait une contradiction improbable par rapport à son personnage public : il était tendre, affectueux, terriblement érotique. Et dans son état d'esprit actuel d'adoration sans borne, Kate regarda le chemisier de velours vert brillant à manches longues et à décolleté rond que Dominic lui tendait et demanda :

— Devrais-je porter un soutien-gorge ?

— Je n'allais pas le demander.

— Je devrais ?

— Ça serait peut-être plus confortable.

— Il ne s'agit pas d'être confortable, répondit-elle en souriant. T'inquiètes-tu à propos de ta mère ?

— C'est inutile, répondit-il en secouant la tête. Il n'y a pas moyen de lui plaire. Mais je n'aime pas que les autres hommes regardent mes nichons. Tu sais ça.

— Tes nichons ? dit-elle sur un ton séducteur.

— Oui, les miens, répondit-il sans la moindre séduction dans sa voix.

Elle ne devrait pas éprouver un tel élan de désir quand il parlait comme s'il la possédait. Elle prit une courte inspiration pour réprimer son désir, puis parla d'une voix normale :

— Je suppose que tu as quelques soutiens-gorge ici.

— Je suppose que si.

Elle agita la main en direction de la penderie où elle pouvait voir divers vêtements féminins sur des cintres.

— Comment arrives-tu à faire ça avec un si court préavis ?

— Par téléphone.

De Paris, mais il se retint de le préciser.

— Et tout le monde se précipite pour te satisfaire.

— Ils s'en fichent. Ils sont bien payés.

— Je suppose que tu as un soutien-gorge d'une couleur qui s'agence au chemisier.

— Je crois que oui. Devrions-nous regarder ?

Il trouva un soutien-gorge de dentelle vert foncé dans un tiroir à sous-vêtements et le lui tendit pendant qu'elle glissait les bras dans les bretelles et se plaçait dos à lui.

Passant ses mains autour d'elle, il glissa ses seins dans les bonnets de dentelle, tira les bretelles pour les ajuster à ses épaules, agrafa le soutien-gorge et se pencha pour lui embrasser l'épaule.

— Peut-être que tu n'auras pas besoin d'une femme de chambre. Peut-être que je vais toujours t'habiller, murmura-t-il en pressant son corps contre son dos, ses doigts glissant par-dessus ses épaules jusqu'au galbe de ses seins. Aimerais-tu ça ?

Envahie de désir, le corps puissant et la douce caresse de Dominic agitant ses sens, ses gentils commentaires touchant son cœur sensible, elle se plaqua contre son corps chaud et inclina la tête parce que des larmes lui venaient aux yeux.

— Hé, chérie. Il ne faut pas que tu pleures, murmura-t-il en commençant à reconnaître ses moments de silence. Il la retourna dans ses bras. Tu vas gâcher le mascara –que tu ne portes pas.

Elle rit.

— Je reconnais bien là ma dulcinée !

— J'aimerais être ta dulcinée, balbutia-t-elle en reniflant.

— Bon Dieu, chérie, certaines personnes sont difficiles à convaincre. Je dis ça depuis un bon moment.

— Peut-être que les grands dons Juans disent ça tout le temps.

— Ou pas du tout jusqu'à ce que tu apparaisses, rétorqua-t-il en souriant. Je devrai peut-être faire installer une affiche au néon, après tout. Mais pas maintenant, dit-il en reculant d'un pas. Il faut y aller. Oh, merde.

Il faillit lui retirer son soutien-gorge tellement elle avait un air sexy avec ses seins pâles remontés en des globes potelés au-dessus des bonnets festonnés. Il se laissa presque aller à la tentation et, si l'horloge n'avait pas inopportunément sonné le quart d'heure, il l'aurait fait. Mais il prit une profonde inspiration, saisit le haut de velours, le glissa rapidement sur la tête et le long des bras de Kate. Ajustant le décolleté en rond serti de perles, il lissa le velours délicat sur ses côtes.

— Je n'arrive pas à me décider à propos de la petite culotte, dit-il.

— C'est une fête de famille.

— Tu as raison. Une petite culotte ce soir, dit-il en se penchant et en introduisant doucement deux doigts dans son sexe succulent. Mais je t'en ai promis un pour la route. Intéressée ?

Quand elle ne répondit pas autrement qu'en lui serrant les épaules, il murmura :

— Ça doit être un oui.

Se laissant tomber sur les genoux avec grâce, il lui écarta les jambes avec une petite poussée de sa main libre, puis se pencha vers l'avant et ajouta sa langue à ses doigts, léchant et suçant son clitoris pendant qu'il caressait paresseusement sa chair palpitante, profondément et lentement, dans de doux allers-retours, ou d'un côté à l'autre, ou plus brutalement et irrésistiblement parfois — ses talents de virtuose étaient bien affinés. C'est en forgeant qu'on devient forgeron n'était pas qu'une simple phrase pour Dominic Knight.

L'univers de Kate se réduisit à une douce sensation chatoyante, au toucher, à la cadence exquise des doigts de Dominic, à la prestation bienveillante de sa bouche et de sa langue. À un délire bouillonnant, de plus en plus frénétique alors qu'il écartait ses doigts en elle pour mieux atteindre son point G et qu'il la léchait comme une sucette.

Elle lui saisit la tête d'une poigne ferme, voulant prolonger la pression enivrante pendant que le ravissement sauvage, féroce, torride envahissait ses sens, la transperçait jusqu'au plus profond des entrailles et la laissait tremblante.

Il écarta légèrement la tête.

— Tu es prête, chérie ?

Était-elle censée répondre ? Pouvait-elle trouver le souffle pour répondre ? Et si elle n'y arrivait pas ? Elle lutta pour parler.

— Ça va, Katherine, dit-il doucement. J'ai ce qu'il faut.

Faisant glisser doucement un troisième doigt qu'il enfonça profondément jusqu'à ce qu'elle soit comblée, jusqu'à ce que chaque partie moite de sa chair soit étirée, palpitant au rythme accéléré de son cœur. Puis, il pencha la tête, reprit le petit bouton de son clitoris dans sa bouche et le suça avec une tendre et exquise retenue.

Elle jouit immédiatement en émettant ce cri débridé qui lui était devenu familier.

Il sourit; il n'était pas question de feindre ça avec Katherine. Faisant attention de ne pas bouger ses doigts, il attendit jusqu'à ce qu'elle ouvre lentement les yeux.

— Satisfaisant ? lui demanda-t-il en levant les yeux.

Elle soupira, puis déplia ses doigts agrippant sa chevelure.

— Comme dans complètement époustouflant, M. Knight.

— C'est bon à entendre, Mlle Hart, répliqua-t-il poliment pendant qu'il retirait ses doigts, se remettait sur pied, posait l'extrémité de ses doigts sur sa bouche. Hummm… c'est bon. Si nous ne sortions pas, je laisserais ton empreinte sur moi, mais — il indiqua un fauteuil confortable — assois-toi une minute. Je reviens tout de suite.

Se laissant tomber dans le fauteuil rembourré recouvert d'un tissu aux motifs éclatants de surf, Kate se prélassa dans un chaud brouillard postorgasmique pendant que le son de l'eau qui coulait se répercutait dans la salle de bain. Même quand Dominic revint, elle ne bougea pas.

— Désolée, murmura-t-elle. Je suis sur « pause ». Mon corps est surmené, ajouta-t-elle en souriant.

— Tu auras le temps de te détendre à la fête. Puis, tu seras de nouveau prête.

Il sourit de toutes ses dents.

— Parce que nous sommes en vacances, ajouta-t-il.

— C'est ce que les vacances signifient ? Une baise sans arrêt ?

— Je n'ai jamais pris de vacances, auparavant. Mais la baise sans arrêt est très certainement à mon programme avec toi. J'espère que ça ne te dérange pas ?

— Et si c'était le cas ?

Il la regarda et lui adressa un sourire.

— Je devrais te faire changer d'avis.

— Oh, mon Dieu, grogna-t-elle, immédiatement tendue et excitée, le pouvoir indéniable de sa douce intimidation à la fois effrayante et impitoyablement attirante. Comment fais-tu ? Je n'ai jamais été comme ça : insatiable, constamment excitée, saturée de sexe.

— Saturé de sexe, ça n'existe pas.

— Pour toi peut-être, dit-elle en haussant les sourcils.

— Alors, je peux t'apprendre, mais pas tout de suite, dit-il en souriant.

Il y avait très peu de gens à qui il choisissait de plaire dans sa vie, mais Melanie avait toujours été au sommet de sa liste.

— Nous devons être sortis d'ici dans les prochaines minutes.

S'accroupissant entre les jambes de Kate avec l'aisance de muscles en parfaite harmonie, il essuya son sexe avec une petite serviette qu'il jeta dans la salle de bain, puis lui enfila un morceau de dentelle verte qui tenait lieu de petite culotte et un jeans noir étroit. Le fait qu'elle se trouve encore dans une légère transe ne le dissuadait pas ; il la releva sans effort, remonta sa fermeture éclair et attacha le bouton à sa taille, puis dit « Parfait » une fois, doucement, en lui tapotant le genou, puis il se leva et disparut dans la penderie.

— Ouvre les yeux, chérie.

Merde, s'était-elle endormie ? Bien qu'après d'innombrables orgasmes au lit et le dernier pour la route, elle en avait peut-être l'excuse.

Un regard calme, mesuré.

— Tu veux un café ?

Elle secoua la tête en s'efforçant de revenir au présent.

— Je prendrai un Rhum & Coke plus tard. Si ta sœur a du rhum.

— Je suis certain qu'elle en a. Alors ? demanda-t-il en lui montrant deux paires de souliers. Tu choisis.

— Vraiment ? fit-elle en souriant. Tu penses que je peux faire ça ?

— Le choix est limité, chérie, rétorqua-t-il en lui rendant son sourire. Ton sens de la mode me renverse.

— Je pense l'avoir déjà dit. Je m'en fiche. L'une ou l'autre.

— Celle-là, alors, fit-il en brandissant une paire de souliers de suède noire avec une bride de cheville et des clous dorés le long d'épais talons. À moins que tu préfères ne pas porter de talons.

— Ceux-là sont foutrement hauts.

— Ça dépend à quel point tu bois.

— Quelque chose de moins haut, alors, dit-elle en levant les sourcils.

Il laissa tomber les souliers à bride de chevilles et lui enfila une paire de ballerines scintillantes.

— Celles-là sont moins dangereuses, ajouta-t-il. Si je me souviens bien, tu n'étais pas très stable sur tes talons aiguilles à Amsterdam.

Il se mit sur pied, lui prit les mains et la releva.

Elle le regarda et sourit.

— Peut-être que je ne faisais que te draguer.

— Ma bonne étoile m'accompagnait.

Il sortit de sa poche des boucles d'oreilles — de petits cercles dorés ornés d'une seule larme d'émeraude. Il avait dit à son joaillier de lui proposer quelque chose de simple.

— Je te draguais probablement, concéda-t-elle. Inconsciemment, tout au moins.

— Pendant que j'étais totalement conscient de vouloir te baiser sur place.

Il lui mit une boucle d'oreille parce qu'elle n'avait pas protesté.

— Ça aurait fait lever quelques sourcils, dit-elle.

— J'en doute. Je paie leur salaire.

Il lui mit l'autre boucle.

— Whoa… deux choses : premièrement, ce n'est pas une image que je veux avoir en tête, et deuxièmement, ne joue pas ce petit jeu du maître de l'univers. Ça me met hors de moi.

— Naturellement, je m'excuse.

Elle le regarda en plissant les yeux.

— Comme si.

— Tu n'as pas encore remarqué, chérie ? demanda-t-il en secouant la tête. Mis à part ma récente panique, je fais pratiquement tout ce que tu veux. Tu prends les décisions. Je ne suis ici que pour te servir et t'aider.

Il lui tendit la main.

— Il faut vraiment que nous partions. Je vais te présenter à la partie de ma famille pour qui j'ai de l'affection. Ça va, tes cheveux ? Tu as besoin d'une brosse ?

— D'après toi ?

— Non, ce look RB est sexy.

— RB ?

— Récemment baisée, répondit-il en affichant un sourire.

— Et tu me dis que c'est acceptable en public ?

— En public, nous parlons de boucles ébouriffées ou d'un désordre artistique. Tu es bien. Laisse-moi te passer une veste. Il va peut-être pleuvoir ce soir.

Elle porta la main à sa bouche pour s'obliger à se taire quand il sortit de sa penderie en tenant un court imperméable de soie avec sur fond vert toutes les couleurs de l'arc-en-ciel qui illuminaient le tissu — le genre d'imperméable ostentatoire qu'on ne voyait que sur les podiums parisiens.

— Étends les bras, chérie. Ah… tu es parfaite. Ça te va tout à fait bien, dit-il calmement, comme si aucun des autres vêtements ne lui allait bien. Bon Dieu, as-tu rétréci ?

Il posa une main à plat sur la tête de Kate, puis la ramena à hauteur de sa poitrine.

— Ça doit être les souliers, fit-il en souriant. Reste près de moi. Je vais devoir faire attention qu'on ne te piétine pas ce soir.

Elle n'arrivait pas à se fâcher contre lui. Il était tout simplement trop gentil, sans mentionner sa beauté époustouflante et, bien sûr, ses talents sexuels. Elle se demanda même pourquoi elle se rebellait. Très bientôt, il allait lui manquer.

« Alors, profite du moment pendant que tu le peux », se dit-elle.

— Aimes-tu la veste ?

Il lui souriait.

— C'est parfait. Merci, répondit-elle.

— Melanie va t'adorer, chérie. Viens, dit-il en lui saisissant la main. Je suis impatient de te montrer.

— Je ne suis pas ton tout dernier jouet ! s'exclama-t-elle en levant la main. Tu le sais, n'est-ce pas ?

— Bon Dieu, je ne *veux* pas que tu le sois.

Il baissa la voix avant d'ajouter :

— Je veux seulement que tu sois *mienne*.

Le ton de sa voix à la fin la rendit nerveuse.

— Pas de scènes, OK ?

Il parut légèrement surpris.

— Comme ?

— Comme quand tu t'es énervé à propos des hommes à qui je parlais à Hong Kong.

— Alors, ne parle pas aux autres hommes.

Un ordre sec, sans compromis.

— C'est une blague ? fit Kate en haussant un sourcil.

Voyant les joues de Kate s'empourprer subitement, Dominic rectifia vite son erreur.

— Je n'aurais pas dû dire ça. Désolé, fit-il en poussant un petit soupir. Je suis si foutrement jaloux. J'aimerais ne pas l'être, mais — il sourit faiblement — comme je veux tout régenter, je devrais pouvoir m'imposer à moi-même une certaine maîtrise. Alors, pas de scènes. C'est promis.

Parfois, on pouvait apercevoir brièvement le garçon à l'intérieur de l'homme d'affaires puissant, surdoué, coriace.

— Merci, dit Kate. Je suis heureuse que tu comprennes et je préfère être avec toi qu'avec n'importe qui d'autre. Alors, nous sommes sur la même longueur d'onde.

La chaleur dans son regard lui fit monter les larmes aux yeux.

Il pencha la tête et lui frôla les lèvres.

— Il semble que toutes les planètes soient alignées ce soir, murmura-t-il contre sa bouche. C'est la toute première fois pour moi.

Il releva la tête et sourit.

— C'est fou, non ?

— Tout ce que nous faisons est fou.

Consciente de son changement d'attitude, elle prit soin de garder un ton léger.

— Pourquoi t'arrêter maintenant ? demanda-t-elle.

— Tu as raison. Merde, j'ai besoin d'un verre. Et toi ?

— N'importe quand, mec. Tu as lu ma fiche de page centrale dans Playboy ? Adore les chiens, les promenades sur la plage et la boisson.

— Ça doit être pour ça que nous nous entendons si bien. Nous avons les mêmes fiches, dit-il en éclatant de rire.

— Et le sexe.

— Oh, oui. Je n'oublie jamais ça.

Ils quittèrent la maison de Dominic et se rendirent jusqu'au trottoir où il lui saisit le bras pour l'arrêter.

— Juste un instant, murmura-t-il.

Une seconde plus tard, Leo, Danny et deux autres hommes sortirent de l'obscurité de la cour adjacente, les maisons seulement séparées par leurs allées.

Kate leva les yeux vers Dominic.

— Ils habitent dans la maison voisine ?

— J'attache de l'importance à ma vie privée.

— Est-ce vraiment nécessaire d'avoir des gardes ?

— Ce n'est qu'une précaution.

— Qu'est-ce que ça veut dire ?

— Seulement ce que j'ai dit. Bonsoir, les gars. Comment va tout le monde ?

Après avoir échangé des salutations, Leo et Danny prirent position devant eux pendant que les deux autres hommes se plaçaient derrière. Prenant la main de Kate dans la sienne, Dominic commença à marcher vers l'est.

— Tu dois m'expliquer la présence de ces quatre gars, siffla-t-elle.

— Il n'y a rien à expliquer. En général, je voyage avec des gardes.

— Il n'y avait personne avec nous à Hong Kong ou Singapour.

— Nous ne nous rendons qu'à un pâté de maisons ce soir. C'est un peu difficile pour eux de rester hors de vue.

— C'est tout ?

— Ce n'est que ça. Voilà la maison de Melanie devant, dit-il en voulant mettre fin à cette conversation. Ne te sens pas obligée de retenir le nom de tous les enfants. Ils s'en fichent.

CHAPITRE 16

Quand ils atteignirent la maison de Melanie, Dominic et Kate entrèrent pendant que l'équipe de sécurité vérifiait le périmètre avant d'entrer à son tour.

Dominic mit l'imperméable de Kate dans l'armoire du vestibule, prit un sac à provisions qu'on avait apporté de chez lui et inclina la tête vers la pièce d'où provenaient des voix.

— Nous allons les trouver dans la cuisine. Aux fêtes de famille chez Melanie, on mange de la pizza depuis que les enfants sont assez vieux pour protester. C'est de la bonne pizza, toutefois. Mais garde-toi de l'espace. La partie adulte de la fête comporte un meilleur menu.

Au moment où ils entrèrent dans la vaste cuisine à l'arrière de la maison, des cris de joie se firent entendre et, une seconde plus tard, une vague de jeunes enfants hurlants les assaillit.

— Hé, faites attention, les enfants, avertit Dominic. J'ai une invitée ce soir. Ne la renversez pas.

Tous s'arrêtèrent à temps, sauf la plus jeune des filles. La petite blonde aux cheveux bouclés saisit la jambe de Dominic et essaya de grimper sur lui en criant :

— Onc Nicky, onc Nicky, prends-moi dans tes bras !

Laissant tomber le sac à provisions, il la souleva et embrassa sa joue dodue.

— Hummm… beurre d'arachides.

— Nous avons un chiot ! Nous avons un chiot ! s'écria la petite en lui frappant l'épaule avec son sandwich au beurre d'arachides et à la confiture à demi mangé. Tu veux le voir ?

— Accorde-moi une seconde, ma puce. Mange ton sandwich. Je veux présenter ma petite amie.

Mais cette fois, Melanie et Matt s'étaient approchés, de même qu'une grosse femme plus âgée qui souriait si largement que son maquillage se crevassait au coin de ses yeux. Avec des sandales aux pieds, son pyjama des années 1970 et ses cheveux brillants de henné, elle était l'image parfaite d'un membre de la génération hippie.

— Bonsoir, Mme B, fit Dominic en s'approchant pour lui embrasser la joue pendant qu'il éloignait la petite sur son bras avec son sandwich. Vous vous occupez toujours que tout marche comme sur des roulettes dans la maison ?

— Bien sûr, répondit-elle en plissant les yeux dans sa direction pendant qu'elle reculait d'un pas. Êtes-vous toujours un mauvais garçon ?

— Non. Je me suis trouvé une fille. Elle me garde sur le droit chemin.

Il prit la main de Kate.

— Katherine, je te présente Mme B. Elle est ici depuis… quoi ?

— Dix-sept ans. Enchantée, Mlle Katherine. Vous avez les mains pleines avec lui, je peux vous dire ça.

— J'ai remarqué, dit Kate en jetant un regard espiègle à Dominic. Nous essayons d'améliorer ses manières.

La gouvernante sourit à Dominic d'un air approbateur.

— Elle n'a pas peur de vous, Nicky. C'est bien.

Dominic pencha la tête et lui adressa un rapide sourire.

— C'est moi qui ai peur d'*elle*, Mme B. Katherine est une dure à cuire.

— Il est à peu près temps que vous ayez peur de quelqu'un.

Elle le parcourut des yeux avec un regard aussi scrutateur que n'importe quel psy, puis ajouta :

— Je ne veux pas que vous pensiez que vous possédez réellement le monde entier.

— Aussi longtemps que vous serez là pour me remettre les idées en place, ça n'arrivera pas.

— Bonne chose que je sois ici, alors.

Son ton était brusque, mais elle le regardait avec tendresse.

— Toujours en mission pour Dieu ? répondit-il avec un demi-sourire et un haussement de sourcils. Qui l'emporte, Mme B ?

— M'avez-vous déjà vu perdre ? demanda-t-elle en reniflant. Autre chose, ajouta-t-elle rapidement, dites à vos hommes de laisser ma cuisine immaculée quand ils partiront. La dernière fois, j'ai dû nettoyer derrière eux.

— Vous ne saurez même pas qu'ils ont été ici, Mme B, dit Dominic en inclinant respectueusement la tête. Ils ont eu le message.

— Alors, amusez-vous bien, les enfants, fit-elle en dénouant son tablier. Heureuse de vous avoir connue, Mlle Kate. Je vous reverrai tous au matin.

Enlevant brusquement son tablier, elle lissa son t-shirt des Grateful Dead sur sa généreuse poitrine, tendit le tablier à Melanie, puis s'éloigna comme si elle faisait partie de l'équipe olympique de marche sportive.

Kate trouva fascinant que tout le monde, y compris Dominic, fasse preuve de déférence à son égard. Même la petite fille avait observé la conversation en silence.

— Maintenant que la matrone est partie, souffla Dominic avec un sourire dans la voix en se tournant vers Kate, laisse-moi te présenter tout le monde.

Tout en lui tenant la main, il lui déclina tous les noms : Melanie, Matt, Nicole, Isabelle, Keir, Dante, Rafe et Ellie, qui agita le reste de son sandwich quand elle entendit son nom. Melanie serra Kate contre elle, Matt en fit autant, et tous les enfants sourirent chaleureusement.

— J'ai dit à Katherine qu'elle n'avait pas à se souvenir tout de suite de tous les noms, ajouta Dominic en inclinant la tête vers les enfants. Alors, soyez polis, OK ?

— Pouvons-nous voir nos cadeaux maintenant ?

C'était la jeune fille que Kate avait vue au bureau de Dominic à Palo Alto. Nicole avait les cheveux noirs comme Dominic et elle était très jolie. Blonde, délicate, chaleureuse et accueillante, la sœur de Dominic était une version plus jeune et plus amicale de leur mère Letitia.

Dominic jeta un regard oblique en direction de Melanie et Matt.

— C'est à vos parents de décider.

Melanie regarda brièvement sa jeune marmaille.

— Tant que vous n'oubliez pas vos manières.

— Il est trop tard de quelques années pour ça, dit Dominic en affichant un large sourire.

— Au moins, ils ont *certaines* manières, contrairement à toi.

— Tu m'as eu, sœurette, fit remarquer Dominic d'un ton neutre. Bien que Katherine essaie de me discipliner, n'est-ce pas, chérie ?

Les joues de Kate s'empourprèrent.

— Elle rougit, dit Dominic avec son meilleur sourire de mauvais garçon. N'est-ce pas mignon ? ajouta-t-il, comme le ferait un botaniste en montrant une toute nouvelle orchidée découverte dans les profondeurs de la jungle indonésienne.

Il se pencha et l'attira contre lui, même si Kate lui jetait des regards d'avertissement.

— Et pendant que Katherine essaie de m'enseigner des manières, j'essaie de lui montrer à se foutre de ce que les gens pensent. Nous avons un bon bout de chemin à faire pour y arriver, toutefois — un autre coup d'œil espiègle —, n'est-ce pas, chérie ?

— Bon Dieu, arrête, Nicky, lui ordonna Melanie. Elle ne voudra pas rester. Ignore-le, Katherine. Il peut se montrer terriblement effronté. Viens, ajouta-t-elle en indiquant le salon. Sors d'ici, Nick. Katherine reste avec moi.

Dominic déposa un rapide baiser sur la joue de Kate, puis se tourna vers la mer de jeunes visages impatients.

— Venez, les enfants, je vais vous montrer ce que j'ai trouvé à Singapour.

Se penchant pour prendre le sac à provisions, il jeta un coup d'œil à Kate.

— Ça te va si je pars ?

— Bien sûr que si, répondit Melanie en prenant la main de Kate et en regardant son frère d'un air moqueur. Je vais la divertir en lui racontant tous tes secrets les plus sombres.

Pendant qu'il se relevait, une lueur d'inquiétude rapidement réprimée apparut dans les yeux de Dominic.

— Ne crois rien de ce qu'elle te dira, chérie. Et si tu lui fais peur — Dominic adressa à sa sœur un regard légèrement menaçant —, tu ferais mieux de t'enfuir à toutes jambes et de ne pas t'arrêter.

Melanie tapota le bras de Dominic.

— Pourquoi je voudrais une pareille chose alors que tu as trouvé quelqu'un d'aussi sympathique ?

La réponse conciliante de sa sœur et sa main gentiment posée sur son bras adoucirent la tension dans la bouche de Dominic, et Kate comprit quelle influence modératrice elle constituait dans sa vie. Kate se trouva reconnaissante qu'il l'ait. Sous de si nombreux aspects, c'était un homme seul. Solitaire, renfermé, vivant une vie isolée dans les limites étroites de son univers privilégié.

— La pizza sera prête dans 15 minutes, dit Melanie en jetant à son mari un regard d'avertissement. Tu montreras plus tard à Nick tes photos de bateaux. Mme B ne nous le pardonnera pas si nous laissons brûler ses pizzas.

— Ne t'en fais pas, sœurette, tes enfants peuvent ouvrir les cadeaux en un rien de temps. Nous aurons fini bien à temps pour la pizza.

Dominic regarda ses neveux et nièces qui essayaient de réprimer leur impatience.

— Prêts, les enfants ? dit-il en hochant la tête vers le salon. Allez, Matt, tu peux m'aider à préparer certains de ces trucs, fit-il en adressant un sourire aux enfants. Le premier assis aura une chance de me battre aux échecs plus tard ce soir.

Pendant que la horde bruyante s'élançait vers le salon, Melanie fit signe à Kate de l'accompagner dans la cuisine.

— Prendrais-tu un verre ?

— Oui, mais je peux le préparer.

Kate venait d'apercevoir un petit bar sur le mur du fond.

— S'il te plaît, assieds-toi. Je vais le faire. Qu'aimerais-tu ?

— J'aimerais un Rhum & Coke, et de la lime si tu en as.

— Ça semble bien. Je vais en préparer deux.

Quelques minutes plus tard, Melanie apportait deux verres remplis de glace, en tendit un à Kate et se laissa tomber sur le canapé avec elle.

— Joli point de vue, dit Kate en indiquant à travers l'immense fenêtre les lumières scintillant de l'autre côté de la baie.

— C'est magnifique, n'est-ce pas ?

Vêtue de manière décontractée d'un chandail bleu pastel et d'un jeans, Melanie se débarrassa de ses souliers, mit ses jambes sous elle et s'adossa à l'accoudoir.

— Matt a trouvé la maison pour nous avant la naissance de Nicole.

— Vous avez une merveilleuse famille. Dominic est chanceux de vivre tout près. Il m'a dit qu'il avait gardé Nicole et Isabelle quand elles étaient jeunes.

— Oui. Il est super avec les jeunes. Ils l'adorent tous. Il les gâte, évidemment, mais ça ne me dérange pas. Il a besoin d'une famille dans sa vie, dit-elle en souriant, pour lui rappeler qu'il existe un autre monde au-delà des affaires. Bien qu'il semble que tu aies réussi à l'en éloigner pendant au moins quelques jours. Roscoe m'a dit que Dominic était en vacances. Je suis ravie que tu aies réussi à faire ça. Il ne lui était jamais arrivé de prendre des vacances. Tu vas me donner ton secret.

— J'ai bien peur de n'avoir rien eu à voir dans sa décision. Dominic ne demande pas conseil — en tout cas, pas à moi. Je suis tombée sur lui par hasard à Singapour et la première chose que j'ai constatée, c'est que nous étions sur un avion en route pour venir ici.

— Tu peux dire ce que tu veux, répondit Melanie sur un ton joyeux, mais si ce n'avait pas été de toi, je doute beaucoup que Dominic ait modifié son horaire. Tu ne savais pas ça ? Roscoe m'a appelée pour me demander si je pourrais raisonner Nick. Je lui ai répondu « Jamais de la vie ». En tout cas, je suis heureuse que Nick soit en vacances pour quelque raison que ce soit. Je constate qu'il t'aime bien.

— Il est très sympathique aussi, dit Kate en rougissant, puis elle changea rapidement de sujet.

Elle n'allait certainement pas dire que Dominic représentait la chose la plus merveilleuse qui lui soit jamais arrivée.

— J'espère que je ne m'impose pas ce soir. Dominic dit que non, mais il a tendance à ne pas se soucier de l'opinion des autres.

— Tu as remarqué, fit Melanie en riant. Je pourrais prétendre que la présomption de Nick découle de sa réussite en affaires, mais — sa bouche se tordit en un sourire de travers — pendant la majeure partie de sa vie, Nick a dit aux gens quoi faire. Je me contente de l'ignorer et je te suggère de faire de même. Et tu ne t'imposes pas du tout. C'est un plaisir que tu te joignes à nous. Nick n'a jamais emmené personne pour une fête de famille.

Son sourire disparut et, baissant les yeux, elle fit courir un doigt sur le bord de son verre. Un bref silence s'installa avant qu'elle ne lève les yeux.

— Tu permets que je te demande ce que tu ressens pour Nick ? Pardonne-moi, ajouta-t-elle doucement en voyant le soudain malaise de Kate. Je sais que je suis surprotectrice, mais je m'inquiète pour Nick. Il a beaucoup souffert.

Kate hésita un moment, puis dit :

— Tu parles de la mort de sa femme ?

— Oui, ça aussi.

Le cœur de Kate s'accéléra de joie alors qu'il ne l'aurait pas dû en entendant la réponse neutre de Melanie. Alors qu'elle aurait dû considérer la mort de sa femme avec le respect qu'elle méritait.

Melanie détourna les yeux, perdue pendant un moment dans les malheurs obscurs de la jeunesse de Dominic. Puis, elle cligna des yeux et revint au moment présent.

— Je ne peux m'empêcher de remarquer, dit-elle, eh bien… à quel point Nick est enjoué avec toi, vivant, et même épanoui. Je suis tellement heureuse de le voir comme ça, souriant, heureux. Tu comprends, normalement, Nick ne se lie pas facilement aux gens… de manière intime, je veux dire. Bien que, ajouta-t-elle avec un petit sourire, il peut être tout à fait charmant s'il le veut.

— Je sais, dit Kate, absolument consciente des nombreuses vertus de Dominic. J'ai vu le charme de Dominic à l'œuvre… à Amsterdam et aussi à un événement caritatif à Hong Kong. Il est terriblement charismatique. Toutes les femmes étaient captivées et les hommes l'aimaient bien aussi. Il a recueilli beaucoup d'argent pour la femme de Max ce soir-là.

— C'est bien pour Liv. Je ne l'ai pas vue depuis la naissance de Conall.

Melanie marqua une pause comme si elle s'interrogeait sur sa remarque suivante, avant de dire :

— Je crois comprendre que tu as rencontré ma mère quand vous étiez à Hong Kong. Tu as peut-être remarqué qu'elle et Dominic n'avaient pas… euh… une bonne relation.

C'était une jolie manière de décrire la chose plutôt que de dire qu'il aurait voulu l'assassiner. Puisque Melanie avait soulevé la question de leur mère, Kate donna libre cours à sa curiosité morbide à propos de la vie de Dominic Knight.

— Dominic m'a un peu parlé de son enfance, fit-elle en surveillant le visage de Melanie au cas où ce serait un sujet tabou. Il a parlé des thérapeutes.

— Il a fait ça ? demanda Melanie en relevant brusquement la tête.

— Excuse-moi, dit rapidement Kate. Je n'aurais pas dû aborder ça. Vraiment, ça ne me regarde pas.

— Non, s'il te plaît, ce n'est pas ça. Je suis seulement étonnée.

Melanie respirait à peine, son visage devenu pâle.

— Nick ne parle jamais de cette époque, ajouta-t-elle.

— J'ai peut-être insisté… un peu, répliqua Kate sur un ton légèrement contrit. Toutefois, ça n'a pas semblé le déranger.

— De toute évidence, s'il t'a raconté ça.

Melanie secoua doucement la tête comme si elle secouait la poussière de ces années indéchiffrables.

— Ça a semblé durer une éternité à cette époque, dit-elle d'une voix à peine audible. Comme si le cauchemar n'allait jamais prendre fin. Mais c'était tellement pire pour Nick.

Elle prit une inspiration.

— C'était réellement détestable.

— Je peux l'imaginer… en fait, je ne le peux pas, fit brusquement Kate. Il était si jeune. Je ne peux pas comprendre… toutes ces années de…

Elle ne savait pas où regarder alors qu'elle aurait voulu dire « Toutes ces années de torture ».

Melanie soupira, déposa son verre, joignit les mains et garda les yeux sur ses doigts fermement serrés.

— J'étais trop jeune pour faire davantage que lui offrir du réconfort. J'aurais voulu faire plus. Le sentiment d'impuissance était accablant.

Elle leva les yeux, desserra ses doigts, eut un petit sourire désolé.

— Mais Nick n'était pas complètement sans défense même à cette époque. Il a toujours été très fort. Très volontaire. Déterminé.

— J'ignore à quel point on peut être fort à six ans. Je veux dire… six ans, bon Dieu — oh, merde, désolée. Ce n'est pas ta faute.

— Tu as raison d'être consternée, dit Melanie d'une toute petite voix, les sourcils froncés comme si elle se rappelait toute l'anxiété. J'ai toujours eu le sentiment que Nick aurait dû naître dans une famille différente où... eh bien... seulement une famille différente. Une qui se réjouit de l'indépendance des enfants.

Son sourire soudain était fragile, étrangement teinté d'humour.

— Toutefois, dès le départ, Nicky était remarquablement... actif; en fait, c'était une sorte d'activiste, comme un enfant unique qui se rebelle. Il était incroyablement exigeant. Il ne roucoulait ou ne gazouillait jamais; il a hurlé pendant tout le temps où il a été gardé par quatre nounous et deux bonnes. Il n'y a que moi qui pouvais le retenir, le faire sourire, arrêter ses cris. Je m'assoyais près de lui et lui faisais la lecture pendant que les nounous le nourrissaient, sinon il refusait de manger. Alors, on m'a retirée de l'école et j'ai reçu une éducation à la maison jusqu'à ce que Nick entre au jardin d'enfants à trois ans.

— Mon Dieu.

— Tu vois dans quoi tu t'es embarquée? déclara-t-elle en souriant doucement. Nick a toujours été très obstiné. C'est comme ça qu'il a survécu. Et comme il a eu si peu de pouvoir sur sa vie pendant son enfance, son besoin de gérer maintenant est immense. Il traite ma famille comme un cas particulier, comme sa dérogation particulière. Mais de façon générale — elle leva les yeux au ciel —, méfie-toi.

Un bref sourire se dessina sur ses lèvres.

— Maintenant, j'espère que je ne t'ai pas trop effrayée. Vraiment, Nicky a de très belles manières.

— J'ai remarqué. Et ne t'inquiète pas, il ne me fait pas peur. Mais je n'ai aucune attente, dit Kate. Je me contente d'apprécier sa compagnie.

Melanie reprit son verre, en but une gorgée comme si elle se donnait le temps de trouver les bons mots.

— Tu sais ou ne sais peut-être pas ça, dit-elle finalement, mais tu es la seule femme qui semble l'avoir atteint. Le seul fait que tu demeures chez Nick — dans *cette* maison — et qu'il t'ait emmenée ce soir pour mon anniversaire, c'est vraiment… sans précédent. Alors, je m'inquiète que tu puisses être en mesure de le blesser, dit-elle, son regard du même bleu clair que les yeux de Dominic. Il est vulnérable sur certains points.

— Je doute de pouvoir blesser Dominic. Si quelqu'un risque de l'être, c'est plutôt moi. Ses antécédents avec les femmes — Kate haussa les épaules — ne sont pas rassurants. Mais franchement, je ne sais pas ce qu'il veut. Nous nous connaissons depuis si peu de temps.

C'était plus facile de faire preuve d'esprit pratique en public lorsque Dominic était hors de vue ; elle pouvait plus facilement mettre de côté ses sentiments et en offrir plutôt une version édulcorée du genre communiqué de presse.

— Mais tu l'aimes bien.

— Qui ne l'aimerait pas ? C'est un homme extraordinaire.

— Je le crois aussi, dit Melanie en souriant.

Puis, la curiosité prit le pas sur l'esprit pratique, peut-être même sur la politesse.

— J'aimerais *te* poser une question et, si tu penses que je vais trop loin, dis-le-moi, fit Kate en glissant son doigt le long de la condensation sur son verre. La maison de Dominic… je veux dire, dans sa maison… il n'y a rien qui rappelle sa femme.

— C'est parce que Julia préférait leur appartement sur Russian Hill. Elle appelait cette maison le musée de surf de Dominic. Pratiquement rien n'a changé depuis qu'il l'a achetée. Il aime que ce soit comme ça. Ne te méprends pas sur mes paroles,

Julia était très bonne pour lui. La meilleure amie qu'il ait jamais eue. Peut-être la seule véritable amie qu'il ait jamais eue. Ils allaient partout ensemble, dans les endroits les plus dangereux et les plus surprenants. Je pense qu'elle le distrayait constamment des manigances du monde des affaires. Nick n'est pas bon tout seul. Il s'entoure de gens et d'activités constantes. Il l'a toujours fait. Sauf en ce qui concerne ses lectures. Tu as probablement vu ses livres. Il t'a montré la pièce qu'il appelle sa bibliothèque au-dessus du garage ?

— Non. J'aimerais bien la voir. J'ai vu les livres dans sa chambre.

— Je ne crois pas que Julia partageait son intérêt pour les livres. Elle était tout à fait extravertie ; elle faisait partie de nombreuses organisations caritatives et siégeait à plusieurs conseils d'administration. Mais, surtout, elle était d'une loyauté à toute épreuve et, dans le monde cruel de Dominic, ce genre de loyauté est rare.

Melanie se tut pendant un moment, puis poursuivit :

— La mort de Julia a laissé un vide immense dans sa vie. C'était un accident de la circulation tellement stupide. Dominic était hanté par le sentiment que, s'il avait été là, elle serait encore en vie.

— C'est ce que j'ai compris.

Et maintenant, elle savait pourquoi. Julia était une femme idéale.

— Toutefois, tu sembles avoir changé le cours récent de son existence, dit Melanie avec un sourire. Je ne veux pas t'offenser, alors j'essaie de contourner délicatement le sujet de ta relation avec Dominic…

— Je ne suis pas certaine que nous ayons une relation, rétorqua Kate en haussant légèrement les sourcils.

— Permets-moi d'être en désaccord, répliqua doucement Melanie. Et c'est pourquoi j'insiste même si nous nous connaissons à peine. Mais vois-tu, Nicky n'a jamais emmené personne d'autre chez nous que Julia. Une femme, je veux dire. Et nous avons tous reçu l'ordre d'être particulièrement gentils avec toi.

Melanie sourit.

— Il ne fait tout simplement pas les choses comme ça, ajouta-t-elle en riant. Alors, je me demande vraiment si tu ne l'as pas ensorcelé.

— Si l'un a ensorcelé l'autre, ce serait plutôt lui. J'essaie de garder les pieds sur terre dans un monde qui m'est inconnu. La richesse de Dominic est renversante. Il compose avec d'une manière désinvolte, me dit de faire de même, mais je ne le peux pas. C'est intimidant ; il est intimidant parfois. Il n'accepte aucun refus.

Elle haussa de nouveau les épaules, puis ajouta :

— Mais apparemment, je suis malheureuse sans lui. Il me dit qu'il éprouve le même sentiment bien que, franchement, je n'arrive pas à imaginer quelqu'un comme Dominic poursuivre une — entre guillemets — relation pendant longtemps.

Kate fit un grand geste de sa main libre.

— Voilà. J'ai mis cartes sur table.

— J'aime ta franchise, dit Melanie en se penchant et en tapotant le genou de Kate. Et je suis soulagée. La plupart des femmes sont attirées par la richesse de Dominic.

— Il en est conscient et, en fait, il est cynique à ce propos. Je ne suis pas sûre qu'il comprenne que, riche ou non, il aurait plein de femmes à ses pieds.

— Apparemment, son cynisme prend le pas sur sa logique.

Bien au fait de l'histoire de son frère avec les femmes, Melanie changea délibérément de sujet.

— Vas-tu voyager avec Dominic? demanda-t-elle. Il ne reste jamais nulle part pendant longtemps.

— Non. Je suis en vacances avec lui, ensuite je dois retourner travailler.

— Il a dit que tu ne voulais pas travailler pour lui.

Kate prit une petite inspiration, se demanda à quel point elle pouvait dire les choses, choisit la discrétion.

— Je serais mal à l'aise de travailler pour lui.

— Parce que?

« Je suis jalouse de chaque femme à laquelle il parle — ce qui gâcherait vraiment les choses en milieu de travail », pensa-t-elle.

— Ce n'est qu'une préférence personnelle, répondit-elle.

— Je suis désolée, fit rapidement Melanie en remarquant les joues de Kate qui s'étaient empourprées. Je ne me suis vraiment pas mêlée de mes affaires, n'est-ce pas? Mais c'est mon petit frère.

— Pas de souci. Je comprends.

— Eh bien, je suis ravie que tu l'aimes bien, dit Melanie. Et je suis heureuse qu'il t'ait emmenée et je vais me croiser les doigts pour que vous obteniez tous deux ce que vous souhaitez.

— Puis-je te poser une autre question? Dominic a dit que votre mère serait ici ce soir.

— Tu peux demander n'importe quoi. Quant à mère — elle s'arrêta un moment —, j'essaie de l'inviter aux fêtes de famille par politesse.

— Quand j'ai rencontré votre mère à Hong Kong, je n'étais pas au courant des thérapeutes… euh… des rancœurs. Maintenant que je sais en partie ce qui s'est passé, je m'étonne que Dominic ait été si…

— Tolérant à son égard? la coupa Melanie. Peu importe ce que ma mère peut dire ou faire, ça ne l'affecte pas, jamais. Je ne suis pas certaine que ce soit déjà arrivé. Ce n'était toujours qu'un combat pour la suprématie, et Nick a remporté cette guerre.

Melanie fit une légère grimace.

— Toutefois, un peu pour m'excuser à l'avance, s'il te plaît, ne prends rien à cœur dans ce que ma mère dira ce soir.

— D'accord, fit Kate en souriant.

— Et si mère te blesse, je suis sûre que Dominic interviendra.

— Oh, mon Dieu.

— Non, non, tu n'as aucun reproche à te faire. C'est seulement que mère prend plaisir à énerver Nick. Il n'a aucun problème pour se défendre. Il est vraiment sûr de lui, après toutes ces années.

— Il semblait vraiment indifférent à ses remarques, ce jour-là, à Hong Kong.

— Il s'est enfui de la maison à 13 ans et est venu vivre avec nous. Depuis ce temps, il a toujours été irrémédiablement indépendant. Mère n'est rien de plus qu'un petit agacement dans sa vie.

— Treize ans ? Wow. Il ne m'avait pas dit ça. Il m'a seulement dit qu'il avait acheté la maison en bas de la rue quand il avait 16 ans et que tu avais signé pour lui.

— Il a pu acheter la maison parce que notre oncle lui a laissé son entreprise dans une fiducie dont il pouvait se prévaloir en atteignant 16 ans. Jordan a toujours eu de l'affection pour Nick, le faisait souvent venir à Los Angeles en visite, l'emmenait faire de la voile. Oncle Jordan construisait des yachts de course.

— C'est donc là que Dominic a appris à aimer naviguer à la voile.

Melanie acquiesça.

— Jordan est mort à 30 ans en passant par-dessus bord dans une tempête en mer. Nick avait 13 ans. Ça a été effroyable pour lui. Mais grâce à Jordan, Nick a pu obtenir très jeune son indépendance. Rappelle-moi de te montrer une photo de notre oncle. Lui et Nick auraient pu être jumeaux. C'était le frère de mon père, ajouta-t-elle en guise d'explication. Mais Jordan ne s'entendait pas mieux que Nick avec mon père. C'était peut-être en partie pourquoi ils s'entendaient si bien même s'ils avaient davantage en commun : le surf, la voile, leurs guitares, un esprit non conformiste.

Elle ne mentionna pas les femmes comme distraction, un autre trait de caractère de Jordan que Nick reproduisait.

— Je pense que j'ai vu une photo de lui dans la chambre de Dominic, dit Kate. J'ai cru que c'était Dominic en costume de mascarade : les cheveux peignés vers l'arrière, un smoking blanc, une cigarette d'une main, un verre de martini dans l'autre, les palmiers en arrière-plan. L'image d'un vrai don Juan.

— Non, c'est Jordan. C'était *vraiment* un don Juan, fit Melanie en souriant. Et, apparemment, l'empreinte génétique a joué son rôle dans le cas de Nick. Même si nous voyons un côté différent de lui ce soir avec toi, ajouta-t-elle rapidement.

— Merci, dit Kate en rougissant, mais je demeure pragmatique à propos de notre… euh… amitié. Quand je faisais mes recherches sur les Entreprises Knight avant mon entrevue, j'ai lu à propos de toutes les femmes qui sont passées dans sa vie. À ce moment, je me suis demandé s'il lui arrivait de dormir.

Ce fut au tour de Melanie de rougir.

— Pas autant qu'il l'aurait dû. Je n'allais pas mentionner ça, mais puisque tu l'as fait… il y a *toujours* eu des femmes, dit-elle doucement. Je ne suis pas sûre qu'il lui soit arrivé de dire non.

Sauf pendant son mariage, alors qu'il était tout à fait fidèle à Julia. Et il semble très différent avec toi. Je suis sincère : il est réellement différent. Attentionné, affectueux, heureux.

Elle eut un large sourire.

— Roscoe a peur que Nick soit malade parce qu'il ne se concentre plus sur les affaires. As-tu rencontré Roscoe ?

Kate secoua la tête.

— Je sais seulement qui c'est.

— Je lui ai assuré que Nick allait bien. Que c'était peut-être toi la maladie, comme dans maladie d'amour, fit Melanie avec un petit sourire.

« Ce serait le paradis… », songea Kate.

— J'en doute, rétorqua-t-elle en faisant de la tête un signe de dénégation. En fait, je suis résolue à garder fermement les pieds sur terre quand il s'agit de quoi que ce soit qui ressemble à du romantisme avec Dominic. Ses rapports avec les femmes sont désinvoltes et superficiels.

Elle leva son verre.

— Alors, buvons à la raison.

Portant son verre à sa bouche, elle le vida.

Melanie soupira.

— Je suppose que c'est ce qu'il y a de mieux à faire, mais — elle sourit — j'ai toujours été romantique. Alors, je me croise les doigts. Ah, j'entends la sonnerie des fours. Tu voudrais bien appeler tout le monde pour le dîner ?

Elle se leva, puis se tourna vers Kate et ajouta :

— Et s'il y a quoi que ce soit que je puisse faire pour aider… si tu as n'importe quelle question à propos de Dominic, tu n'as qu'à m'en glisser un mot. Je pense que tu lui fais du bien. Tu n'es pas comme tant de femmes avec qui il choisit de… passer du temps, termina-t-elle poliment. Tu sembles très normale. Et je considère ça comme un compliment. Crois-moi sur parole, Nick a certainement besoin d'un peu d'ancrage.

Le dîner fut à la fois bruyant et festif. Les enfants avaient tous fabriqué de simples cadeaux d'anniversaire pour leur mère.

— Tu peux ouvrir le mien plus tard, dit Dominic. C'est pour ta collection.

Un membre du personnel de Dominic avait apporté plus tôt les deux œuvres de jade et Matt avait donné son cadeau à sa femme avant la fête. Melanie souffla les 38 chandelles sur son gâteau avec l'aide de ses plus jeunes enfants, et la pizza de Mme B était succulente. Dominic taquina tous les enfants et fit des blagues avec eux ; de toute évidence, ils l'adoraient. Tous portaient fièrement des montres à l'effigie d'un dinosaure que Dominic leur avait apportées, de même que des jeux électroniques, et un cadeau particulier pour Nicole : des boucles d'oreilles et un collier de perles.

Assis à côté de Kate, un bras sur le dossier de sa chaise, Dominic l'embrassait de temps en temps comme si huit paires d'yeux ne les regardaient pas, comme si elle ne rougissait pas chaque fois, comme s'il avait tout à fait le droit de l'embrasser chaque fois qu'il le souhaitait. Melanie donnait alors de petits coups de coude à Matt et lui jetait des regards entendus ; les enfants les pointaient du doigt et rigolaient ou, dans le cas des jeunes garçons, les yeux écarquillés d'horreur, ils grognaient « Ouach ».

Ce à quoi Dominic répliquait nonchalamment avec diverses variations sur le même thème :

— Attendez. Un jour, vous trouverez une fille que vous voudrez embrasser. Et Katherine goûte la pizza. Une bonne pizza. Alors, ça vaut la peine de l'embrasser.

Pendant le repas, Dominic insista également auprès de Kate pour qu'elle raconte quelques-unes de ces histoires à propos du magasin d'équipement de canots de son grand-père. Il savait que Matt et les garçons seraient intéressés. En fait, Matt écrivit le numéro de Hart Canoe Outfitters et promit aux garçons une excursion à Boundary Waters[6] l'été suivant.

— Tu devrais venir aussi, Nick, dit-il.

— Peut-être. Je n'y suis jamais allé.

Kate lui jeta un regard.

Dominic sourit.

— Tu pourrais me servir de guide. Tu dois connaître la région.

— Je pourrais la parcourir avec un bandeau sur les yeux.

Il se pencha pour lui murmurer à l'oreille :

— Parlant de bandeau sur les yeux.

Elle rougit encore davantage.

— J'ai demandé à Kate de s'assurer que nous puissions goûter à la vodka de sa grand-mère, dit-il. Il paraît qu'elle est bonne, n'est-ce pas ?

Kate acquiesça, son cœur battant à tout rompre.

Melanie regarda Dominic d'un air de reproche.

— Ça suffit, Nick. Arrête de taquiner cette pauvre fille. Elle va se lever de table dans une minute et te quitter.

— Ça ne doit pas arriver, dit-il en levant les mains. Je vais être gentil.

— Tu as ma permission de le frapper, Kate.

— Maman ! s'exclama Rafe du haut de ses six ans. Tu as dit « pas de coups ».

— Ta mère blague, Rafe. Donner des coups, c'est *mal*, dit Dominic en souriant à sa sœur.

---

6. N.d.T.: Région sauvage du Minnesota populaire auprès des amateurs de canotage et de pêche.

— De même que taquiner, dit-elle d'un ton sec. Maintenant, qui veut du gâteau ?

Après qu'ils aient dévoré le gâteau, les enfants allèrent dans leurs chambres et les adultes eurent le temps de prendre un verre avant que les invités à la fête arrivent.

Dominic s'assit sur un des fauteuils près des fenêtres, attira Kate sur ses genoux, la pressa contre sa poitrine et l'enlaça. Matt et Melanie étaient assis côte à côte sur le canapé, Melanie lovée contre Matt qui avait passé un bras autour de ses épaules.

Une certaine quiétude s'était installée dans la foulée du tohubohu du dîner, et seul le son des vagues s'abattant sur la rive était présent en bruit de fond.

— Vraiment une belle fête, sœurette, déclara Dominic en souriant. Dommage que tous les autres doivent arriver. Nous pourrions éteindre les lumières.

— Tu aimes bien certains des invités, Nick.

— J'ignore ce que veut dire « aimes bien ».

— Fanatique inhospitalier, le taquina-t-elle.

— Hé, tout ce que je fais, c'est composer avec des gens jour et nuit, sept jours sur sept. C'est bien de prendre une pause. Nous pourrions ne pas rester longtemps.

Il pencha la tête vers Kate.

— À moins que tu en aies envie, chérie.

— C'est toi qui décides.

Kate s'était montrée polie. Son plus grand plaisir, c'était d'avoir Dominic pour elle seule.

— Tu auras compris, sœurette, si tu constates que nous avons disparu. Soit dit en passant, le personnel de chez Lucia s'assurera que la cuisine soit propre comme une salle d'opération avant qu'ils partent puisque Mme B leur est tombée dessus la dernière fois.

Il jeta un coup d'œil à sa montre.

— Ils devraient être ici bientôt. Mon équipe de sécurité va passer dans la maison quand tout le monde sera arrivé.

Il évita de mentionner l'équipe supplémentaire qui était arrivée après eux pour patrouiller dans les environs.

— Désolée, mais Leo est un fanatique.

— Ça ne fait rien, répliqua Matt.

Dominic lui avait expliqué la situation après que les enfants aient déballé leurs cadeaux. Aucun des deux hommes ne voulait que les femmes connaissent l'ampleur de la menace.

— Les gars qui possèdent des empires mondiaux ont besoin de gardes, ajouta Matt avec un petit sourire. Contrairement aux petits entrepreneurs.

— Parlant de petits entrepreneurs, intervint Dominic en pointant un doigt vers l'ouest, Leo a aperçu des agents de sécurité à une des maisons qu'ils rénovaient un peu plus haut. Ils vérifiaient les cartes d'identité des travailleurs avant de les laisser entrer dans la cour. Avons-nous un oligarque russe dans le voisinage ?

— Un animateur de radio très connu, répondit Melanie en haussant les sourcils.

— Avec des ennemis ?

— Ou avec une paranoïa, rétorqua Matt en souriant.

— Un différent type d'ennemi, souffla Dominic. J'entends les camions arriver.

Il murmura dans l'oreille de Kate, la souleva de ses genoux, la fit glisser de côté et se leva du fauteuil.

— Je vais répondre à la porte. Je n'ai pas vu Rudy ou Slim depuis un moment.

Kate avait appris que Dominic possédait le Lucia, un des restaurants les plus en vogue de San Francisco qui préparait chaque année la nourriture pour l'anniversaire de Melanie. Bientôt, la cuisine grouilla d'activités avec les chefs et les serveurs, et les délicieux arômes commençaient à se répandre à travers la maison. Dominic revint en portant un plateau de martinis.

Il offrit d'abord des verres à Melanie et à Matt, puis déposa le plateau sur la table près du fauteuil de Kate. La soulevant de nouveau, il la rassit sur ses genoux, lui tendit un verre, prit le sien et le leva pour trinquer.

— C'est un verre que Katherine et moi avons pris lors de notre première soirée à Hong Kong, gracieuseté de Po, au Ritz Carlton. À de bons souvenirs !

Après qu'ils eurent trinqué, Dominic se tourna vers Kate, lui embrassa la joue et murmura :

— Les meilleurs souvenirs que j'ai, chérie. Es-tu ma bien-aimée ?

Elle hocha la tête, trop étonnée pour parler.

— Il vaut mieux que tu le sois. Tu es vraiment belle ce soir, ajouta-t-il doucement. J'ai toujours la plus belle fille à la fête.

Puis, il posa sa bouche contre l'oreille de Kate.

— Comment est le soutien-gorge ?

— Inconfortable.

— Je vais l'enlever plus tard et embrasser mes nichons pour les remercier d'avoir souffert pour moi.

Il baissa encore la voix.

— Je suppose qu'ils sont tout serrés sous cette dentelle verte, tes mamelons écrasés. Ils vont avoir besoin d'être consolés. Je vais les sucer jusqu'à ce qu'ils soient de nouveau heureux. Et ensuite, quand ils seront tout raides et palpitants et se demanderont si tout est déjà fini, je vais leur donner autre chose à quoi penser. Je vais t'écarter grand les jambes et enfoncer ma queue rigide en toi si lentement que tu vas me supplier de plonger dans ta chatte. Mais je ne le ferai pas ; je vais te faire attendre jusqu'à ce que je te donne la permission de jouir. Et si tu es très…

— Bon Dieu, Dominic, arrête… s'il te plaît ; ta sœur.

Elle prit une inspiration tremblante tandis que son corps se liquéfiait, fondait, se mettant immédiatement en mode baise-moi.

— Sœurette ne peut pas entendre. Tu veux ma queue bandée au plus profond de toi ? Tu n'as qu'à hocher la tête, la taquina-t-il doucement.

— Dieu du ciel, arrête, siffla-t-elle, le désir effréné croissant entre ses jambes. Je suis sérieuse, Dominic ! Nous ne sommes pas seuls !

— Je peux arranger ça, chérie.

— Non ! Bon Dieu, non ! murmura-t-elle d'une voix rauque, le désir brut se répandant en spirale jusqu'au plus profond d'elle-même.

— Peux-tu me sentir ? Ma queue est vraiment dure.

Sa respiration était chaude contre son oreille, son érection croissante tendue contre ses fesses.

— Tu aimerais me sentir en toi, n'est-ce pas ? Allez, chérie, dis oui. Nous avons tout notre temps.

— Absolument pas !

Il sourit.

— *Ça*, ils l'ont entendu. Dieu que j'aime quand tu rougis. Fais-le pour moi encore. Ils nous regardent. Dis-moi combien de fois tu aimerais jouir. Deux, trois ? Nous aurions peut-être même assez de temps pour quatre.

Les joues de Kate étaient en feu, son visage d'un rouge vif, son excitation amplement visible. Dieu du ciel. Elle essaya désespérément de calmer sa respiration, jeta un coup d'œil furieux à Dominic, lutta en vain pour s'empêcher de haleter.

— Je… ne… fais pas ça… dans la… maison de ta sœur.

— Bien sûr que si, murmura Dominic en reconnaissant le frémissement derrière ses paroles. Tu adores jouir, chérie. Heureusement que je suis là. Non merci, Matt, je n'ai pas terminé mon verre, dit-il calmement en répondant à la question de son beau-frère. Non, Katherine n'en prendra pas non plus. Tu aimes la saveur ? C'est ce que je croyais. Max a eu la gentillesse d'obtenir la recette pour moi.

Dominic changea légèrement de position pour faire de la place à son érection et se réjouit d'entendre Katherine réprimer un hoquet de plaisir.

— Ah, tu as vu le panorama, alors.

Il sourit à Matt.

— J'essayais d'impressionner Katherine. Tu as aimé le point de vue du bar au Ritz Carlton, n'est-ce pas, chérie, dit-il comme s'il lui demandait si elle aimerait une cuillérée de sucre ou deux.

— Oui, énormément.

Étrangement, sa voix n'était qu'un murmure.

Dominic ignora l'expression légèrement stupéfaite sur le visage de sa sœur et de son beau-frère. Il déposa leurs verres, se mit aisément sur pied avec Katherine dans ses bras et dit d'un ton joyeux :

— Je vais laisser Katherine se rafraîchir avant que les invités arrivent. Nous vous rejoindrons dans cinq minutes. Peut-être 10, ajouta-t-il par-dessus son épaule en s'éloignant.

— Prenez votre temps, cria joyeusement Melanie. Les invités n'arriveront pas avant une vingtaine de minutes. Vous n'êtes certainement pas obligés d'être ici pour les accueillir.

Matt sourit à sa femme pendant que Dominic s'éloignait.

— Pourquoi ne pas simplement leur proposer notre chambre ?

— Nick va probablement y aller sans y être invité.

— Bon Dieu. Cet homme a-t-il des limites ?

Melanie adressa à son mari un regard comme pour lui dire « c'est une blague ? ».

— OK, OK. Mais Nick semble vraiment avoir des sentiments pour Katherine. Contrairement à ses poupées habituelles qui n'ont qu'une fonction sexuelle. C'est certainement une première pour lui, dit sèchement Matt.

— Et vraiment extraordinaire, répliqua Melanie en lui jetant un coup d'œil lumineux, jubilant. Il ne peut pas s'empêcher de lui toucher. Je n'ai jamais vu Nick comme ça.

— N'y compte pas trop, Melanie. Nick est la personne la moins susceptible de perdre la tête pour une femme. Il ne fait tout simplement pas ça. Il ne l'a jamais fait. Tu as vu son mariage. Ils étaient des copains de baise, des copains de plongée sous-marine, des copains d'escalade… besoin que je continue ?

— Je me fiche de ce que tu dis. Il y a quelque chose de différent, cette fois. Je suis une femme et je suis sa sœur. Je ne me trompe pas.

— Je veux seulement t'éviter d'être déçue quand il va la quitter comme il l'a fait pour les 500 autres. Penses-y, OK ? C'est ce qu'il fait. Grâce à Dieu, tu es sortie de cette famille perturbée en un seul morceau. Ce n'est pas le cas de Dominic.

CHAPITRE 17

Kate frappa du poing la poitrine de Dominic.

— Merde, je ne vais pas faire ça ! Tu m'entends ! Dieu seul sait qui pourrait nous voir.

Il ne ralentit pas.

— Détends-toi. Je ne vais pas te baiser dans le corridor.

— Oh, bien, alors, il n'y a pas de problème, lança-t-elle en grognant.

— Exactement, répondit-il en ignorant le sarcasme dans la voix de Kate.

— Merde, Dominic. Tu ne peux pas tout simplement te lever quand nous prenons un verre avec ta sœur et son mari et m'emporter pour baiser.

— Ils s'en fichent, chérie.

— Mais pas moi ! dit-elle en le frappant de toutes ses forces. Ça me dérange *foutrement* !

Elle faillit se briser la main, et il ne tressaillit même pas.

— Ne parle pas si fort, dit-il d'une voix aussi calme que sa démarche, sinon nous aurons tous les enfants sur le dos. Et ce *sera* un problème.

— Alors, mettons les choses au clair, dit-elle en réprimant sa fureur. Je n'ai rien à dire là-dedans ? Ce que je veux ou ne veux pas n'a pas d'importance ?

Il lui jeta un bref regard modéré.

— Bon Dieu, ne me sers pas ces bêtises. Nous sommes tous les deux terriblement excités, et tu le sais. Ça ne sera pas long. Nous allons jouir tous les deux, toi probablement quelques fois de plus que moi, puis nous allons redescendre et accueillir tous les invités dont je me fous complètement, que tu ne connais pas et à qui ni toi ni moi ne voulons parler. Au moins, nous serons de très bonne humeur. Vois les choses de cette façon.

— Vu sous un angle si romantique, qui ne serait pas ravi de se joindre à toi dans cette escapade ?

— *Escapade* ? répéta-t-il en essayant de réprimer un sourire. Devrais-je porter des collants et une épée ?

— Salaud.

— Allez, chérie, ne m'engueule pas à propos du fait que ce soit romantique ou non. Si tu avais le choix entre une carte de vœux et un orgasme, je sais ce que tu prendrais.

— Je n'ai rien contre le fait de venir ; j'en ai contre le lieu ! s'exclama-t-elle en soupirant.

— Et je te dis que le lieu est parfait.

Il s'arrêta devant une porte, jeta un coup d'œil le long du corridor, puis se pencha, tourna la poignée et l'ouvrit.

Kate écarquilla les yeux en apercevant les photos des neveux et nièces de Dominic étalées sur les murs.

— Arrête, sinon je vais hurler ! Je te jure que je vais le faire.

Le cri atténué de Kate résonna dans les oreilles de Dominic. Il s'arrêta brusquement, un pied dans la chambre de sa sœur.

— C'est un endroit privé, dit-il sur un ton désinvolte. Ce n'est pas ce que tu voulais ?

Elle lui jeta un regard glacial.

— Que se passerait-il, si je voulais retourner à la cuisine et boire mon verre.

— Sottise.

— Eh bien, je ne le fais pas ici, ça, c'est certain.

Au moins, elle semblait consentir à le faire. Soupirant doucement, il se retourna, regarda dans la direction d'où ils étaient venus, puis tourna à gauche dans un autre corridor. Après avoir passé deux portes fermées, il s'arrêta, regarda à droite et à gauche, puis il poussa du genou la poignée en bec-de-cane, ouvrit la porte du pied et entra dans une salle de bain de marbre vert. Déposant Katherine, il verrouilla la porte, se tourna vers elle et sourit.

— C'est suffisamment privé ?

Il l'observa parcourir des yeux la grande et luxueuse pièce : murs et plancher de marbre, ornements de cristal, un bain assez grand pour contenir une famille, une cabine de douche en verre avec une fenêtre donnant sur la cour, des serviettes et des tapis d'une blancheur telle qu'elle n'en avait jamais vue.

Elle se tourna brusquement vers lui, les lèvres serrées.

— C'est la salle de bain de qui ? Elle est trop loin pour que ce soit celle de ta sœur et trop luxueuse pour être celle des enfants.

Il marqua une pause pendant une fraction de seconde.

— C'est seulement une pièce supplémentaire.

— Ne me mens pas.

C'était vaguement irritant — cette façon particulière qu'elle avait de le regarder obliquement. Bien que c'était aussi terriblement sexy, comme si elle proposait quelque chose d'autre que son opinion arrêtée.

— C'est celle de Mme B.

— Tu aurais dû mentir, fit Kate en grognant.

— Bordel, dit-il, donne-moi un indice si c'est ce que tu veux. J'essaie d'agir comme un foutu scout pour éviter de te faire fâcher.

Elle leva les yeux en souriant d'un air triomphant.

— J'ai cru t'entendre dire que tu n'allais plus lécher de culs.

— Parfois, c'est utile d'embrasser des culs, dit-il en lui rendant son sourire.

— Salaud de manipulateur.

— Quoi qu'il faille, chérie. Tu n'arrêtes pas de changer d'avis; le plan de match change tout le temps.

Mais il adorait quand elle souriait de cette façon — toute cette douceur rafraîchissante si naturelle qu'elle devrait avoir une date de péremption.

— Je suis ouvert aux suggestions. Nous avons 20 minutes. Davantage, si tu veux. Il n'y a pas un seul invité qui m'intéresse. La seule personne que je veux voir se trouve ici, dit-il doucement en posant ses doigts sur les épaules de Kate et en l'attirant contre lui.

Penchant la tête, il lui frôla les lèvres.

Un baiser timide d'adolescent, pensa-t-elle, son romantisme toujours présent quelque part. Puis, il colora sa vision romantique en teintes pastel parfaites quand il murmura :

— Tu es la seule personne que je veuille toujours voir; le matin, le soir, et toutes les heures entre les deux.

— Bien, murmura-t-elle parce que si elle en avait dit davantage, si elle avait exprimé ce qu'elle ressentait vraiment, son expression aurait changé, il se serait refermé et leurs vacances auraient été terminées.

Bien ? Il met son âme à nu et tout ce qu'il obtient c'est un *bien* ? Il prit soudainement conscience que ses raisons de le quitter à Hong Kong pouvaient encore être en cause, que peut-être le fait qu'il ait couché à droite et à gauche dans le passé jouait toujours contre lui. Dieu savait qu'elle n'était pas comme les autres femmes qui se seraient jetées à ses pieds, s'il leur avait dit la même chose. Mais il voulait ce qu'il voulait — il en avait toujours été ainsi. Alors, il leva la tête et dit avec une sincérité sans précédent :

— Je peux faire en sorte que ce soit meilleur que bien, Katherine. Je peux faire en sorte que ce soit n'importe quoi que tu désires.

Elle sourit, comprenant qu'elle pariait avec sa vie du seul fait d'être là, comprenant également le pouvoir tranquille de son accoutumance au sexe.

— Je sais. Tu es mon Svengali[7]. Tu peux faire n'importe quoi.

C'était mieux. Il n'avait pas compris à quel point il lui importait qu'elle lui sourie de cette façon — comme elle l'avait fait sur le *Glory Girl*. Le temps était peut-être venu d'éliminer sa règle fondamentale contre l'engagement affectif, d'admettre que son obsession pour Katherine pourrait être davantage qu'une chose temporaire. Mais l'ambiguïté du « peut-être » et du « pourrait » nécessitait une petite respiration stabilisante avant qu'il abandonne les principes qu'il avait adoptés toute sa vie, et il ne put tout à fait déguiser la réticence dans sa voix.

— Le fait que je fasse n'importe quoi comprend celui de me réveiller avec toi, de te voir au petit déjeuner, de savoir que tu es près de moi pendant le jour, de te serrer contre moi le soir.

Sa voix se transforma en un murmure.

— Viens vivre avec moi, travailler avec moi si tu veux. Ou mieux encore, seulement être avec moi, ne pas travailler, me rendre heureux.

Elle aurait voulu figer ce moment dans le temps ou, plus raisonnablement, oublier ce qu'elle venait d'entendre parce que, mise

7. N.d.T.: Personnage du roman *Trilby*, de George du Maurier, un hypnotiseur qui en est venu à symboliser le type du manipulateur sans scrupules dans la langue courante anglaise.

à part sa réticence, Dominic lui avait offert le paradis qu'elle espérait. Un paradis incroyable, malheureusement, pour les simples mortels qui ne vivaient pas dans l'univers restreint de Dominic. Pour les gens qui ne pouvaient pas simplement tendre les bras et prendre quoi que ce soit qu'ils voulaient. Pour les gens comme elle.

— Pourrions-nous remettre à plus tard les grandes décisions et nous contenter de nous rendre mutuellement heureux maintenant ? demanda-t-elle avec un calme forcé.

Il eut un demi-sourire.

— Cette salle de bain n'est pas assez romantique pour toi ?

— Je suis juste un peu secouée en ce moment ; ce sont de grands projets.

Et un immense pari pour quelqu'un qui n'avait pas tant d'audace. Elle n'était pas un maître de l'univers avec le monde à ses pieds. Et le fait que Dominic ait largué plus de femmes qu'elle ne pourrait en compter représentait une réalité qui lui faisait peur.

— Pourrions-nous parler de ça plus tard ?

Désireuse de mettre fin à une conversation qui, en fin de compte, lui briserait probablement le cœur, elle glissa la main vers la braguette de Dominic et l'abaissa.

Le sexe était leur lien non équivoque, à l'abri des scrupules ou des doutes.

Dominic faillit insister pour obtenir une meilleure réponse parce qu'il *était* un maître de l'univers qui soit obtenait ce qu'il voulait, soit se battait pour l'obtenir. Mais la voix de sa raison lui fit observer insidieusement « Elle vient de te sauver de toi-même, mec » au moment précis où Kate pressait sa paume chaude dans l'ouverture de son jeans, et son érection croissante effaça immédiatement tous les messages contradictoires dans son cerveau.

Déplaçant automatiquement ses mains dans le dos de Kate, il saisit le rebord de son chemisier et le souleva.

— Non ! dit-elle en écartant les bras de Nick, la panique faisant disparaître le tumulte dans son cerveau. Nous n'avons pas le temps pour ça.

Il regarda les mains de Kate sur ses avant-bras.

— Lâche-moi.

Les mains de Kate s'ouvrirent immédiatement comme si elles étaient programmées pour obéir à son ton bourru. Puis, un battement de cœur plus tard, son instinct rebelle revint en force.

— Si c'est la salle de bain de Mme B, je ne veux pas tout mettre à l'envers. Faisons quelque chose de simple, un déshabillage minimum, rien à nettoyer. Bien que, ajouta-t-elle avec un petit sourire, j'éprouverais un certain plaisir à te regarder nettoyer la salle de bain.

Son sourire s'élargit.

— Ça n'aurait pas de prix.

— Ou moi à te regarder nettoyer à quatre pattes pendant que je te baise, dit-il en tirant les mains de Kate sur sa poitrine et en la regardant d'un air amusé. C'est ça qui n'aurait pas de prix pour moi. Et ne t'inquiète pas à propos de Mme B. Elle ne représente pas un problème.

Kate lui jeta un regard noir.

— Ne va pas me dire que c'est parce que tu l'as déjà fait ici ?

— OK.

— Ce n'est pas la réponse que je veux.

— Je dois mentir ou ne pas mentir ? demanda-t-il en haussant les sourcils. Donne-moi un indice.

Elle grimaça, essaya de s'écarter.

— Connard.

— Probablement, dit-il avec une patience infinie tout en la retenant d'une poigne ferme. Mais je ne t'ai rencontrée qu'il y a six semaines. Je ne peux pas modifier le passé.

— Contrairement à toi, je n'ai pas de passé, répondit-elle avec mauvaise humeur.

Ce n'était pas raisonnable, mais avec les légions de femmes qu'il avait connues — toutes rivalisant pour obtenir ses faveurs, lui souriant, flirtant avec lui, le *baisant* —, la raison ne faisait même pas partie de l'équation.

— Un de tes nombreux charmes, dit-il calmement avec l'ombre d'un sourire sur les lèvres. Toute cette innocence sensuelle. Ça me rend fou. Je devrais t'enfermer ou te menotter à mon lit.

Elle lui jeta un regard de profonde incrédulité.

— C'est tellement pervers.

— Trop peu romantique ? demanda-t-il avec une expression neutre.

Elle leva les yeux au ciel et émit un léger sifflement de colère quand elle parla.

— J'ai des nouvelles pour toi, mon cher. Vérifie ton calendrier. Nous ne sommes plus à l'ère préhistorique.

— J'ai une nouvelle de dernière heure pour toi, dit-il du ton autoritaire que conférait l'absence d'obligation et la richesse illimitée. Je peux faire l'une ou l'autre de ces choses sans problème.

Des éclairs de colère jaillirent dans les yeux de Kate.

— Je ne te laisserai pas faire.

— Encore mieux, dit-il en souriant.

— Bon Dieu, tu es un connard irrespectueux, fit-elle en insistant sur chaque mot.

Il baissa les yeux sur le renflement évident dans son jeans ouvert.

— Sors-le, dit-il tranquillement, et nous pourrons discuter du fait que je sois un connard irrespectueux et que tu aimes ça. Allez.

Sa voix était douce quand il lui lâcha les mains et détacha le bouton de métal à sa taille. Ouvrant toute grande sa braguette, il écarta son caleçon boxeur.

— Vas-y lentement, maintenant. Fais attention à la fermeture éclair.

Elle ne bougea pas.

Il soupira lentement, ignorant son regard dédaigneux.

— J'ai toute la nuit, une semaine si tu veux. C'est toi qui t'inquiètes à propos de ma sœur. Devrais-je allumer la télé pendant que tu essaies de décider si tu veux baiser ou non, demanda-t-il avec douceur comme s'il n'avait pas une énorme érection, comme s'il pouvait dompter sa queue à la façon dont il gérait tout le reste dans son univers. Il y a un match de basketball que j'aimerais bien regarder.

Il tendit la main vers la télécommande sur le comptoir à deux lavabos.

La salle de bain était aussi grande que son salon ; même la télé était passablement large pour une salle de bain et commodément installée sur le mur au pied du bain de marbre. Elle jeta un rapide coup d'œil par-dessus son épaule quand il l'alluma et syntonisa ESPN.

— Merde, cracha-t-elle. Ne cèdes-tu jamais d'un centimètre ?

Son regard quitta l'écran de télé et se posa sur elle.

— Tu n'en as aucune idée, dit-il sèchement. Nous ne parlons pas de centimètres, nous parlons de kilomètres, de foutus continents. Alors, arrête de me casser les couilles.

— Vraiment ?

— Ouais, vraiment.

C'était en partie un grognement et en partie une manifestation d'agacement. C'était aussi absolument mignon parce qu'il lui signifiait indirectement qu'il ne pouvait s'éloigner d'elle.

— J'en ai fini de te casser les couilles, dit-elle en lui adressant un sourire débordant de possibilités. Je m'excuse pour tout le dérangement.

— Merci, dit-il en éclatant de rire. Je me sens mieux maintenant à propos du fait que tu aies complètement bouleversé ma vie.

— Je pourrais me le faire pardonner.

Il n'avait jamais entendu cette volonté claire, pure, ce consentement et cette permission inconditionnels. Il n'hésita pas un instant. Il s'élança.

— Tu devrais peut-être jeter un coup d'œil à mes fouets.

Elle leva immédiatement vers lui des yeux furieux.

— Ça n'a aucun avantage pour moi.

Après une vie passée avec des femmes dociles, son intransigeance ne le dérangeait pas réellement. Il aimait le défi. Mais il était depuis longtemps perturbé.

— Laisse-moi ranger ça pour référence future, murmura-t-il d'un ton sardonique. En ce moment, j'attends. Il attend. Bouge.

— Fais attention, aboya-t-elle. Sinon ta queue pourrait en souffrir.

— Toi, fais attention. Sinon je pourrais te transporter complètement nue en passant devant les invités bouche bée et te baiser à la maison.

— Tu ne ferais pas ça ! s'exclama-t-elle en écarquillant les yeux.

— Je ne parierais pas là-dessus, si j'étais toi.

Il baissa les yeux, puis les releva, ses sourcils légèrement froncés.

Kate rougit, plissa les lèvres, mais elle glissa sa main sur son estomac, referma ses doigts sur son érection et fit prudemment sortir son membre au-dessus de sa braguette.

— Bonne fille, dit-il plaisamment, comme s'il ne venait pas de la contraindre. Mets-toi à genoux, fais-lui goûter ta langue, et ensuite nous allons décider de quelle manière nous allons baiser. La tienne ou la mienne.

Elle lui lança un regard venimeux.

— Si seulement les regards pouvaient tuer, Katherine, dit-il d'une voix traînante avec un sourire pervers. Je te suggère de faire ce que je te dis ou un foutu paquet de monde va pouvoir contempler ton corps éminemment baisable.

Elle se mit à genoux sous son regard suffisant, prit son membre palpitant dans ses mains, l'écarta de son corps. Son érection était dure comme fer ; elle pouvait sentir la torsion dans ses poignets tandis qu'elle le tirait vers sa bouche et le léchait tout au long de sa chair veloutée.

Il grogna doucement, lui agrippa les épaules.

— Lentement maintenant, murmura-t-il. Ce n'est pas une course.

Elle obtempéra instinctivement devant l'autorité corruptrice de sa voix, comme si ses sens étaient entraînés à réagir, comme si elle n'avait plus de volonté ou, peut-être de façon plus terre à terre, que son corps comprenait qu'il y avait des récompenses rattachées à l'obéissance. Ses mamelons se durcirent instantanément, son sexe se liquéfia, une anticipation fiévreuse s'épanouit au plus profond d'elle, ignorant toutes ses rancœurs irrésolues.

Mais sa menace était réelle, et qu'elle aime ou déteste son autorité, soit qu'elle faisait ce qu'il voulait, soit qu'il la transportait nue devant tous les invités.

Elle ne douta pas un instant de son audace.

Redressant l'échine, elle s'étira pour le prendre entièrement dans sa bouche. Puis, penchant la tête, elle réajusta sa poigne sur son érection, faisant légèrement glisser ses mains vers le haut pour guider son gland gonflé vers sa bouche. Sa mâchoire s'étira pour absorber ce qu'elle pouvait de son énorme membre, son sexe palpitant, une chaleur se diffusant entre ses jambes tandis qu'elle souhaitait égoïstement que ce soit la bouche de Nick, ou mieux encore sa queue qui soit en elle.

— Plus profondément, grogna-t-il en lui tapant la joue.

« Enfoiré », pensa-t-elle.

Si elle n'avait pas eu la bouche pleine, elle aurait juré contre lui. Par ailleurs, elle voulait le sentir bientôt en elle si une contrepartie égoïste figurait à son programme, alors elle ferait mieux de ne pas l'offusquer. En fait, se plierait-il à ses souhaits maintenant, si elle le demandait ? Elle commença à s'écarter exactement dans ce but quand la main de Nick lui saisit la tête et la ramena sur son membre qui buta contre le fond de sa gorge. Elle s'étouffa, il poussa un grognement rauque et, tandis que ses muscles se pliaient doucement contre les avant-bras de Kate, il murmura :

— Nom de Dieu.

L'exclamation tendue de Nick se répercuta au plus profond de son corps en chaleur. Elle sentit sa respiration s'accélérer, entendit les grognements atténués de Dominic pendant qu'il recommençait à bouger et elle éprouva un petit moment de triomphe en sachant qu'elle pouvait lui faire ça. Le maître impitoyable de l'univers était après tout vulnérable. Elle leva les yeux. Les siens étaient fermés, ses mains pressées contre la porte, sa respiration saccadée.

Agrippant une poignée de ses cheveux, il gronda « N'arrête pas » et son délicieux sentiment de victoire s'évanouit rapidement. Il accéléra de nouveau le rythme, l'étouffant à demi pendant une seconde jusqu'à ce qu'elle lui saisisse les couilles en guise d'avertissement. Il jura, mais desserra sa poigne.

— Fais attention, chérie, dit-il d'une voix essoufflée. C'est ton jouet aussi.

Passant le bout d'un doigt sur le bord de sa lèvre supérieure, il regarda son membre glisser, prit une inspiration rapide devant la fantastique poussée de plaisir, puis guida la cadence d'une manière plus bienveillante. Lentement, sa bouche chaude et humide, ses lèvres moites tandis qu'elle l'absorbait, le sursaut explosif tandis que son gland heurtait le fond de sa gorge si stupéfiant chaque fois que les réflexes de Dominic se trouvaient momentanément engourdis et qu'il oubliait de respirer. *Bon... Dieu.* Puis, il retrouvait ses sens, recommençait à respirer, observait incessamment son membre glisser dans la bouche de Kate et attendait le prochain sursaut incroyable.

C'était d'une splendeur tranquille; Dominic voulait faire durer le plaisir. Les deux pieds dans la tombe, il se souviendrait encore de ces moments, songea-t-il, ses grognements étouffés calibrant la folle béatitude, attribuant un A+ à la bouche véritablement baisable de Katherine.

Les intonations profondes, gutturales de Dominic, ses sons rauques de plaisir se répercutaient avec une intensité primaire à travers les sens vulnérables de Kate, follement provoqués et excités, comme si son corps était aveuglément en synchronicité, comme si ses passions charnelles réagissaient automatiquement aux grognements de cet homme, comme si à quelque niveau darwinien, elle reconnaissait en lui le mâle dominant.

Ses mamelons étaient durcis, le profond frémissement en elle audacieux, son impatience pour lui, pour le sexe, frénétique. Il n'avait qu'à exercer son autorité, insister pour qu'elle lui obéisse et, plutôt que d'être indignée, elle lui cédait avec une anticipation dépourvue de honte. Comme si son corps avait été entraîné à reconnaître les signaux de Dominic, à s'y soumettre sans se questionner, à lui plaire sans compromis.

— Arrête.

Un son dur, râpeux, ses paumes durement pressées contre le visage de Kate, la tenant prisonnière, sa queue remplissant sa bouche.

Surprise, elle leva vers lui des yeux inquiets. L'endroit, sa posture servile, l'imprévisibilité de Dominic formèrent tous dans son imagination un scénario troublant.

— Je te fais mal ? demanda-t-elle.

Les mains de Dominic étaient chaudes sur les joues de Kate, ses doigts massant doucement son érection à travers sa peau. Elle essaya de secouer la tête en guise de réponse.

Qu'il ait compris ou que sa réaction n'ait pas d'importance, il sourit.

— Tu aimes ça quand j'ai tant de pouvoir sur toi ? Aimes-tu être à mon service, chérie ? Moi, j'adore ça, murmura-t-il n'exigeant manifestement pas de réponse. Bouge, maintenant, dit-il doucement en relâchant sa poigne. Lentement. Oh, merde… c'est bon. Tu apprends vite, chérie.

Il exhala lentement, bougea faiblement ses hanches, ferma brièvement les yeux tandis qu'elle haletait, l'avalait plus profondément, et le monde s'immobilisa pendant une seconde.

— Tu t'améliores, souffla-t-il un moment plus tard quand son cerveau se remit à fonctionner. Nous pourrions t'enseigner à *aimer* ça d'une manière rude. Peut-être qu'en le faisant suffisamment de fois, tu apprendras à aimer ça de toutes les façons que je veux.

Il lui saisit le menton, retira brusquement son membre, puis la força à lever la tête.

— Qu'en dis-tu, chérie ? Tu aimes toujours venir. Tu es prête à faire à peu près n'importe quoi pour ça, n'est-ce pas ? Alors, tu apprendras, n'est-ce pas ? Réponds-moi, chérie.

Ses doigts laissaient des marques sur le visage de Kate ; elle ne pouvait bouger la tête.

— Cligne des yeux pour dire oui.

Elle prit une inspiration, essaya d'ignorer les fortes pulsations entre ses jambes, le puissant désir qui avait envahi ses sens. Une seconde passa, et les doigts de Knight se resserrèrent. Elle cligna des yeux.

Il eut un petit sourire.

— Bonne fille. Mais maintenant, tu as un véritable appétit pour la baise, n'est-ce pas ? dit-il d'une voix basse, un sous-entendu d'une étrange dureté dans son commentaire.

Relâchant son menton, il caressa les marques rouges en un geste bienveillant, comme s'il passait en revue ses choix. Puis, il se pencha, glissa ses mains sous les bras de Kate, la remit sur pied.

— Il est peut-être temps de t'apprendre quelques aptitudes utiles. Déshabille-toi pour moi. Garde ton soutien-gorge. J'aime voir mes nichons bien serrés. C'est clair ?

Chaque mot était émis d'un ton sec, sans compromis.

— Parle, Katherine, dit-il en penchant la tête avec un sourire pervers. Ou bien cligne des yeux, si tu préfères. Je vais comprendre le message.

— Tu es un enfoiré, siffla-t-elle alors même que tous ses nerfs se préparaient à l'action, alors même que le désir brûlant la rendait assoiffée.

— Mais tu le veux quand même, n'est-ce pas, chérie ? dit-il doucement, comme s'il avait une vision à rayon X et pouvait voir ses zones cérébrales, son excitation profonde. Réponds. Tu perds un temps foutrement précieux.

Tout au fond d'elle-même, dans ses entrailles, elle se détestait de le désirer. Et pendant un bref moment, elle se demandait si elle pourrait se refuser à lui, mais elle n'avait pas à ce point l'esprit de sacrifice et il ne la laisserait pas faire de toute façon.

— Oui, espèce de salaud.

— Tu jures beaucoup. Nous allons devoir te nettoyer la bouche.

— Va te faire foutre !

Son sourire radieux fut instantané et insolent.

— De mauvaise humeur, mais un verbe reconnaissable. Aussitôt que tu seras déshabillée, nous allons travailler sur tes leçons de baise.

Au diable sa beauté à couper le souffle et son corps d'athlète, ses attraits et son énorme queue. Est-ce qu'une femme lui avait déjà dit non ?

Il tapota doucement sa lèvre inférieure en un geste évident de possession.

— J'apprécie ton intérêt, mais débarrasse-toi de tes vêtements.

Il passa le bout d'un doigt sous un de ses seins.

— N'oublie pas de garder ton soutien-gorge.

S'adossant paresseusement contre la porte, il la regarda, les paupières à demi fermées, pendant qu'elle retirait ses souliers et enlevait son jeans. Il parut amusé quand elle plia son jeans et le déposa sur le comptoir. Puis, faisant glisser sa petite culotte de dentelle, elle la plaça sur son jeans, puis se tourna pour lui faire face.

— Bon Dieu, Katherine.

Son ton était colérique, mais son regard calme, évaluateur, une obscure émotion semblant le tenailler profondément tandis qu'il la regardait debout à cet endroit, petite, bien proportionnée, ses poils pubiens humides scintillant entre ses jambes, ses gros seins étirant la fine dentelle. Elle paraissait encore plus nue vêtue de cette seule dentelle vert foncé qui contrastait vivement avec sa peau pâle, sa semi-nudité carrément érotique. Le fait qu'elle se tienne là sous ses ordres était incroyablement lubrique.

Et pas seulement pour lui.

Elle ne devrait pas réagir de manière si prévisible à ses ordres, aussi promptement, de façon aussi éhontée. Elle ne devrait pas capituler instantanément du seul fait qu'il était magnifique ou parce qu'une quelconque fusion brutale d'endorphines et de phéromones assaillait son cerveau. Elle devrait être plus raisonnable. Mais il n'avait qu'à la regarder avec ce regard prédateur et elle se trouvait envahie d'un puissant désir et son corps se dissolvait en une mare de désir fou et rien d'autre n'avait plus d'importance.

— Tu es magnifique, chérie. Tes gros nichons bien engoncés. Tout le reste splendidement offert et baisable.

Dominic devint absolument immobile.

— Bien que tu devrais peut-être verrouiller ta chatte excitée quand je ne suis pas alentour... te procurer une ceinture de chasteté.

Il pinça les lèvres.

— Je suppose que ce n'est plus beaucoup en demande. Je vais devoir en faire faire une.

— Bon Dieu, arrête. Tu es malade.

Mais sa voix était devenue hésitante vers la fin, alors qu'un sursaut obscène se faisait sentir dans son sexe terriblement humide et la rendait étourdie de désir.

Il lui adressa un sourire entendu.

— Tu aimes ça ? C'est ce que j'avais cru. En or ou en argent, ta ceinture de chasteté, chérie ? Nous devrions peut-être y inscrire mon nom juste pour te rappeler à qui tu appartiens, qui te possède. Parce que la coercition t'excite, n'est-ce pas ? Tu aimes que je t'ordonne de me baiser, n'est-ce pas ?

— Non.

L'unique syllabe avait été émise d'une voix tremblante.

— Tu l'as dit d'une voix foutrement désireuse, chérie, dit-il en éclatant de rire. Tu n'as pas vraiment voulu dire non, n'est-ce pas ?

Elle n'osait pas croiser son regard.

— Bien sûr que non, dit-il en répondant pour elle. Un peu de discipline fait mouiller ta chatte. Nous le savons tous les deux. Regarde-moi, Katherine. J'ai besoin d'une réponse.

Elle leva les yeux, ses narines frémirent.

— Peut-être.

Nick lui adressa un sourire pervers.

— Et peut-être que si je te baise comme une bête, tu en seras certaine.

Il désigna du doigt ses chaussures.

— Agenouille-toi. Détache les lacets. Ça pourrait prendre un moment.

— S'il te plaît, Dominic. Tout le monde le saura. Ta sœur.

Mais, au moment même où elle parlait, son corps et ses sens frémissants le suppliaient de la baiser.

— Quoi à propos de ma sœur ? répondit-il d'une voix glaciale. À genoux, chérie, ajouta-t-il en montrant de nouveau ses chaussures. Fais-le.

Son expression était froide et impitoyable ; celle d'un homme qui donnait des ordres auxquels les autres obéissaient. Non seulement ici, mais partout dans le monde.

— Dominic… s'il te plaît.

Elle ouvrit la bouche, hésita en voyant son air, s'approcha de lui, mit sa main sur son bras puissant, le regarda dans les yeux.

— Les chaussures pourraient-elles attendre ? Je ne dis pas non. J'aimerais le faire, murmura-t-elle, mais nous ne devrions pas rester ici trop longtemps.

Il ne bougea pas, maîtrisant son corps.

Elle posa son front sur sa poitrine.

— S'il te plaît ?

Il se tenait raide au début, silencieux et ferme, puis il bougea légèrement, expira lentement, et elle crut entrevoir une première lueur d'espoir. Une fraction de seconde passa, où ç'aurait pu être des années, puis il passa ses bras autour d'elle, fit courir doucement ses pouces le long de son échine et posa son menton au sommet de la tête de Kate.

— Désolé, chérie, murmura-t-il. Je te désire trop. Ça me rend fou.

Il paraissait fatigué.

— Moi aussi, dit-elle dans le chandail de Nick en souhaitant ne pas le désirer à ce point ; en souhaitant qu'il ne soit pas si superbe, puissant et parfait ; en souhaitant ne pas pouvoir s'empêcher de perdre son indépendance chaque fois qu'il lui souriait.

Si elle n'avait pas eu un mois pour se rendre compte à quel point elle le désirait ardemment, si elle ne s'était rendu compte à Missoula que le sexe avec n'importe quel homme ne lui suffisait pas, si elle n'avait pas su que dans un mois, ou une semaine, ou peut-être même moins, elle pourrait ne plus jamais le revoir, elle aurait pu démontrer davantage de fierté. Elle leva plutôt le visage vers lui.

— Je vais délacer tes chaussures, mais ne restons pas ici longtemps. Si ça te va, ajouta-t-elle sur un ton soumis.

Il parcourut rapidement son visage des yeux pour voir si elle le raillait.

Puis, elle se laissa tomber sur les genoux, ce qui dans les faits répondait à la question.

— Environ 10 ou 15 minutes, dit-il. Tu es d'accord ?

Ce fut elle, maintenant, qui étudia son visage.

Leurs regards se croisèrent.

— Je veux seulement te baiser, chérie, dit-il doucement. Je ne veux pas que nous nous querellions. Regarde, ajouta-t-il avec un soupir en la relevant. Je peux me déshabiller.

Il posa les mains sur ses seins recouverts de dentelle, sourit lentement.

— Mais garde ton soutien-gorge.

— Dictateur.

Mais elle souriait également parce qu'elle était terriblement heureuse de le voir sourire ainsi, sachant qu'il la désirait autant qu'elle le désirait.

— Ouais. Sans blague.

— Mais peut-être que je *voudrais* te déshabiller, dit-elle en soutenant son regard et en touchant le doux chandail de cachemire. Peut-être que je ne vais pas te *laisser* te déshabiller toi-même.

— Vas-y, chérie, dit-il en souriant. D'une manière ou d'une autre, je suis gagnant.

— Nous pourrons discuter plus tard de qui gagne le plus, dit-elle en se sentant tout à fait pardonnée et follement heureuse.

Elle fit glisser ses mains sous le chandail, le long de ses abdominaux et de sa solide cage thoracique, de ses durs pectoraux. Puis, il l'aida à retirer le chandail parce qu'elle ne pouvait lever les bras assez haut même s'il penchait la tête.

Ensuite, il demeura parfaitement immobile, sauf son érection, qui avait sa propre volonté. Et il la regarda avec plaisir quand elle s'agenouilla à ses pieds, délaça ses chaussures, tapota d'abord une cheville, puis l'autre, et les lui retira. Il leva de nouveau les pieds pour qu'elle lui enlève ses chaussettes. Et il retint son souffle quand la main de Kate frôla son membre en descendant son jeans et son caleçon boxeur le long de ses hanches.

Elle leva les yeux, lui sourit.

— J'aimerais vraiment que nous soyons à la maison.

Elle avait dit « à la maison ». Il ne put se souvenir de s'être jamais senti aussi bien.

— Moi aussi, répondit-il. Nous n'allons pas rester longtemps.

Puis, il lui prit la main, la conduisit jusqu'à la méridienne devant la fenêtre qui surplombait la cour, s'assit, la tira pour qu'elle chevauche ses jambes, ajusta ses paumes sur la dentelle distendue recouvrant ses seins pâles et dit :

— Dis-moi quand tu en auras assez. Alors, ce sera mon tour et nous allons partir d'ici.

Elle posa ses mains sur les siennes et souffla d'une toute petite voix parce qu'elle commençait à trembler :

— Combien de temps devons-nous rester à la réception ?

— Une heure, tout au plus… moins, répondit-il quand il la vit faire la moue. J'ai promis de jouer aux échecs avec Nicole et, si la partie se termine en 10 minutes, elle saura que je ne suis pas sincère. Viens me regarder jouer.

— Je suppose que je ne peux pas être tout à fait égoïste.

Elle se pencha, prit son visage dans ses mains et l'embrassa parce qu'il était ridiculement beau et qu'elle ne pouvait y résister.

Il sourit quand elle se rassit, voulant lui offrir le monde quand elle l'embrassait de cette façon.

— Sauf pour tes orgasmes, dit-il en sachant qu'elle pouvait lui donner ça en ce moment. Tu peux être égoïste quand il s'agit de ça, chérie.

— Tu es si gentil.

— Laisse-moi coucher ça par écrit pour notre prochaine dispute, dit-il en éclatant de rire.

Posant ses mains sur les hanches de Kate, il la souleva doucement, son membre palpitant passablement fatigué de la conversation. Et quand il la fit descendre lentement sur son membre rigide, quand ils sentirent la terre entière bouger, quand ils fermèrent les yeux pour mieux éprouver le plaisir pur, incroyable, ils se demandèrent tous deux comment une seule personne pouvait si complètement et profondément changer le monde d'une autre.

Quand elle fut pleinement rassasiée et que la chaude, merveilleuse pression glissait le long de leurs échines comme une chaleur veloutée, il lui saisit les fesses, plia les doigts, la tint fermement en place et agita fortement les hanches vers le haut.

Elle hoqueta.

— Encore, fit-elle, d'une voix haletante et basse.

Seulement audible pour l'homme qui la regardait comme un faucon, qui la sentait accélérer le rythme autour de lui, connaissant son impatience exaltée.

— Bien sûr, chérie.

Plus fort cette fois, parce qu'il n'était pas vraiment gentil.

Le cri aigu de Kate fit allonger son membre.

Elle tremblait.

— C'est trop ? murmura-t-il en déplaçant ses mains sur son dos et en caressant doucement son épine dorsale. Tu veux te reposer une minute ?

Elle prit une inspiration, acquiesça, et il pencha la tête, puis l'embrassa sur les lèvres, doucement, doucement, calmant ses nerfs agités. Ensuite, il plia les genoux pour lui offrir un soutien, la fit se pencher vers l'arrière et passa les doigts sur ses mamelons comprimés dans la dentelle en des mouvements lents, circulaires, ses doigts exerçant suffisamment de pression pour qu'elle tressaille.

Il s'arrêta.

— Ça fait mal ?

— Pas beaucoup.

Il prit une grande inspiration.

— Bon Dieu, Katherine, dit-il d'une voix étrangement tendue, personne d'autre ne peut t'avoir.

Il posa ses pouces sur ses mamelons.

— Penses-tu à ça ?

Elle le regarda de sous ses cils, ses yeux verts chaleureux.

— Je ne veux personne d'autre, Dominic.

Il n'avait jamais entendu son nom prononcé de si belle manière. Avec un ton de défi dans chaque syllabe murmurée. Et avec, en sous-entendu, une possessivité aussi inconditionnelle que la sienne.

— Merci.

Elle prit une petite inspiration et il sentit ses pouces glisser sur la dentelle.

— Tout le plaisir est pour moi, murmura-t-elle en baissant le regard.

Remontant ses pouces sous la bordure de son soutien-gorge, il libéra ses seins, ses index rejoignant ses pouces et il pinça doucement.

— Dis-moi si je dois desserrer.

Kate avait les yeux fermés, elle était haletante, le monde disparaissait à sa vue.

— Ou pas, souffla-t-il.

Puis, il releva brusquement les hanches, poussant impitoyablement son érection en elle en même temps qu'il serrait brutalement la chair douce de ses mamelons.

Elle hurla, puis se mit à haleter, puis à gémir lentement, en des murmures, tandis que le plaisir le plus renversant assaillait ses sens.

Dominic attendit que l'explosion cesse dans son cerveau.

Il ne le redemanda pas après ça.

Il prit d'assaut encore et encore son sexe mouillé, durement, puis encore davantage, la gardant captive, ses doigts pressant ses mamelons, ne se souciant pas au début qui allait jouir quand ou en premier jusqu'à ce qu'il entendit le son familier qu'elle émettait avant l'orgasme, la sentit se tendre autour de sa queue et qu'il échappe avec difficulté à l'ouragan sauvage qui s'était déchaîné en lui.

Il écouta avec attention ses petits geignements préorgasmiques qu'il avait écoutés et réécoutés dans ses rêves pendant ce mois à Paris, les mêmes qu'il avait entendus dans la réalité ces deux derniers jours, les images et les sons qui étaient si profondément ancrés dans son esprit qu'ils seraient probablement la dernière chose à laquelle il penserait avant de rendre l'âme.

Il sourit à cette pensée.

Puis, son long hurlement commença.

— Voilà, ma chérie, nous y sommes, murmura-t-il en ramenant ses mains sur les hanches de Kate, serrant les doigts pour la maintenir fermement en place, arquant le dos et lui donnant tout ce dont elle avait besoin.

Se maintenant où elle le désirait le plus, sentant ses convulsions onduler le long de son membre, il regarda, satisfait et heureux, tandis qu'elle jouissait avec son abandon habituel.

Avec Dominic, sa jouissance était si terriblement intense qu'elle en ressortait avec une légère mélancolie, sachant qu'il représenterait toujours à ses yeux la norme la plus élevée du plaisir, sachant qu'il serait impossible à remplacer.

Sachant qu'elle se retrouverait sans lui un jour ou l'autre.

Et dépossédée.

Mais un moment plus tard, alors que les tremblements se frayaient un chemin voluptueux à travers ses sens, elle écarta ces pensées. Elle avait Dominic maintenant et elle l'aurait le lendemain, peut-être plus longtemps. Alors, *carpe diem* — jusqu'à ce qu'elle parvienne au bout de la route.

— C'était fabuleux comme d'habitude, dit-elle avec un soupir de satisfaction. Mais tu sais, n'est-ce pas, M. Knight ?

— Je l'ignorais, mentit-il, son sourire suffisamment radieux pour illuminer la terre entière. Merci, Mlle Hart.

Elle baissa les cils encore davantage.

— Alors..., murmura-t-elle.

— Tu décides, chérie.

Il se déplaça de côté, délicatement, lentement, en un chef d'œuvre de sensualité.

Elle retint son souffle.

— Merde.

— Tu aimes ?

Une telle expertise résultait d'un long apprentissage, pensa-t-elle avec colère alors qu'elle n'avait aucun droit de s'en offusquer. Et elle se posa des questions sur sa rancœur maussade devant les impressionnants talents sexuels de Dominic par rapport à la valeur qu'il représentait à ses yeux.

— Dis-moi que tu es vierge, fit-elle d'un air boudeur.

— Je vais avoir besoin d'une semblable assurance de ta part, dit-il d'une voix tout à coup tranchante comme le fil d'un rasoir, sa jalousie infinie.

— Je le suis.

— Bien, fit-il d'une voix brusque et inflexible. À partir de maintenant, nous le sommes tous les deux. Mon avocat nous aura préparé l'entente d'exclusivité d'ici demain et nous n'aurons qu'à la signer.

— C'est sérieux ?

— Croyais-tu que je ne l'étais pas ? Penses-tu que je demande à la première venue de signer une entente d'exclusivité avec moi ? fit-il sur un ton furieux.

— Désolée, souffla-t-elle.

— Tu ferais vraiment bien de l'être. Bon Dieu, Katherine, quand vas-tu comprendre ça ? Je ne couche pas avec n'importe qui, en ce moment. Ça, c'est du réel.

— Je suis désolée, murmura-t-elle, je comprends.

— Bon sang, il est à peu près temps.

Il laissa retomber sa tête contre le dossier de la méridienne avec un bruit mat. Il ferma les yeux, puis compta jusqu'à 10 suffisamment de fois pour qu'elle s'en effraie. Puis, il ouvrit les yeux et dit tranquillement :

— Parfois, tu es vraiment stupide pour un génie de l'informatique.

— Et parfois, tu ne comprends pas que je suis avec un homme qui ne s'est jamais vraiment engagé auprès d'une femme depuis… quand ? Combien d'années, Dominic ? À quoi t'attends-tu donc ? Pourquoi croirais-je que tu as changé ?

Elle retint son souffle.

— Bon Dieu, il ne s'amollit jamais ?

— Pas quand tu es là. Tu signes ces documents demain. Fin de la discussion. Maintenant, combien d'autres fois veux-tu jouir ?

— Je ne veux pas jouir du tout quand tu parles comme… oh, mon Dieu…

Elle ferma les yeux pour se concentrer sur un sursaut d'extase.

— Oh, merde.

Le plaisir envahit son cerveau quand il la pénétra de nouveau ; la jouissance se répandit dans son corps comme un feu de brousse, incendia son sexe, la rendit affaiblie de désir, insatiable, la réduisant à une masse sordide de désirs sexuels.

— Tu changes d'idée, chérie ? murmura-t-il en redressant ses jambes, la soulevant de façon à ce qu'elle chevauche ses cuisses, changeant impitoyablement, égoïstement de sujet, s'assurant maintenant que Katherine allait se plier à sa volonté à propos de l'entente demain, toujours.

Tout à fait conscient du penchant de Kate pour du sexe sauvage, audacieux, quand elle haletait ainsi, irradiant le plaisir, il dit d'un ton sec pour qu'elle l'entende malgré sa frénésie :

— Premièrement, tu dois me faire venir, Katherine. C'est un ordre. Ne t'avise surtout pas de venir en premier. Ouvre les yeux, dis-moi que tu as compris.

Elle ouvrit les yeux avec peine.

— Je ne sais pas… si je peux… attendre.

— Bien sûr que tu le peux. Parce que tu sais ce qui va arriver si tu ne le fais pas ?

— Non, s'il te plaît, supplia-t-elle en écarquillant les yeux.

— Oui, Katherine. Fais-le, sinon je ne te laisserai pas venir pendant une semaine. Seulement une semaine, cette fois, Katherine. C'est moins pire qu'une année. Je sais que tu peux y arriver, si tu essaies. Tu as appris comment attendre à Hong Kong, n'est-ce pas. J'ai besoin d'une réponse.

— Je vais essayer.

— Ça ne suffit pas, Katherine.

Elle prit une profonde inspiration

— Je ne vais pas venir, balbutia-t-elle.

— Voilà, chérie. Je savais que tu pourrais le faire. Maintenant, prends ton temps. Je ne suis pas pressé de jouir. Bon Dieu, Katherine, ne te fâche pas. Je n'ai pas droit à mon tour ?

Mais deux minutes plus tard, quand il devint évident qu'elle n'allait pas pouvoir ralentir son envolée vers l'orgasme, il glissa son doigt le long de son érection, trouva son clitoris, le pressa doucement et murmura :

— Voilà, chérie, laisse-moi t'aider.

Elle se tendit, secoua la tête.

— Pas de règles, chérie. Je veux venir avec toi, OK ?

Passant ses bras autour de son cou, elle pencha la tête dans le creux de sa gorge, murmura : « Merci, merci, merci » et commença à frémir.

— Tout est bien, chérie, murmura-t-il en sentant commencer les spasmes de Kate. Nous allons le faire ensemble.

Lui tenant les hanches, ses doigts écartés, les cris de jouissance de Kate se répercutant dans ses oreilles, il lui écarta davantage les cuisses, s'enfonça encore plus profondément en elle, grogna à chaque poussée et vint rapidement comme il n'était jamais venu auparavant, comme s'il avait été affamé de sexe, comme s'il n'y avait rien d'autre au monde que le besoin, la sensation, puis le soulagement spectaculaire.

Ayant connu suffisamment d'orgasmes pour 10 vies, il savait qu'il agissait avec Katherine hors des périmètres normaux de sa vie. Tout ce à quoi il pouvait penser, c'était à la baiser de nouveau. Il en voulait davantage. Dès maintenant. À cette seconde.

Mais elle tremblait, alors il lui caressa les épaules, le dos, la réconfortant, la calmant. Il déposa de légers baisers au sommet de sa tête, de ses tempes, sur la courbure de sa joue, jusqu'à ce que les tremblements cessent. Puis, il la tourna directement vers lui et l'embrassa sur la bouche, délicatement, puis plus profondément alors qu'il ne le devrait pas, alors qu'ils devraient tous deux s'habiller et rejoindre les autres.

Elle recommença à trembler.

Son signal pour redevenir intelligent. Il leva la tête, soupira doucement.

— Nous ferions mieux de faire acte de présence.

— Il le faut ? demanda-t-elle en grognant.

— J'aimerais que ce ne soit pas nécessaire. Je préférerais t'amener à la maison et te baiser encore.

Il passa sa main dans ses cheveux, regarda la cour sombre à travers la porte vitrée, fronça les sourcils.

— Viens, chérie.

Il se redressa, l'écarta de son épaule, sourit faiblement et l'embrassa une fois de plus sur ses lèvres boudeuses.

— Nous allons présenter nos excuses et partir aussitôt que possible. Je te le promets.

CHAPITRE 18

Ils sortaient de la salle de bain en s'embrassant quand ils entendirent un petit cri de dégoût :

— Ouach ! Ils s'embrassent encore !

Ils se lâchèrent rapidement, découvrant six enfants les yeux fixés sur eux : les deux filles plus âgées avec une moue de dégoût, les garçons manifestement révoltés, Ellie, les yeux écarquillés dans son pyjama, serrant contre elle un ourson en peluche.

— Prêt à jouer aux échecs ? demanda Nicole en souriant de toutes ses dents.

Dominic aurait voulu demander « Depuis combien de temps êtes-vous ici ? », mais il ne tenait pas vraiment à le savoir.

— Accorde-moi quelques minutes, Nicole. Nous devons aller vérifier auprès de ta mère.

— Dans combien de temps ? demanda-t-elle en levant les yeux au ciel à la manière des adolescents, en partie culottée et en partie je-sais-tout. Nous attendons depuis *un bon moment.*

Il lui jeta un regard terne.

— Je reviens dans cinq minutes. Maintenant, retournez là-haut. Vous ne devriez même pas être ici.

— Maman ne savait pas où vous étiez allés, alors nous sommes partis à votre recherche, c'est tout.

« Sans blague. Arrête de sourire », se dit-il.

— D'accord. Prépare l'échiquier. Je te rejoins bientôt.

Pendant que les enfants disparaissaient le long du corridor, Kate marmonna :

— S'il te plaît, dis-moi que c'était une hallucination et qu'ils n'étaient pas vraiment là.

— Détends-toi. Il n'y a que Nicole qui soit assez âgée pour comprendre ce qui s'est passé. Les autres sont trop jeunes.

— Oh, je me sens beaucoup mieux. Une seule des enfants savait que nous baisions.

— Tu t'en fais trop, dit-il sur un ton nonchalant en lui prenant la main et en l'entraînant. Viens. Finissons-en avec ça. Plus vite nous ferons acte de présence, plus vite nous pourrons partir. Et plus tôt je t'aurai dans ma chambre — il eut un large sourire — à faire des choses pour moi.

— Si tu veux que je fasse des choses pour toi, dit-elle en le regardant sans sourciller, tu vas devoir me dire jusqu'à quand je vais rester.

— Hum, tu parais de mauvaise humeur, répondit-il en souriant. Je fais pénitence pour quelque chose ?

— Si tu n'avais pas quitté ta sœur comme ça, nous ne serions pas dans cette situation embarrassante.

— Je serais heureux d'en accepter la responsabilité, mais tu ne peux pas me dire que tu ne t'es pas amusée, fit-il en lui adressant un regard moqueur. Ou serais-tu une meilleure comédienne que je le croyais ?

— Tais-toi, grommela-t-elle. Et j'aurais pu attendre.

— Non, tu n'aurais pas pu. Tu devrais me remercier, dit-il mollement en penchant la tête et en l'embrassant légèrement sur la joue. Je t'ai fait passer du bon temps.

— Tu es incroyable, marmonna-t-elle.

— J'essaie seulement de rester à ta hauteur, chérie. Je n'ai jamais rencontré une femme aussi incroyable ; et c'est un compliment, dit-il d'une voix suave.

— C'est seulement qu'on ne m'a jamais fait perdre la tête comme ça, auparavant, fit-elle en soupirant doucement.

« Habitue-toi, chérie », se dit-il.

Dominic regarda sa montre.

— Nous devrions être partis d'ici 21 h. Qu'en penses-tu ?

— Ça me va du moment où personne n'émet une remarque à propos… eh bien… tu sais, de notre disparition. Parce que ça serait absolument gênant.

— Tu n'as qu'à rester près de moi, dit-il en lui serrant la main. Personne ne te dira un mot. Et nous allons franchir la porte à 21 h, parole d'honneur. Maintenant, fais-moi un sourire. Dans 40 minutes, nous partons.

Ils s'arrêtèrent d'abord dans la cuisine, commandèrent au barman deux martinis à la manière de Po et, pendant que Kate le regardait préparer les verres pour en connaître la recette, Melanie arriva derrière Dominic et lui toucha le bras.

Il se retourna en fronçant les sourcils.

— Pourquoi est-elle ici ? demanda-t-il d'un air entendu en levant légèrement le menton vers la foule visible au-delà de la cuisine, son regard sur une mince blonde qui levait un verre de champagne à sa bouche.

— Mère l'a invitée, répondit tout doucement Melanie.

— Je me demande bien ce qu'elle lui a promis ?

— Vraiment ? Je ne me le demande pas une seule seconde.

Dominic lui lança un regard noir.

— Mère ne jette jamais les gants, n'est-ce pas ?

— Pas de ce côté-ci de la tombe.

Dominic grogna doucement.

— C'est une bonne motivation pour rester en santé et vivre plus longtemps qu'elle.

— Ou pour devenir des saints.

— Ça, c'est pour des gens comme toi, sœurette. Des gens comme moi ne reconnaîtraient pas un saint même s'il les frappait sur la tête avec leur halo.

— En laissant de côté les interventions de mère, j'ai l'impression que Charlie va perdre son temps ce soir.

— Ce soir et tous les autres. Je suis sortie avec elle quelques fois, c'est tout. Je ne comprends vraiment pas pourquoi elle n'a pas encore abandonné.

— Tu dois vraiment lui avoir fait passer du bon temps.

Dominic la regardait d'un air furieux.

— Tu aurais pu dire à Julia de ne pas l'embaucher. Tu aurais dû, ajouta-t-elle d'un ton ferme.

— L'ONG de Julia ne me regardait pas. Je ne m'en mêlais pas.

— Sauf pour la financer.

Il haussa les épaules.

— Ça la rendait heureuse.

— Tu es trop gentil, Dominic. Tu devrais congédier Charlie. Ou demander à quelqu'un de ton organisation de le faire. Elle n'a pas besoin de travailler. Elle espère seulement poser ses griffes sur toi et elle est prête à jouer le rôle d'une citoyenne du monde inquiète pendant qu'elle attend de pouvoir mettre la main sur ton joli cul.

— Je lui souhaite bonne chance.

Il jeta un coup d'œil vers Kate par-dessus son épaule, attendit de croiser son regard, puis lui souffla un baiser.

Melanie regarda son frère d'un air espiègle.

— Vous devez vous être bien amusés avec votre *rafraîchissement*.

Il se retourna.

— C'était extraordinaire. Je suis un homme terriblement chanceux.

— Chanceux à quel propos ? demanda Kate en arrivant, leurs verres à la main.

— Chanceux de t'avoir trouvée, chérie.

Prenant son verre, il se pencha et l'embrassa.

— J'étais en train de dire à sœurette que nous ne resterons pas longtemps. Après la partie d'échecs avec Nicole, nous nous évadons.

— Tu devrais saluer Roscoe, dit Melanie. Il est arrivé il y a quelques minutes.

— Je vais le faire avant que nous partions. Je vais lui apporter ça.

Portant son verre à sa bouche, Dominic le but d'un trait et le tendit à un serviteur qui passait.

— J'aimerais te voler Katherine pendant un petit moment pour qu'elle puisse rencontrer Gretchen, fit Melanie. C'est mon amie la plus chère, ajouta-t-elle en souriant à Kate. Dominic, dis à Katherine qu'elle va aimer Gretchen.

Kate regarda Dominic, fit semblant de sourire.

— Tu vas l'aimer. Vraiment, dit-il doucement en passant le bras autour de ses épaules. Gretchen est partenaire au sein d'une entreprise de sécurité informatique. Reste avec moi si tu veux, mais tu pourrais aimer lui parler. Elle était au MIT avant que tu y arrives.

Il se tourna vers sa sœur.

— Gretchen est plus près de mon âge que du tien, n'est-ce pas ?

— Elle est plus vieille que toi d'une année. Accorde-moi cinq minutes, dit Melanie en constatant sa réticence. Viens seulement la saluer.

Posant sa bouche contre l'oreille de Kate, Dominic murmura :

— Je t'attends là-haut dans cinq minutes.

Puis, il tourna Kate légèrement et l'embrassa sous les yeux fascinés de tous les invités.

Un petit murmure traversa la foule devant ce spectacle parce que Dominic ne manifestait jamais ouvertement son affection. Il faisait toujours preuve d'une impeccable retenue.

Absorbée par le plaisir radieux du moment, baignant dans le bonheur, Kate n'entendit pas le son résonner dans la pièce. Elle se laissait seulement baigner dans le plaisir du tendre baiser de Dominic — différent du désir enflammé, doux, presque mélancolique.

— OK, murmura-t-elle quand les lèvres de Dominic quittèrent les siennes, je te rejoins dans cinq minutes.

— Je vais t'attendre, répondit-il.

Il jeta un coup d'œil à sa sœur.

— Ne garde pas Katherine trop longtemps.

Puis se tournant vers Kate, il ajouta :

— Suis le bruit quand tu monteras. Ils sont terriblement agités.

Melanie conduisit Kate à travers la foule, esquivant tous les invités souhaitant la rencontrer après le baiser très public de Dominic. Melanie se contenta d'incliner la tête ou de sourire en passant, sans ralentir pour bavarder.

— La plupart des gens ne t'intéresseront pas, murmura-t-elle en agitant la main vers un couple qui les regardait ouvertement. Certains sont des voisins qui s'offusqueraient de ne pas être invités, certains sont mes amis, d'autres, des amis de travail ou de sport de Matt — c'est un fanatique du sport. Il n'y en a pas un auquel il ne joue pas. Dominic n'est pas beaucoup mieux. Puis, il y a quelques-unes des amies de mère que j'essaie d'éviter… ah, voilà Gretchen.

Melanie attira Kate vers une jeune femme qui se tenait debout aux fenêtres, regardant les lumières d'un navire qui entrait dans la baie. Elle portait un tailleur-pantalon, comme si elle revenait du travail, ses cheveux noirs se balançant en une vague d'ébène quand elle se tourna vers Melanie. Un sourire illumina ses yeux.

— Super réception, Mel, dit-elle en montrant sa flûte. Super champagne.

— Et pourquoi pas ? Il vient de ton vignoble, répondit Melanie avec un sourire. J'aimerais te présenter Katherine. C'est l'amie de Dominic. Katherine Hart, voici Gretchen Calder.

Après un échange de politesses, Melanie résuma les activités de Kate au sein des Entreprises Knight.

— Katherine a travaillé pour Dominic comme consultante et retracé un bon montant d'argent qu'on lui avait volé. Grâce à son expertise, il l'a récupéré. Vous venez toutes deux de la même université ; vous avez peut-être eu des professeurs en commun. Je pense que vous vous intéresserez l'une à l'autre plus que quiconque ici ce soir. Un autre verre ? Non… alors, je vous laisse seules.

— Melanie devrait être directrice de croisière, dit Gretchen pendant que la sœur de Dominic s'éloignait. Mais elle a raison. La plupart de ces gens sont incroyablement ennuyeux.

Elle eut un large sourire.

— N'est-ce pas grossier ? ajouta-t-elle. Parle-moi de l'argent volé.

Kate raconta brièvement ce qui s'était passé à Bucarest, répondit à quelques questions plus détaillées ; les deux femmes échangèrent leurs opinions sur les transactions bancaires illicites et sur le marché noir. Toutes deux employaient le même langage obscur, œuvraient dans le même univers insouciant, accro à la technologie, où la créativité débridée était la bible et les vulnérabilités des codes et les systèmes d'exploitation cryptés représentaient les chapitres et les versets. En fait, elles s'entendirent si bien que Kate accepta d'emblée une invitation à prendre le déjeuner avec Gretchen.

— Je te donnerai un coup de fil, dit-elle, quand je connaîtrai l'emploi du temps de Dominic.

— Quand tu voudras. Je vais te montrer ma boîte, répondit Gretchen en souriant. Et mon bébé. Je l'emmène au travail avec moi.

— Charmant. Le parfait milieu de travail moderne.

— Ça aide quand on est en partie propriétaire.

Elles parlèrent pendant quelques minutes de plus de la fille de Gretchen qui avait huit mois et reconnaissait déjà des images à l'écran de l'ordinateur. Puis, deux autres femmes se joignirent à elles, et Kate bavarda quelques minutes de plus avant de s'excuser.

Dominic avait raison. Quand elle atteignit le haut des marches, les voix aiguës des enfants se répercutaient tout au long du corridor. Suivant le son, Kate s'arrêta devant la porte ouverte de ce qui était de toute évidence une chambre de jeune fille. Elle était décorée de rose pâle et de vert pomme, un grand lit à baldaquin trônait au centre, des affiches encadrées ornaient les murs, des vêtements étaient éparpillés partout, et une bruyante partie d'échecs était en cours.

Toutefois, le regard de Kate se fixa immédiatement sur les femmes assises de chaque côté de Dominic. Tous les trois étaient sur le lit, et les femmes encadraient Dominic comme des appuis-livres assortis. Toutes deux blondes, l'une avec une tignasse dorée, l'autre avec des boucles légères de la couleur du duvet pâle des pissenlits, leurs corps élégants aux longues jambes glissés dans des pantalons de lainage et de minuscules chandails de cachemire qui mettaient en valeur leurs parfaits nichons ni trop gros ni trop petits — comme s'ils avaient été spécialement commandés pour correspondre à leurs chandails ajustés. De gros diamants brillaient à leurs oreilles et l'odeur de leur parfum était forte même à distance.

Elles étaient aussi parfaites que des dentistes de premier ordre, des entraîneurs personnels et des esthéticiens les auraient imaginées. Le fait qu'elles aient pu être les clones d'un millier d'autres femmes richement attifées représentait un jugement malveillant, mais c'était quand même vrai. Ni l'une ni l'autre n'avait la moindre étincelle de vitalité.

Ah — sauf pour ça.

Une des femmes la dévisageait les yeux plissés d'un air menaçant.

Soit que ce regard agressif s'était accompagné d'un son, soit à cause de quelque instinct qui s'était éveillé en lui, Dominic leva tout à coup les yeux.

— Salut, chérie, dit-il en souriant. Entre.

Il lui tapota le genou.

— Assieds-toi avec moi.

La table d'échecs avait été tirée jusqu'au lit, Dominic et compagnie d'un côté, Nicole assise devant sur une chaise à fioritures roses, les autres enfants debout ou assis autour de la table, à les regarder et à leur donner des conseils.

Dominic dit poliment : « Excuse-moi » à la femme sur sa gauche en lui indiquant de se déplacer, puis leva les bras vers Kate pour qu'elle s'approche.

La blonde à la tignasse dorée se déplaça à peine d'une quinzaine de centimètres ; Dominic fronça légèrement les sourcils, mais se contenta de murmurer en direction de Kate « Tu m'as manqué, chérie », tandis qu'il la tirait sur ses genoux.

— Et tu es ? demanda la blonde en regardant Kate d'un air furieux.

— Katherine, voici Charlie et — Dominic inclina la tête vers sa droite — Angela.

— Ne le demande pas, dit Charlie avec un sourire froid. C'est un nom de famille.

Ce n'était pas la question que Kate s'apprêtait à poser. Elle allait plutôt demander ce qu'elles pensaient qu'elles faisaient là, assises si près de Dominic qu'elle devait lui érafler la peau à force de se frotter contre lui. Mais Nana désapprouverait qu'elle se montre ouvertement impolie, alors elle dit : « Joli nom » et sourit plutôt.

— Tu es du coin ? demanda Angela, d'un regard glacial.

— Non, répondit Kate en secouant la tête.

Une petite moue, un regard évaluateur de la tête aux pieds.

— D'*où* es-tu ?

Kate hésita pendant une seconde, tentée de répondre « Mars ».

— Le Minnesota, et Boston, surtout.

Angela haussa un sourcil parfaitement épilé et teint.

— Harvard ?

— Non.

— Je ne pensais pas, répondit la blonde à boucles légères avec un sourire moqueur. Que *fais-tu* dans la vie ?

Ce qu'elle voulait vraiment dire, c'était : « Le factures-tu ? » Le commentaire était purement méchant.

« Pas autant que tu le ferais », se dit Kate.

— Je travaille en technologie de l'information.

— C'est comme ça que tu as connu Dominic ? Tu as *travaillé* pour lui ?

L'insistance d'Angela sur le verbe laissait entendre que le travail était pour les pauvres âmes sans fonds fiduciaire substantiel.

« Vraiment, Nana, dois-je absolument être gentille ? » soupira Kate intérieurement.

— Oui, je travaille à un projet pour lui.

Dominic leva les yeux de l'échiquier pendant que Nicole décidait de son coup suivant et mit fin à l'interrogatoire déplacé.

— J'aimerais que Katherine œuvre à temps plein pour la compagnie, mais elle refuse. Elle veut être indépendante. N'est-ce pas, chérie ?

Il frôla sa joue du bout des doigts en un petit geste révérencieux.

— J'essaie de la convaincre du contraire. J'aimerais plutôt qu'elle reste avec moi et qu'elle me rende heureux. Pas de chance jusqu'ici, mais je n'abandonne pas.

Si ce n'était pas là le paradis même, c'était tout près, décida Kate. Comme c'était mignon de la part de Dominic de la revendiquer d'une manière si publique. Vraiment, elle n'aurait pu mieux le formuler, si elle avait écrit une comédie romantique française. Sans mentionner le fait que les deux blondes auraient pu jouer dans ladite comédie avec leurs airs profondément offusqués.

Comprenant en voyant les femmes bouche bée que son message était bien passé, Dominic serra davantage Kate contre lui et retourna son attention vers le jeu.

— Hé, Nicole, une seconde. Tu es sûre de vouloir faire ça ? Mon cavalier est juste là — il pointait du doigt le bord de l'échiquier — à attendre que tu lèves ta main de cette tour. Allez, réfléchis.

Nicole mit sa tour à l'abri.

— Bien. C'est mieux. Maintenant, je vais bouger mon cavalier et il est toujours une menace. Alors, concentre-toi. Katherine est une bonne joueuse d'échecs. Elle pourrait te donner quelques conseils. Elle m'a battu à Hong Kong.

— Elle a fait ça ?

Trois voix et six paires de jeunes yeux se tournèrent brusquement vers Kate.

— Ouais, répondit Dominic.

Les six paires d'yeux revinrent vers Dominic.

— Vraiment ?

— Absolument. Katherine est vraiment excellente. Elle sait ce qu'elle fait. Allez, aide Nicole et nous allons leur montrer, ajouta-t-il en s'adressant à Kate.

Dominic pencha la tête, puis lui sourit.

— Tu as envie de l'aider ?

Après qu'il l'ait défendue avec autant d'ardeur, Kate était prête à faire à peu près n'importe quoi pour lui, ses paroles réchauffant encore son monde de quelques centaines de degrés.

— Bien sûr. Pas de problème.

— Voyons voir si nous pouvons battre ton oncle. OK ? dit-elle en souriant à Nicole.

— Julia avait l'habitude de jouer aux échecs avec toi, n'est-ce pas ? intervint insidieusement Charlie. Je me souviens qu'elle disait à quel point tu étais un bon joueur.

— En fait, elle ne jouait pas beaucoup, rétorqua froidement Dominic. Elle essayait d'apprendre.

Il se tourna vers Kate et sourit.

— Prête à me défier, chérie ?

À partir de ce moment, deux femmes furieuses se fondirent dans le décor.

Dominic et Kate jouèrent comme d'habitude de manière impitoyable, tous deux détestant perdre.

Comme les enfants jouaient avec Dominic depuis des années, ils étaient tous passionnés par la partie en cours, donnant des conseils, criant des directives, bondissant quand quelqu'un faisait un mouvement brillant. Même Ellie comprenait quand quelque chose de bien se produisait et elle souriait autour de l'oreille trempée de son ourson, le pouce dans sa bouche.

Vers la fin, Kate et Nicole jouaient sur la défensive avec leur roi et un cavalier, essayant d'éviter Dominic qui les poursuivait agressivement. Elles évitaient les problèmes, mais elles reculaient toujours et, à moins de sauver leur roi en lui faisant défendre sa position, il était inévitable que Dominic les mette en fin de compte échec et mat.

— Ça t'a pris passablement de temps, dit Kate en souriant.

— Tu es foutrement difficile à attraper, rétorqua-t-il en lui rendant son sourire. Je me demandais pendant combien de temps tu allais garder ton roi sur cette case.

Il ne se posait pas vraiment la question. Il savait qu'elle allait tenter une sortie. Katherine ne jouait jamais très longtemps sans prendre de risques.

— Une autre partie, une autre partie ! s'écrièrent les enfants.

— Nous ne pouvons pas, dit Dominic. J'ai promis à Katherine une promenade sur la plage ce soir. Nous jouerons une autre fois.

— Demain ! Tôt !

La clameur ne se tut qu'après un bref regard entre Dominic et Kate.

— Demain, mais pas tôt, les prévint Dominic. Nous allons vous envoyer un texto.

Mettant Kate sur pied, il se leva du lit et jeta un coup d'œil poli aux deux femmes qui faisaient la moue.

— Heureux de vous avoir revues, dit-il avant de se retourner vers les enfants. OK, les jeunes, pratiquez-vous tout seuls. Nous verrons qui va gagner demain.

— Un câlin ! Un câlin ! cria Ellie de sa petite voix aiguë en sautant sur la chaise d'où elle et son ourson en peluche avaient regardé la partie.

Dominic se pencha, prit l'enfant dans ses bras, la serra, l'embrassa, puis la déposa.

— À qui le tour ? demanda-t-il en regardant les autres enfants avec un léger sourire.

Ils voulaient tous des câlins, y compris les garçons qui essayaient de paraître adultes.

Même Nicole qui resta d'abord en retrait jusqu'à ce que Dominic lui lance un clin d'œil et qu'elle s'élance dans ses bras écartés.

— Nicole a presque dépassé l'âge des câlins, dit Dominic un moment plus tard pendant que Kate et lui franchissaient le corridor. Les jeunes grandissent vite. Je me souviens quand elle est née.

— Ils sont super. Crois-tu que tu aurais dû laisser Nicole gagner ?

— Tu l'aurais voulu ?

— Je ne sais pas trop, répondit-elle en haussant les épaules.

— Ton grand-père te laissait-il gagner ?

— Peut-être, de temps en temps.

— Alors, fais-moi signe la prochaine fois. Je peux faire ça. Tu vois, tu fais de moi une meilleure personne.

— Tu y arrives assez bien tout seul. Tous les enfants t'aiment.

Un silence étrange s'installa, la référence à l'amour illuminant tout à coup leurs cerveaux.

Ils commencèrent tous deux à parler en même temps.

— Toi d'abord, dit Dominic avec prudence.

— J'allais seulement dire que tu as laissé derrière toi deux femmes très déçues, dit Kate en écartant raisonnablement l'idée d'amour. Je pense qu'elles entretenaient des espoirs.

— Elles ne l'auraient pas dû.

— Elles étaient adorables.

Elles l'étaient vraiment. Parfaites d'une manière plastique.

— Si tu le dis, fit-il en haussant les épaules.

— Jusqu'à quel point tu les connais ? Oublie ça. Tu n'as pas à me le dire. Vraiment, je ne sais pas pourquoi j'ai posé la question.

— Oui, tu le sais. Parce que tu es jalouse comme moi. Et je déteste ça, maugréa-t-il. Ça me rend fou tout autant que toi. Écoute, je suis sorti avec elles quelques fois il y a des années. C'est tout.

— Dieu du ciel. L'espoir ne meurt jamais, alors. Ou bien viennent-elles de divorcer ?

— Aucune idée. Elles ne sont pas sur mon écran radar.

— Des amies de Melanie ?

— Plus ou moins, fit Dominic avec un léger soupir. Des femmes comme Charlie et Angela sont attirées par mon argent. Elles ne savent pas à quel point je suis ennuyeux. Le boulot, le boulot, et encore plus de boulot. C'est tout ce que je fais.

— Peut-être qu'elles aiment aussi ta queue.

Ce type de regard dur, possessif, qu'elle venait d'apercevoir chez les deux femmes ne concernait pas que l'argent.

— Ne nous engageons pas sur ce terrain, dit-il doucement en lui tendant la main tandis qu'ils atteignaient le haut de l'escalier. Ce qu'elles aiment n'a pas d'importance. Parlons d'autre chose.

— Allons-nous vraiment nous promener sur la plage ?

— Merci, dit-il en souriant. J'admire ta délicatesse. Et oui, si ça ne te dérange pas. J'aimerais te montrer mon pont.

— Ton pont ? fit-elle d'un air comique, le flirt toujours moins dangereux que l'émotion réelle.

— Il l'est quand je suis à la maison, répondit-il en affichant un sourire. Je veux que tu le voies. Maintenant, laisse-moi trouver Roscoe, ajouta-t-il en arrivant au bas des marches. Je vais lui dire quelques mots, puis nous pourrons partir — il jeta un coup d'œil à sa montre Santos — exactement au moment prévu.

Roscoe ne ressemblait en rien à ce que Kate avait imaginé. Elle savait qu'il était plus âgé, alors elle s'attendait à rencontrer un homme qui avait quelques kilos en trop, chauve ou grisonnant, avec quelques rides.

Il était vêtu d'un jeans et d'une chemise de soie grise à manches longues boutonnée au cou, ses cheveux blonds aussi longs que ceux de Dominic, son visage mince bronzé, et soit qu'il avait subi une bonne chirurgie esthétique, soit qu'il avait de bons gènes. Il ne paraissait pas plus de 40 ans.

— Alors, c'est vous la sorcière, dit-il d'un ton bourru quand Dominic la lui présenta.

— Tsut-tsut, Roscoe, Katherine est mon porte-bonheur. La vie est bien meilleure depuis que je l'ai rencontrée. Alors, sois gentil.

Toutefois, il l'était déjà. Roscoe avait modulé sa voix et adopté un ton plus tranquille que son habituelle vocifération.

— Merci d'avoir récupéré les 20 millions, dit-il en souriant.

D'après Dominic, Roscoe avait été marié deux fois. Elle comprenait pourquoi les femmes pouvaient l'aimer. Il avait un sourire vraiment charmant.

— C'était un plaisir.

— Vous devriez travailler pour nous.

— Je préférerais m'en abstenir, mais merci.

Il haussa les sourcils en direction de Dominic.

— Bon sang, qu'est-ce qui ne va pas chez toi, Nick ? Tu n'arrives pas à lui faire une offre qu'elle ne peut pas refuser ?

— J'essaie, Roscoe, mais elle se fiche de l'argent. Comment composer avec ça ?

— Je suis sûr qu'il te viendra une idée, murmura Roscoe. Si tu as une minute, j'aimerais te parler d'une chose ou deux.

Dominic posa sur Kate un regard interrogateur.

— Tu permets, chérie ? Cinq minutes ?

— Je vais aller retrouver Gretchen. Viens me chercher quand tu auras fini.

— Tu vois, Roscoe ? N'est-elle pas parfaite ? demanda-t-il en prenant Kate par les épaules et en lui faisant faire un demi-tour. Voilà Gretchen. Dans cinq minutes, je viens te chercher.

Kate se rendit d'abord à la cuisine parce que le martini de Po était comme le nectar des dieux et qu'elle en était devenue accro. Elle allait rejoindre Gretchen quand elle aurait eu son verre.

Mais elle venait d'atteindre le comptoir où se trouvait le barman et avait commandé son Martini quand une voix d'homme dit à son oreille :

— Dominic a énormément de goût, comme d'habitude.

Elle se retourna et vit un homme grand et bronzé aux cheveux pâles qui lui souriait, et elle se demanda si tous les amis de Dominic ressemblaient à des surfeurs californiens.

— Kip Watson, dit-il en inclinant la tête. Je ne peux vous dire à quel point je suis ravi de vous rencontrer.

Sa voix était douce et basse, une lueur espiègle dans ses yeux.

— Katherine Hart. Heureuse de faire votre connaissance également.

— Vous n'êtes pas de la région, dit-il en souriant. De Fargo ?

— Tout le monde dit ça. Je ne pense pas avoir un accent.

— Il est charmant. Ne le changez pas. Puis-je vous offrir un verre ?

— Je l'ai déjà commandé, merci.

— Vous êtes ici pour longtemps ? demanda-t-il tandis que son regard la parcourait de la tête aux pieds. C'est une sorte de prière. Dites-moi oui, fit-il avec un sourire lent et décontracté.

— Je n'en suis pas sûre, répondit-elle en secouant légèrement les épaules.

— C'est mieux qu'un non. Puis-je vous inviter à dîner un soir ?

— Non, tu ne peux pas, dit Dominic en arrivant et en glissant son bras autour de l'épaule de Kate. Elle m'appartient.

— Elle t'appartient ? demanda Kip en haussant paresseusement ses sourcils. Qu'est-ce que ça peut bien vouloir dire ?

— Ça veut dire « dégage », Kip, ou je te brise le cou, lança Dominic avec le même haussement paresseux des sourcils.

Kip lui adressa un sourire suffisant, un petit ton arrogant dans la voix.

— Tu n'es pas un quelconque ado sur la plage intimidant un jeune surfeur solitaire, Nick. Ce temps est depuis longtemps révolu.

— Je sais exactement où et qui je suis, répondit tranquillement Dominic, ses yeux bleus scintillants fixés sur Kip.

— Alors, tu ne vas rien me faire.

— Je ne compterais pas là-dessus.

— Ici ? Dans la maison de Mel ? C'est une blague ou quoi ?

— Ai-je dit que j'allais faire ça ici ? Je ne m'en souviens pas. Mais je me rappelle avoir dit que je te briserais le cou, si tu t'approchais de Katherine.

Dominic se pencha légèrement vers l'avant d'un air carrément agressif, sa voix d'une douceur mortelle.

— Et c'est une promesse. Alors, reste loin d'elle.

Kip demeura bouche bée tandis qu'une lueur de crainte traversait son regard comme une séquence de film en accéléré.

— Maintenant, fous le camp, dit Dominic très, très doucement.

Frappé de terreur, Kip ressemblait à un chevreuil paralysé par des phares de voiture.

— Tu as besoin d'aide ? demanda Dominic.

Les paroles murmurées agirent comme un coup de fouet.

Kip recula d'un pas, pivota sur lui-même et s'enfuit.

— Comment as-tu trouvé ça ? fit Dominic en frôlant de son nez la joue de Kate. Pas de scène. Je n'ai même pas élevé la voix.

Elle se tourna et leva les yeux vers lui.

— Lui briser le cou. Vraiment ? dit-elle d'un air légèrement surpris. Tu ne penses pas avoir réagi de manière un peu exagérée ?

— La plupart du temps, Kip est un connard, répliqua Dominic en fronçant les sourcils. Tu ne le connais pas comme moi. Ce n'était pas vraiment une invitation à dîner.

— J'aurais refusé.

— Il n'avait aucun droit de le proposer, répondit poliment Dominic.

— Tu ne peux pas menacer quiconque s'approche de moi.

Il le pouvait et il le ferait.

— Désolé, chérie, dit-il d'un ton plus léger. Peut-être que Kip m'a simplement énervé.

Il lui adressa un de ses regards obliques.

— T'es-tu beaucoup battu quand tu étais jeune ?

Il lui fallut un moment pour répondre, ses années d'adolescence complètement occupées : l'école, les sports, le sexe, le surf. Il avait toujours été débordé.

— Je ne dirais peut-être pas *beaucoup* de batailles, mais entre la franche hostilité à propos des questions familiales et les hormones en folie…

Il secoua les épaules.

— Je me suis battu une ou deux fois, poursuivit-il. Je n'étais pas le seul. Nous étions des ados. Quoi dire de plus ? Apparemment, il y avait toujours quelque mec sur la plage qui croyait avoir quelque chose à prouver. Et je jouais au football, alors j'ai cogné un peu ici et là, mais rien qui sorte de l'ordinaire. Je jouais aussi au baseball, mais ce n'est pas un sport de contact.

Il était hors de question qu'il mentionne le sexe à répétition — qui *était* un sport de contact.

— Je ne restais pas assis à ne rien faire, mais je n'ai jamais cherché la bagarre, si c'est ce que tu demandes.

Il lui servit son plus charmant sourire, celui qui suscitait la mauvaise humeur chez les femmes ; celui qui avait énormément servi.

— En avons-nous terminé, maintenant ? Suis-je assez normal pour ne pas te rendre nerveuse ? Pouvons-nous partir d'ici ?

Mais il leur fallut une autre demi-heure pour atteindre la porte parce que tous voulaient parler à Dominic ou voir de plus près la femme qu'il avait embrassée d'une manière si publique.

Il n'y avait pratiquement que des femmes qui voulaient lui parler, mais il évita la plupart avec un sourire et quelques brèves paroles jusqu'à ce que l'une d'entre elles lui saisisse fermement le bras.

Elle était comme tant de femmes ici ce soir : élégante, mince, bien habillée, bien coiffée, belle.

— Viens prendre un café un de ces jours, dit-elle dans un souffle. N'importe quand.

— Je vais voir ça avec Katherine, répondit Dominic en se libérant doucement de sa poigne. Elle s'occupe de notre emploi du temps. Comment vont Joe et les enfants ?

La femme ne sembla pas entendre ou comprendre.

— Tu me manques vraiment, murmura-t-elle.

— Merci, Bets. Je suis désolé, dit-il gentiment en s'éloignant vers la porte, mais nous devons partir.

Avant que Kate puisse comprendre que la scène à laquelle elle venait d'assister pourrait bien se reproduire pour elle bientôt, cette triste pensée se trouva balayée par le son d'une voix aiguë et familière.

— Tu devrais te faire couper les cheveux, Dominic.

Letitia Knight se tenait, rigide, entre eux deux et la porte, un air de dédain sur son parfait visage, ses ongles manucurés roses entrelacés à sa taille dans une pose rappelant la reine d'Angleterre prenant un bain de foule. Il ne manquait que la bourse.

Dominic s'arrêta net.

— Si je voulais une coupe de cheveux, mère, je m'en ferais faire une.

— Tu n'es plus un surfeur, répliqua-t-elle en reniflant.

— Qu'est-ce qui te fait penser ça ? lui répondit-il sur un ton plaisant.

Un regard bref, condescendant, dans la direction de Kate.

— Je vois que Mlle Hart te tient toujours compagnie.

— Oui, en effet. Je me sens très chanceux. Tu as quelque chose à l'esprit ?

— Charlie m'a dit que tu t'étais montré brutal avec elle.

— Et ça t'intéresse parce que… ?

— Parce que sa mère est une amie très chère. Je m'attends à ce que tu sois plus courtois.

— Ne t'attends à rien de ma part, mère. Nous n'en sommes plus là depuis des années. Maintenant, si tu veux bien nous excuser, nous partons.

Elle ne bougea pas. Dominic laissa tomber la main de Kate, marcha jusqu'à sa mère et lui dit tranquillement :

— S'il te plaît, mère, bouge.

Il pencha la tête, son regard complètement neutre.

— Tu te trouves sur mon chemin, ajouta-t-il.

Elle bougea.

— Bon choix, murmura-t-il.

Puis, il se tourna, se rendit à la penderie, en sortit le manteau de Kate, l'aida à l'endosser sous le regard glacial de Letitia et, sans un mot de plus à sa mère, il entraîna Kate jusqu'à la porte.

Un moment plus tard, ils se trouvaient à l'extérieur.

— Désolé à propos de ça, dit-il avec un petit soupir. J'espérais l'éviter.

— Ne sois pas désolé. Elle n'a aucune importance pour moi.

Il sourit.

— Un autre point sur lequel nous sommes d'accord, répondit-il.

Il leva les yeux.

— Salut, Leo. Tout est tranquille ?

Leo sortit de l'obscurité.

— Tout va bien, répondit-il.

— C'était une belle réception, mais nous préférerions tous deux être à la maison.

— Je ne peux pas vous le reprocher.

Dominic prit la main de Kate et commença à marcher.

— Nous irons sur le pont une autre fois, dit-il doucement en essayant d'oublier la confrontation avec sa mère, se demandant pourquoi elle l'avait irrité plus que d'habitude ce soir. Tout à coup, la maison a plus d'attrait.

— Tu n'as pas à me convaincre de rester à la maison. J'aime être seule avec toi.

Il exhala doucement.

— Même chose pour moi, chérie. Nous sommes tous les deux sur la même longueur d'onde.

« Sa mère a réussi à l'agacer », pensa-t-elle.

Pourquoi ne le ferait-elle pas ? C'était bien de balayer toute cette souffrance sous le tapis, mais elle refaisait surface de temps en temps. Ou elle était délibérément provoquée par Letitia Knight.

La vieille mégère sans cœur l'avait attendu.

CHAPITRE 19

— J'ai laissé nos téléphones cellulaires se charger dans l'autre pièce, dit Dominic quand ils entrèrent dans sa chambre à coucher. Je reviens tout de suite.

Quelques instants plus tard, il revint par la porte donnant sur son petit bureau, pieds nus maintenant. Il se rendit jusqu'au lit et tendit à Kate son téléphone cellulaire.

— Roscoe m'a dit qu'il y avait quelques courriels que je devais lire. Il a effacé ce qu'il a pu. Peut-être que Nana t'a laissé un message. Lui as-tu dit que tu étais ici ?

— Pas encore, répondit Kate en allumant son appareil.

— Le feras-tu un jour ? demanda-t-il, un grand sourire aux lèvres.

— J'y songe, fit-elle en levant les yeux au ciel.

— Dis-le-moi si je dois ajouter une remarque, la taquina-t-il.

Puis, il se laissa tomber sur le lit, tira quelques oreillers derrière sa tête, s'étira près de Kate et parcourut le reste de ses courriels. Il avait effacé celui que lui avait envoyé Leo à propos du moment et de l'endroit de son rendez-vous avec Gora.

— Wow ! J'ai une autre offre d'emploi ! s'exclama soudainement Kate.

Elle s'assit brusquement, fixa l'écran, lut le courriel en entier, puis tendit son téléphone cellulaire à Dominic.

— CX Capital a aimé mon travail à Singapour.

— Je n'en aurais pas douté, dit-il avec un sourire approbateur. Tu es la magicienne de l'informatique qui peut toujours trouver le pognon manquant.

Déposant son téléphone, il prit celui de Kate et lut le message qu'il avait attendu.

— Mes félicitations, dit-il en lui remettant son appareil. Le salaire est pas mal non plus.

— Il est énorme ! Enfin, pas si on le compare à l'idée que tu as de l'argent, dit-elle avec un petit sourire tout en se penchant et en déposant son téléphone cellulaire sur la table de chevet. Mais certains d'entre nous sont habitués à vivre de bourses d'étude et de nouilles ramen. As-tu vu qu'ils ont un appartement à sous-louer pour moi ?

— Ils te veulent vraiment, chérie. Bien que tu pourrais habiter ma maison de Londres, si tu le veux.

— Ne te fâche pas si je refuse. OK ?

— Je ne me fâcherai pas, Mlle Indépendante, dit-il en souriant. Tu vois, j'apprends. Alors, le travail qu'ils te proposent pourrait-il te plaire ?

— Tu parles ! Ils ont d'importantes failles de sécurité qu'ils doivent colmater. Est-ce que ce ne sera pas un plaisir ?

— Apparemment, acquiesça Dominic en riant.

— Je n'ai pas besoin d'être là avant la semaine prochaine, fit-elle doucement. J'en suis heureuse.

— Moi aussi. Nous avons encore quelques jours devant nous, alors, dit-il en l'attirant sur lui. Seulement nous deux.

Il leva la tête de l'oreiller, embrassa Kate et, se laissant retomber, il dit tranquillement :

— Je suis heureux pour toi, chérie.

— Merci. J'adore mon métier.

— C'est agréable, n'est-ce pas? dit-il en souriant. Je vais te conduire à Londres en avion. Dis-leur que tu n'as pas besoin d'un billet. Quand nous t'aurons installée, je devrai aller à Rome. Pour affaires, ajouta-t-il.

Sa rencontre avec Gora était prévue pour le mardi.

— Parce que tu as tout laissé en suspens pendant une semaine?

— Les choses peuvent attendre, acquiesça-t-il. Je préfère être avec toi pendant que je le peux. Surtout si tu vas te remettre à travailler.

En affirmant qu'il préférait être avec elle pendant qu'il le pouvait, toutes les inquiétudes de Kate se réveillèrent à propos du temps — ou plutôt de leur manque de temps, entente d'exclusivité ou non. Le fait d'aimer quelqu'un comme Dominic Knight comportait de grands dangers. Quoi qu'il dise, ses relations avec le sexe opposé étaient toujours sujettes à caution. Comme avec toutes les femmes qu'il avait poliment évitées à la réception ce soir. Et sa jalousie était comme un dragon cracheur de feu — loin de pouvoir être apprivoisé. Alors, même si elle savait qu'elle devrait probablement se retrouver seule, accepter sa place au sein des innombrables femmes qui avaient défilé dans la vie de Dominic et en remercier le ciel, elle dit :

— Qui est Bets?

— Pourquoi? demanda-t-il le regard clair, la voix douce.

— Parce que je l'ai entendue dire à quel point tu lui avais manqué. Voilà pourquoi.

— Il n'est pas nécessaire que je *te* manque, dit-il en éludant sa question. Tu n'as qu'un mot à dire et tu seras la bienvenue dans ma vie.

Il leva un bras et lui toucha la joue avec sa paume.

— Je ne sais pas combien de fois je devrai te dire ça, ajouta-t-il.

— Tu ne m'as pas répondu. Qui est-ce ?

— Bets est quelqu'un qui a besoin de quelqu'un, dit-il, le ton affirmatif de sa voix visant non pas à convaincre, mais à confirmer.

— Pas quelqu'un. Toi.

— Je n'y peux rien. Elle ne peut pas m'avoir, répondit-il en faisant lentement courir une main à travers les cheveux en désordre de Kate. Tu peux m'avoir, si tu le veux.

Elle prit une courte inspiration, se laissa rouler sur le côté, s'assit et lui adressa un sourire tremblant.

Il souhaita soudain de tout son cœur n'être jamais allé à la fête. Ou que Betsy n'y soit pas allée. Ou pouvoir trouver une excuse quelconque qui apaiserait Katherine. Son esprit était vide ; il devait être plus fatigué qu'il le pensait.

— Je sais qu'on n'est pas censé être faussement timide et qu'il ne faut pas brusquer les choses avec un joueur de ton calibre, dit Kate d'une voix très tranquille malgré son regard déterminé.

« Mauvais augure, pensa-t-il. Katherine déterminée. »

— Mais je n'ai jamais été faussement timide ou prudente, alors voilà. Je t'aime. Tu n'as pas à m'aimer en retour. Tu ne le pourrais probablement pas, même si je le voulais. Mais c'est tout ce à quoi je peux penser ; même si je sais à quel point c'est terriblement stupide d'aimer quelqu'un comme toi. J'ai toujours ça à l'esprit, chaque minute, chaque seconde, alors je te le dis.

« Ça n'avait rien à voir avec Bets. Ç'aurait été plus facile. »

Le silence s'étira.

— Dis quelque chose.

Il avait fermé les yeux.

— Que veux-tu que je dise ?

— Je crois avoir entendu cette réplique avant, mais ce n'est pas une question à choix multiples. Dis-moi ce que tu penses.

— Je pense que j'aimerais que tu ne me demandes pas de te dire ce à quoi je pense, répondit-il en souriant légèrement.

— Pourquoi ?

— Parce que je ne veux pas te mettre en colère.

Cette fois, elle eut un petit sourire.

— C'est mauvais à ce point ?

— Non, ce n'est pas mauvais. Rien n'est mauvais, en ce qui te concerne. C'est seulement que j'ignore ce que je pense. Mon cerveau ne fonctionne pas de cette manière.

— Es-tu mal à l'aise… incertain ?

Elle sourit de toutes ses dents, éprouvant une étrange satisfaction et un soulagement maintenant qu'elle avait fait ses aveux ; disparue la pression liée au fait de ne pas exprimer ses sentiments.

— Souhaites-tu que je me taise ?

— Oui.

Elle haussa les sourcils. Elle préférait savoir que ne pas savoir. Et ce n'était pas qu'elle envisageait sérieusement que Dominic lui propose le mariage.

— Oui à tout ça, ajouta-t-il.

Il émit un soupir presque inaudible, puis leva les yeux et lui jeta un long regard critique.

— Écoute, chérie, tu ne comprends pas, dit-il doucement, ses yeux bleus étonnamment ouverts maintenant. Personne ne demande jamais ce que je ressens. Et même si quelqu'un le faisait, je crois que ces portes sont fermées et verrouillées depuis longtemps. Je ne fais pas le tri dans mes sentiments ; j'ignore comment. Et de toute façon, ils n'ont rien à voir avec les gestes que je pose. Mes activités se fondent sur des décisions pragmatiques.

— Suis-je une décision pragmatique ?

— Je savais que tu allais dire ça, grommela-t-il en se passant la main dans les cheveux.

Il se frappa les jointures contre la tête de lit, les frotta machinalement, puis laissa retomber sa main sur l'édredon.

— J'ignore ce que tu es. J'ignore quel foutu jour on est quand je te baise ou que j'attends pour te baiser ou que je viens tout juste de finir de te baiser. Tu as complètement bouleversé ma vie. C'est la deuxième fois que je me suis éloigné de mon monde pour toi, en raison de toi... à cause de mon obsession pour toi. Alors, c'est peut-être de l'amour... je ne sais pas ce que ça signifie... mais je suis foutrement *engagé* si c'est ce que tu te demandes ; d'une manière que je n'ai jamais connue, auparavant.

Il la regarda d'un œil mauvais.

— Mais c'est tout ce que je sais. Ne t'attends pas à ce que je sache ce qu'est l'amour. Je l'ignore.

— Même avec ta femme tu n'as pas appris ce qu'était l'amour ?

Elle n'aurait pas dû dire ça ; elle le sut avant même que le corps de Nick se raidisse.

— Je ne parle pas de Julia, dit-il les lèvres serrées.

— Mais je veux le savoir, dit-elle sans ménagement en le fixant. Alors, tu ferais tout aussi bien de me le dire.

Il se tut pendant un long moment.

— Je peux attendre plus longtemps que toi, murmura-t-elle. Ou peut-être que je devrais commencer à me déshabiller.

Elle lui adressa un sourire impudent avant d'ajouter :

— Ça capte toujours ton attention.

— Bon sang, je ne sais pas pourquoi je te tolère, dit-il en lui jetant un regard méchant.

— Parce que je ne me roule pas à tes pieds comme le reste d'entre elles. Je te fais travailler pour obtenir ce que tu veux. Alors, dis-moi.

Elle le vit fermer les poings, le vit étirer largement ses doigts, songea qu'il essayait de décider du peu qu'il devait lui dire.

Il la regarda avec un malaise évident et quand il parla finalement, sa voix était si douce que Kate dut se pencher légèrement pour l'entendre.

— Je croyais savoir ce que ça signifiait que de désirer une femme. Être avec elle, faire des choses ensemble, aimer les mêmes gens, les mêmes activités, ne jamais se quereller. Je ne savais pas que ça pouvait être comme ça, comme ça l'est avec toi.

Il prit une inspiration avant de poursuivre.

— Julia était ma meilleure amie, ma compagne. Tu es mon obsession, ma folie, mon rêve éveillé. Alors, si tu te demandes ce que j'éprouve ? Je suis ici alors que je pourrais être à des milliers d'autres endroits.

Un muscle tressaillit le long de sa mâchoire.

— Ce que j'ignore, c'est combien de temps je vais éprouver ces sentiments. Si ceci — nous — va durer. Si nous éprouverons la même chose l'un pour l'autre au même moment ; demain, la semaine prochaine, n'importe quand. Tout ça, ça fait partie de l'inconnu et je compose mal avec l'inconnu. Aussi, tu es très jeune. Tu n'as pas beaucoup vécu, beaucoup fait d'expériences, alors que je me suis livré à presque tous les excès, que j'ai vécu une vie sans contraintes. Et tout en n'étant pas complètement altruiste, je tiens compte de ton innocence. Le fait que je pourrais être en train de profiter de cette innocence représente un facteur. Tu devrais avoir des choix. Et je ne suis pas certain de vouloir te les donner.

— Tu as terminé, maintenant ?

— Je crois, répondit-il en haussant les épaules.

— OK. Deux choses. Premièrement, je ne t'aime pas gentiment, comme quelque héroïne de Jane Austen qui va dépérir si tu pars. Je trouverai quelqu'un d'autre. Tout le monde le fait. Mais en ce moment, à cette minute précise, je t'aime comme si j'étais en feu ou dans l'œil d'un ouragan ; je t'aime sauvagement, peut-être même violemment. Je ne suis pas une Bets, quoi qu'elle ait en tête. Mais ne va pas croire que tu ne me manquerais pas terriblement. Ça m'est arrivé la dernière fois. Toutefois, je ne t'aurais pas pourchassé. Je n'aurais tout simplement pas pu. Si tu ne veux pas de moi, je me dis que c'est tant pis pour toi.

Elle sourit.

— Arrogante, non ? Mais tu sais tout à propos de l'arrogance, n'est-ce pas ?

— Probablement, répondit-il avec un petit sourire. J'ai l'impression que tu as bien réfléchi à tout ça ?

— Je songe à te le dire depuis un bon moment. Et ce soir, en regardant toutes ces femmes qui voulaient se faire remarquer par toi, que tu leur parles, que tu leur accordes un sourire, j'ai compris que si tu ne voulais pas de moi, je ne pouvais pas t'y obliger.

Elle baissa légèrement les cils.

— Tu vois, je suis peut-être pragmatique moi aussi. En ce qui concerne la deuxième chose, je suppose que nous avons, quoi, trois, quatre jours de plus pour nous amuser. Alors, je suis prête à laisser de côté l'idée d'amour si tu me dis ce que tu vas faire pour moi — elle battit rapidement des cils en une parodie de flirt — *immédiatement* ?

Il éclata de rire, roula sur lui-même, l'attrapa et la ramena sur son long corps mince et puissant.

— J'ai quelques idées en tête, murmura-t-il. Intéressée ?

— Tu parles. Je suis comme toi. Je préfère baiser que parler, dit-elle en souriant. Mais je veux seulement clarifier la situation, apaiser le tumulte dans mon cerveau, éteindre cette mèche qui brûle depuis longtemps avant que la poudre n'explose. Et maintenant, ronronna-t-elle, vas-tu me divertir ?

— Nous allons faire de notre mieux, chérie.

Il lui donna un rapide baiser, la souleva, puis la laissa tomber sur le lit.

— Je reviens tout de suite, dit-il en ayant l'impression qu'il pourrait escalader 10 montagnes et continuer, se sentant invincible. Soit dit en passant, je suis d'humeur possessive en ce moment, ajouta-t-il par-dessus son épaule. Je dis ça comme ça.

— Ça m'intrigue.

— Heureux de l'entendre. Parce que tu n'as pas le choix.

Quand il revint dans la chambre, Kate leva les bras et eut un large sourire.

— Tu n'as qu'à rester debout là. Je peux venir seulement en te regardant.

Dominic avait retiré son chandail et, ne portant que son jeans noir, il représentait ce genre de plaisir pour les yeux aux larges épaules et aux muscles durs qui pourrait provoquer des orgasmes spontanés.

Il lui tendit ses mains fermées pour lui montrer qu'il tenait quelque chose et continua de marcher.

— Tu vas jouir encore mieux avec ça.

Il atteignit le lit et s'assit près d'elle.

— Voici les accessoires pour la soirée.

Il ouvrit les mains et laissa tomber plusieurs articles sur le lit.

— Tu pourras les évaluer pour moi plus tard.

— Dieu du ciel, je ne sais pas si je devrais être excitée ou nerveuse.

Ignorant son commentaire, il indiqua du doigt la pile d'objets sur le lit.

— Tu as besoin que je te décrive leur usage ?

Elle prit une courte inspiration.

— Seulement ceux-là, fit-elle en indiquant trois objets sertis de pierres précieuses.

Elle n'avait pas besoin d'explication pour le foulard de soie, le pinceau doux, le godemiché de caoutchouc et le lubrifiant. Les deux bracelets ne ressemblaient qu'à des bracelets et le collier de perles semblait tout aussi inoffensif.

Il prit un des bracelets en or de 2 centimètres de largeur, ouvrit la charnière, tourna à demi le fermoir de diamant et en sortit une chaîne en or de 10 centimètres. Faisant de même avec le 2e bracelet, il vissa ensemble les deux fermoirs de diamant, étira la chaîne de 20 centimètres maintenant, referma les charnières et lui montra la paire de menottes très dispendieuses.

Il eut un petit sourire.

— Leur fonction est claire ?

Elle passa un doigt à l'intérieur des bracelets et leva les yeux.

— Vanité ou arrogance ?

Il y était inscrit en gros caractères *Propriété de Dominic Knight* et, en plus petits caractères, mais tout aussi lisible, *Rapporter pour récompense.*

— La récompense, c'est pour me rapporter ou les bracelets ?

Il secoua les épaules.

— Je protège seulement mes intérêts, dit-il de manière ambiguë plutôt que de répondre. Je t'ai dit que j'étais d'humeur possessive.

— Bon Dieu, tu permets ? C'est beaucoup plus qu'être possessif.

— Ça n'a jamais représenté un problème pour toi, auparavant, dit-il d'un ton délibérément neutre.

— Je n'ai jamais vu un tel degré de présomption, auparavant.

— Je vais garder ça à l'esprit.

— Et je vais garder à l'esprit que je peux dire non.

— Si tu le veux, mais peut-être que tu ne le voudras pas, dit-il en souriant.

« Il a dit ça d'une façon beaucoup trop confiante », songea-t-elle.

— Alors, dis-moi, M. Propriété de… combien de ces trucs as-tu achetés dans le passé ?

— Il n'y a pas de passé, chérie. Seulement ceux-là. C'est tout. Tu es mon Saint Graal.

Elle haussa légèrement les sourcils.

— Me pardonneras-tu si je ne te crois pas ?

— Je te pardonne, mais c'est la vérité.

Auparavant, on lui avait fourni des produits sur le marché pour ses plaisirs sexuels, tout comme on lui avait fourni des femmes. Il n'avait jamais rien acheté lui-même.

Brièvement réduite au silence par la franchise de son ton, elle lui jeta un regard pendant que d'étranges émotions chimériques l'envahissaient, certaines belles, certaines excitantes, l'odeur de Nick surchargeant tout à coup ses sens. Elle sentit sa peau lui picoter, ses paumes se couvrir de sueur et, vaguement mal à l'aise à propos des compromis que son corps était en train de faire si rapidement, elle fit un geste en direction du collier.

— Si on oublie nos différences, à quoi sert ce truc ?

Saisissant la mince chaîne dorée, il fit courir ses doigts le long d'un pendentif fait de cinq grosses perles séparées par de plus petites, puis tordit le pendentif pour en montrer la souplesse. Il sourit.

— Ces perles sont pour ton cul virginal.

— Non-non. Garde ça pour quelqu'un d'autre, fit-elle en secouant furieusement la tête.

— Mais je les ai fait faire pour toi.

— Alors, rapporte-les. Je refuse catégoriquement. Tu me prends à tort pour une de tes dames rémunérées.

— C'est peu probable, chérie, dit-il avec un sourire. Elles ne rétorquaient pas.

Puis, il lui adressa un de ses regards du genre qui laissait entendre qu'elle devait avoir été enfermée dans un couvent pendant les 20 dernières années sans un collier de perles parce que, même là, il connaissait les culs virginaux.

— Tu devrais l'essayer, dit-il d'une voix suave. Tu pourrais aimer ça. Souviens-toi que je t'ai déjà entendue dire non juste avant d'ébranler la maison avec tes cris de jouissance.

— Ne prends pas cet air si suffisant.

Mais son cœur commençait à battre la chamade parce que son sourire était vraiment effronté.

— Ce truc est complètement différent, ajouta-t-elle.

— Je pourrais t'y obliger, dit-il en la fixant des yeux. Tu aimes quand je te fais faire des choses.

Le timbre profond de sa voix et le souvenir torride que renfermaient ses paroles titillaient sa libido. Elle pouvait sentir son sexe se mouiller.

— Bon Dieu, ne me regarde pas comme ça, dit-elle en essayant de ne pas paraître haletante. Je ne *veux* pas, OK ? Il y a plein d'autres choses que j'*aime* faire.

Il sourit de toutes ses dents en songeant à quel point il était chanceux de l'avoir, à quel point elle était foutrement baisable.

— Ouvre ton esprit, chérie.

— Je le ferai aussitôt que tu ouvriras le tien à propos de tes sentiments. *Comprende* ?

Elle lui adressa un doigt d'honneur, sauta du lit et courut à la salle de bain.

— Ou dès que nous laisserons tomber le sujet de mon cul virginal, hurla-t-elle en refermant à toute volée la porte de la salle de bain et en la verrouillant.

Quelques secondes plus tard, il frappait du poing sur la porte. Mais ce n'était ni fort ni violent; c'étaient des coups faibles et réguliers, comme les tambours africains envoyant un message dans la jungle sombre, chuintante. Comme s'il savait que le message serait reçu. Comme s'il savait que ce n'était qu'une question de temps avant qu'elle ouvre la porte.

Quand elle finit par le faire, il se tenait devant.

— Salut.

Il eut un sourire lent, sexy et entendu.

Le son du petit mot accueillant se réverbéra dans tout son corps.

— Un compromis?

Elle acquiesça de la tête.

Il lui tendit une main et elle alla vers lui.

Il l'entraîna jusqu'au lit où ils s'assirent, leurs doigts entrelacés, leur position côte à côte semblable à la version chambre à coucher d'*American Gothic*.

Elle émit un petit sourire et il la regarda.

— Toi d'abord, dit-elle.

— Accorde-moi cinq minutes avec les perles.

— Alors, j'aurai cinq minutes avec ce que je veux?

Il inclina la tête.

— Tu ne demandes pas quoi?

— Je devrais?

— Il ne s'agit pas de sexe.

Il resta immobile pendant un moment.

— Je suppose que je n'ai pas besoin de me demander ce que c'est?

— Pas si tu écoutais quand j'ai sauté du lit.

— Oh, je m'en fiche, dit-il, amusé.

— Jusqu'à quel point ça peut être difficile ?

Mais il précisa que ses cinq minutes n'allaient pas comprendre que les perles. Parce que, même s'il ne l'avait pas mentionné, il devait s'assurer que Katherine soit si assoiffée de sexe, si mouillée et excitée, si débordante de désir et près de la jouissance qu'elle ne reculerait pas.

Il la fit tenir debout entre ses jambes où il la déshabilla lentement, retirant sa blouse, détachant son jeans, le laissant glisser avec la mince culotte de dentelle le long de ses hanches et de ses jambes.

— Maintenant, enlevons ce soutien-gorge inconfortable, dit-il avec un sourire en tendant les mains derrière elle et en le dégrafant. Mes nichons qui ont si longtemps souffert qu'ils ont besoin de se faire consoler.

Elle soupira doucement quand ses seins se libérèrent et elle s'étira doucement.

— Tu n'aimes vraiment pas les soutiens-gorge, n'est-ce pas ?

— Pas plus que tu n'aimerais tes couilles coincées dans un support athlétique.

— Alors, je devrais être plus compréhensif ? fit-il en éclatant de rire.

— Mes nichons le souhaiteraient, oui.

— Rabat-joie, murmura-t-il avec un sourire de travers. Mais je suppose que je devrais m'excuser auprès de mes nichons.

Il lui agrippa la taille et l'attira encore plus près.

— Je vais encore mieux les embrasser pour cette raison, murmura-t-il en se redressant de sorte que son souffle réchauffait le mamelon de Kate, puis s'ensuivit la chaleur de sa langue et, entourant son sein de ses mains, il le tira vers lui, prit le mamelon dans sa bouche et le suça pendant de longs, infinis moments.

Jusqu'à ce qu'elle sente ses seins gonflés et que chaque petite succion de sa bouche, peu importait à quel point elle était douce, irradiait dans tout son corps, chaude et délicieuse, jusqu'à la profonde, puissante pulsation douloureuse entre ses jambes.

Kate gémit, bougea frénétiquement ses hanches, folle de désir, glissa ses doigts dans les cheveux de Dominic, pressant sa tête contre son sein, désirant davantage, le désirant au plus profond d'elle. Mais il inséra plutôt le godemiché dans sa fente humide et elle geignit de désir, de déception, submergée par la sensation, se sentant tout à la fois punie et ravie.

Mais à quelques secondes de son orgasme, quand elle pouvait déjà se sentir grimper vers le sommet, il laissa tomber ses mains et s'écarta.

— Entracte, chérie, dit-il calmement. L'acte deux s'en vient.

— Je vais te tuer, siffla-t-elle en tendant la main vers le godemiché.

Il l'arrêta.

— Tue-moi plus tard, dit-il en lui saisissant les poignets, les ramenant ensemble sur son estomac et les tenant immobiles d'une main. Quand ce sera ton tour.

Il prit les bracelets d'or, les referma sur ses poignets et vérifia que les deux chaînes étaient bien accrochées avant de la relâcher.

— Prologue à l'acte deux, chérie. Ça t'excite d'être ma prisonnière ? Il n'y a pas de doute, en ce qui me concerne. Et tes mamelons sont vraiment énormes après tous ces soins.

Il tendit la main et caressa les extrémités enflées.

— C'est bon ? dit-il inutilement pendant qu'elle gémissait doucement.

Elle était complètement excitée avec le godemiché profondément enfoncé en elle, fiévreuse et enflammée et si foutrement proche de se trouver là où elle voulait être qu'elle pouvait presque mesurer la distance précise jusqu'à l'exutoire charnel. Mais l'extase lui échappait, tout juste inatteignable, le désir fou faisant trembler tout son corps, douloureux, enivrant, dépassant tout souvenir de besoin antérieur.

Mais Dominic, comme à l'habitude, maîtrisait la situation.

Quand la respiration de Kate se fut calmée, il enfonça plus profondément le godemiché, puis davantage encore, surveillant minutieusement sa réaction, ses gémissements, ses geignements, la façon dont elle bougeait les hanches chaque fois qu'il poussait, comment la tension augmentait dans son corps.

— Tu t'amuses ? demanda-t-il avec un petit sourire.

Tout d'abord, elle ne l'entendit pas, alors il cessa son mouvement.

Elle écarquilla les yeux, étonnée.

— Je me demandais si tout allait bien jusqu'ici, dit-il d'une voix douce en traçant des cercles de son index sur son clitoris.

Le corps tout entier de Kate tressaillit, le plaisir inonda ses sens et elle gémit doucement.

— Tu veux venir, n'est-ce pas ? murmura-t-il en tapotant gentiment son clitoris palpitant.

Immédiatement, les premières ondes préorgasmiques irradièrent à travers son ventre, grimpèrent le long de son échine, firent se serrer son sexe et elle poussa sur la main de Dominic.

— Pas encore, chérie, fit-il en posant une main sur la hanche de Kate. Tu n'es pas tout à fait prête.

— Je ne peux plus attendre, souffla-t-elle, tremblante de désir.

— Bien sûr que tu le peux.

Et il retira le godemiché.

Elle hurla de dépit, lui jeta un regard furieux, puis dit entre ses dents :

— Espèce de salaud.

— C'est vrai, rétorqua-t-il en souriant, mais nous ne laisserons pas ça se mettre en travers de notre chemin.

Il descendit du lit, l'embrassa tendrement en guise d'excuse, puis murmura :

— Ça devient meilleur par la suite, chérie.

Il la serra, son corps nu pressé contre le sien, ses mains menottées rappelant à chaque instant sa soumission, le pouvoir qu'il exerçait sur elle, la dynamique saisissante qui les tenait tous deux en servitude. Faisant glisser ses mains vers le bas, il releva les mains liées de Kate et referma ses doigts sur son pénis sous son jeans.

— Caresse-moi, dit-il d'une voix rauque. Durement.

Penchant de nouveau la tête, il fit lentement glisser sa langue sur les lèvres de Kate, avança les hanches et l'embrassa lentement, profondément.

Haletant légèrement dans la bouche de Dominic, souhaitant désespérément l'extase, elle fit remonter ses doigts le long de son érection comme il le lui avait ordonné, frotta ses paumes sur le gonflement rigide de sa queue. Inhala son doux gémissement et lui mordit délibérément la langue. Seulement pour lui rappeler qu'elle avait son mot à dire dans ce jeu.

Goûtant le sang dans sa bouche, il s'écarta et soutint son regard de défi.

— Faisons-nous ça à la dure, chérie ? Seulement pour savoir.

— J'aimerais que pour une fois nous le fassions tout simplement au cours de cette foutue année, siffla-t-elle.

— N'apprendras-tu jamais à être patiente ? demanda-t-il en affichant un sourire.

— À peu près au même moment où tu apprendras qu'il existe un mot appelé « amour ».

Il devint complètement immobile.

Elle rit.

— Bon Dieu, Dominic, est-ce vraiment si effrayant ? Tu peux toujours changer d'avis, tu sais.

La voix de Dominic s'adoucit.

— Tu aimes me provoquer, n'est-ce pas ?

— Tu le fais avec moi. Je veux venir et tu prolonges le moment.

— Alors, faisons ça, chérie.

Il la prit et l'assit sur le lit.

Elle leva les yeux vers lui.

— N'oublie pas que je dois avoir mes cinq minutes.

— Je ne l'ai pas oublié, répondit-il avec un sourire pervers. Tout de suite après moi.

Saisissant ses poignets menottés, il glissa son autre main dans le dos de Kate et l'étendit sur le lit. Puis, il la fit rouler sur le côté de façon à ce qu'elle se trouve face à lui, plaça ses mains menottées sur sa taille, tira un oreiller sous sa tête et la parcourut des yeux avec un léger sourire.

— Superbe, chérie. Es-tu confortable ? Tout va bien ?

— Tu t'amuses, n'est-ce pas ?

— Pas encore, mais je devine que ça s'en vient, répondit-il en souriant de toutes ses dents.

— N'oublie pas qu'il y a une limite de temps.

— Ne t'en fais pas, tu n'auras pas à attendre une année.

— Ce n'est pas ce que je voulais dire.

— Tu n'es pas vraiment en position de donner des ordres, chérie, dit-il en lui lançant un clin d'œil. C'est moi qui vais le faire.

Immédiatement, ses terminaisons nerveuses commencèrent à frémir, une palpitation insistante se mit à pulser en elle, comme si

Dominic n'avait qu'à la regarder avec cet absolutisme nonchalant que son corps percevait comme la plus douce des tyrannies pour qu'elle se mette à fondre.

— Tu vas bientôt me remercier, chérie. Je le sais, dit-il en souriant.

Elle essaya d'ignorer les ondulations de plaisir qui échauffaient ses sens et était à la fois horrifiée et excitée devant le pouvoir désinvolte qu'il exerçait sur elle.

— Peut-être pas, dit-elle en essayant de parler d'un ton normal. Ça dépendra de ce que tu feras.

— Ne t'inquiète pas, chérie, dit-il plaisamment en regardant le rouge lui monter aux joues. Tu vas me remercier.

Se laissant tomber à genoux à côté du lit, il l'embrassa doucement, puis s'écarta et la regarda un moment, les lèvres légèrement plissées.

La respiration de Kate s'accéléra. Il la rendait nerveuse.

— Il vaudrait mieux que ça ne fasse pas mal, l'avertit-elle.

Le silence se prolongea, et elle était sur le point de lui dire qu'il n'en était pas question quand Dominic cligna des yeux.

— Tu es magnifique, chérie, dit-il doucement. Et je ne vais pas te faire mal. Je ne ferais jamais ça, dit-il en lui caressant la joue. Nous allons essayer quelques préliminaires traditionnels d'abord. Calme-toi. Ça te va comme ça ?

Son cœur battait à tout rompre ; elle se mordit la lèvre.

Il ne bougea pas, à l'exception d'un sourcil qu'il souleva à peine.

— OK, murmura-t-elle.

Le sourire qu'eut Dominic était incroyablement mignon et imprégné d'un certain soulagement.

— Merci.

Puis, sa bouche se tordit en son sourire plus familier de prédateur.

— *Tu* pourras me remercier plus tard.

Prenant le godemiché, il fit courir son doigt le long du sexe moite de Kate et leva les yeux.

— Je pense que nous pouvons garder le lubrifiant pour plus tard.

Elle prit une inspiration avant de répondre, la sensation de son doigt encore tremblante à travers son corps.

— Ça représente un problème ? demanda-t-elle.

Il parut amusé.

— Certainement pas. C'est un de tes nombreux charmes, chérie.

Enfonçant le godemiché en elle, il attendit qu'elle reprenne son souffle et qu'elle ouvre les yeux avant de bouger sa main. Puis, il retira lentement l'instrument, l'enfonça de nouveau, observant Kate tandis qu'elle gémissait doucement et adoptait sa cadence — à l'intérieur et à l'extérieur, d'un côté et de l'autre, se concentrant délibérément sur son point G pendant de longs moments. Elle recommença vite à haleter.

— Ça va jusqu'ici ?

Il lui souleva le menton avec un doigt, soutint son regard et lui adressa un sourire moqueur.

— Incline la tête, si tu n'as pas envie de parler.

— N'oublie… pas l'A-M-O-U-R, haleta-t-elle en le regardant directement dans les yeux tout à fait en mesure de soutenir ses sourires moqueurs. Bien que… je m'attends… à de vrais mots. Un hochement de tête ne…

Il déplaça légèrement la main de sorte que le godemiché se trouva fermement appuyé contre son point G et il la regarda frémir.

— Ne parle pas, dit-il. Maintenant, ferme les yeux.

— Tu n'aimes pas que je te regarde d'un air fâché ?

Il sourit.

— Bon Dieu, qu'est-ce que tu ne comprends pas quand je te dis de ne pas parler ?

Elle lui tira la langue.

— N'importe quand, chérie.

Il posa la main sur sa braguette.

Elle lui montra les menottes et dit :

— Je suis un peu… occupée… en ce moment.

Il se pencha pour l'embrasser.

— C'est comme ça que je t'aime, dit-il contre sa bouche. Occupée à ma façon.

Il enfonça encore plus le godemiché et, tandis qu'elle gisait frémissante, il lui posa le foulard de soie sur les yeux et le noua derrière sa tête.

— Dis-moi si tu ressens les choses plus intensément, maintenant.

— J'ai encore envie de te tuer.

Mais sa voix était saccadée et de minuscules ruisseaux nacrés coulaient le long de ses cuisses.

« Bon sang, ce qu'elle est désirable », pensa-t-il.

Dans une autre vie, il lui aurait sauté dessus sans hésitation. Ses vieilles habitudes lui tournant dans la tête, il prit une profonde inspiration pour se retenir, compta lentement jusqu'à 10 pour atténuer le pire de ses impulsions.

— Accorde-moi une minute, chérie. Je vais te faire changer d'avis, dit-il doucement en enfonçant juste un peu plus le godemiché et en le mettant bien en place. Je suis bon à ça.

Tandis qu'elle gémissait en réaction à l'extase qui enflammait ses sens, Dominic remonta ses seins généreux jusqu'à ce que ses bras les encadrent parfaitement et que ses mamelons soient complètement accessibles. Puis, il frotta le pinceau sur le lubrifiant à odeur de jasmin et en frotta la douce extrémité en poil de zibeline autour de ses mamelons, les regardant se gonfler, prenant son temps, la repoussant quand elle arquait le dos, tendue et avide, le suppliant de lui en donner davantage.

— Tu es toujours pressée, chérie.

Il fit glisser le pinceau sur le renflement d'un sein, le long de la vallée profonde entre les deux, l'entendit retenir son souffle et murmura :

— Détends-toi. Ça devient meilleur.

Agitée et frustrée, se sentant douloureuse, souhaitant à tout prix l'orgasme, elle secoua violemment la tête.

— Laisse-moi venir, gémit-elle. Tu n'auras rien à faire pour moi ensuite. Tu n'auras pas à parler de quoi que ce soit. S'il te plaît, Dominic ! Oh, s'il te plaît !

— Il est trop tôt, chérie, murmura-t-il en lui pinçant un mamelon jusqu'à ce qu'elle crie avant de le relâcher. Fais-moi confiance.

Elle poussa un gémissement alors que le sang affluait encore dans son mamelon et la douleur fit place à un sursaut de plaisir, chaque sensation plus intense avec ses yeux bandés, chaque désir plus explosif. Elle serra les jambes en essayant de provoquer elle-même son orgasme.

— Ne fais pas ça.

Lui écartant de force les jambes, Dominic souleva sa cheville pour la poser sur son bras gauche et, en se penchant, il utilisa l'autre main pour frotter l'extrémité du pinceau sur sa chair tendue encadrant le godemiché. Il le fit monter et descendre, tourner encore et encore, pendant qu'elle se tortillait et gémissait et que son corps tout entier commençait à trembler. Puis, sans avertissement, il retira sa cheville de sur son bras et plaça son pied sur le lit.

— Pense à quelque chose d'apaisant, chérie.

— Je ne peux pas, sanglota-t-elle.

— Essaie cet « OM » bouddhiste.

— Vas te faire foutre, répondit-elle, haletante, tellement à bout de nerfs et fiévreuse que son corps était recouvert d'une fine pellicule de transpiration.

— Chaque chose en son temps, dit-il. Mais pas maintenant.

Agrippant ses mamelons entre ses pouces et ses index, il les étira doucement jusqu'à ce qu'elle pousse un cri.

— C'est trop ?

Il ouvrit les doigts, regarda sa chair tendue se contracter, entendit son petit gémissement fiévreux et prit ses gros seins entre ses mains.

— Tes nichons sont gonflés et lourds.

Il se pencha et lui mordilla l'oreille.

— Mais ton corps n'est pas complètement préparé au plaisir maximum, murmura-t-il. Quand tu atteindras ce moment, chérie, tu seras prête à n'importe quoi.

Elle n'aurait jamais cru qu'elle lui permettrait n'importe quoi sans condition. Et pourtant, elle était tellement excitée maintenant, si totalement consumée par le désir, que les paroles de Dominic lui semblaient une promesse de plaisir plutôt qu'une menace. Et un moment plus tard, quand il glissa son doigt pardessus le godemiché pour exposer son clitoris, puis qu'il passa légèrement l'extrémité du pinceau sur celui-ci en de lents mouvements de spirale, à demi délirante, tremblant de tout son corps, elle s'écria :

— S'il te plaît, Dominic. Ne me fais pas attendre. Je suis prête maintenant pour quoi que ce soit que tu veuilles faire.

Combien de fois, pendant combien d'heures et de jours, de semaines, de mois et d'années avait-il pratiqué ces jeux charnels ? Et pourtant, quand Katherine s'offrait si complètement à lui, tous ces anciens jeux vicieux s'évanouissaient de son souvenir. Il se pencha, embrassa tendrement ses lèvres tremblantes.

— Je vais y aller très lentement, murmura-t-il. Nous allons prendre notre temps.

Recouvrant les perles de lubrifiant avec le pinceau, il ajouta d'une voix suave :

— Tu vas d'abord sentir le pinceau.

Il glissa sa main sous le genou droit de Kate, le souleva, puis plaça son pied sur le lit pour avoir un meilleur accès. Frottant le pinceau sur le lubrifiant parfumé, il en fit glisser l'extrémité en de lents cercles sur et autour de son orifice vierge tandis qu'il manœuvrait le godemiché lentement, doucement, ciblant son point G pendant de brefs moments, puis l'en écartant, sachant que les perles augmenteraient la pression sur l'instrument et sur son endroit préféré. Et quand elle devint délirante de plaisir, haletante, assoiffée de sensations, le rouge de l'excitation s'étendant sur sa poitrine et sa gorge, il inséra la première perle lubrifiée dans l'ouverture délicate, entendit son gémissement impuissant se transformer en un lent murmure de plaisir et, quelques secondes plus tard, inséra la perle suivante… puis l'autre. Une autre, et une autre encore. Jusqu'à ce que toutes les cinq se retrouvent bien nichées en elle.

Elle était comblée comme elle ne l'avait jamais été auparavant, le plaisir interdit terriblement excitant, le godemiché bougeant d'un côté, et les perles, de l'autre. Se tortillant sous cette invasion renversante, émettant de petits cris aigus, si près de l'orgasme, la rougeur montant de sa gorge à son visage signala l'arrivée imminente de l'orgasme.

S'apercevant qu'elle était au bord du précipice, Dominic lui retira son bandeau, prit son visage entre ses mains, se pencha tout près et murmura :

— Tu m'appartiens, chérie. Chaque souffle. Chaque battement de cœur. Chaque précieuse partie de toi.

Elle secoua la tête et ses lèvres formèrent un non, mais elle était si proche de l'orgasme, si affamée de désir, qu'elle n'avait pas assez de souffle pour parler.

Il s'écarta, fit courir son doigt sur sa bouche.

— J'ai besoin d'un oui, chérie. Tu sais ça ?

Il n'eut pas à ajouter « sinon ». Elle se tendit.

— Tu es mienne, chérie ; propriété de Dominic Knight, dit-il en lui caressant la joue. N'est-ce pas ?

Elle inclina la tête.

— Voilà, chérie, fit-il en souriant. Le temps est venu de se laisser aller.

Glissant sa main entre ses jambes, sachant qu'à cette étape de son excitation, s'il retirait une perle, la sensation incroyable allait déclencher son orgasme, il fit exactement ça.

Il enroula la mince chaîne d'or autour de son doigt et tira.

Son orgasme explosa immédiatement, sauvagement, bruyamment, son hurlement brisant le silence. Pendant qu'il retirait lentement chacune des autres perles, les nerfs de Kate, déjà totalement à fleur de peau, se trouvèrent encore plus stimulés et le plaisir s'amplifia, se magnifia en une folle cascade de sensations incomparables qui continuèrent si longtemps et avec une telle intensité qu'elle en demeura pâle et tremblante.

Ce n'est qu'après que son dernier spasme mourut qu'il retira le godemiché. Puis, la prenant dans ses bras, il l'assit sur ses genoux et l'embrassa tendrement jusqu'à ce qu'elle cesse de trembler.

— Tu es incroyable, Katherine, murmura-t-il son souffle chaud contre sa joue, ayant l'impression que tous ses sens étaient intensifiés, comme s'il venait de jouir lui-même.

C'était à la fois énervant et fantastique.

Comme une si grande part de leur relation.

Il sortit de sa rêverie quand elle lui tapota la poitrine avec les menottes.

Détachant les bracelets, il les laissa tomber sur le lit.

— Ça va ? demanda-t-il en penchant la tête et en croisant son regard. Aucun dommage ?

Elle lui adressa un sourire de ravissement.

— Tout va bien. C'était intense. Tu es vraiment comme Svengali. Je te déteste et je t'aime en même temps.

Son sourire s'élargit tout à coup.

— Mais tu sais ce qui s'en vient maintenant, n'est-ce pas ?

Elle glissa de sur ses genoux jusqu'au pied du lit et, croisant les jambes, elle essaya de ne pas prendre un air arrogant.

— C'est mon tour.

Il se sentait si bien, pour des raisons inconnues ou pour des raisons qu'il lui était auparavant impossible d'admettre, qu'il ne rechigna même pas, bien qu'il sût à quoi s'attendre. Surtout alors qu'elle avait nonchalamment parlé d'amour. Il se tourna pour lui faire face, se laissa glisser contre la tête de lit, s'installa confortablement et s'étira les jambes.

— Fais de ton pire, chérie.

— Parle-moi de Julia.

Il ne put cacher son étonnement ; il s'était attendu à un interrogatoire à propos de ses sentiments.

— C'est seulement qu'elle semblait être une femme si remarquable : altruiste, courageuse, compatissante. Une sorte de *superwoman*, ajouta-t-elle.

— Elle *était* remarquable, dit-il en trouvant plus facile de parler de Julia, sans savoir exactement pourquoi et se demandant si son fabuleux non-orgasme en était la cause. Mais ce que nous avons, toi et moi, c'est différent.

Il y eut un bref silence comme s'il cherchait les mots qui convenaient.

— C'est chaotique, instable, parfois époustouflant.

Il sourit, puis ajouta :

— Tu me rappelles sans cesse que la vie se présente en plusieurs teintes de beauté.

» J'ai rencontré Julia sur l'Everest, poursuivit-il comme si elle le lui avait demandé. Elle l'escaladait avec un groupe qui recueillait de l'argent pour une œuvre caritative à laquelle elle participait. Elle était renversante. Rien ne l'arrêtait. Seulement cinq d'entre nous ont atteint le sommet, ce printemps-là. Et nous avons failli ne pas y parvenir. Le temps était terrible. Les orages étaient d'une rare intensité. Il n'aurait pas dû y en avoir à cette époque de l'année, fit-il en secouant les épaules.

» C'est drôle comme le hasard éclipse souvent la vie. Comment on rencontre quelqu'un. Ou peut-être pas, et qu'une occasion en or nous passe sous le nez.

Sa voix s'était adoucie vers la fin.

— T'arrive-t-il de penser que nous avons failli ne pas nous rencontrer ? Moi, oui.

Il sembla se donner du courage ; sa bouche se tordit en un sourire.

— Ça me donne presque envie d'aller à l'église, si j'en avais une où aller.

— Je suis plutôt du genre à croire au destin à la manière des gitans. Bien que, poursuivit Kate en penchant légèrement la tête et en lui adressant ce sourire radieux qui lui donnait l'impression d'être le plus chanceux des hommes à la surface de la terre, je remercie tout de même Dame Chance ou qui que ce soit pour ça — nous — toi, moi, peu importe. Alors, dis-moi, fit-elle en revenant brusquement à son sujet parce qu'elle n'avait qu'un certain temps pour poser ses questions et que Julia représentait pour elle un grand mystère, l'œuvre caritative de Julia offre des micro-prêts à des femmes, n'est-ce pas ?

— En fait, c'est la première femme de Roscoe qui a d'abord entrepris ça et, quand leur mariage s'est terminé, Julia a pris le relais, répondit-il.

— Je suppose qu'il y avait trop de femmes reconnaissantes qui voulaient démontrer leur gratitude pour que toi ou Roscoe puissent composer avec toutes.

Il leva les yeux, surpris, puis inclina la tête et dit :

— Quelques-unes. Suffisamment.

— Julia les tenait à distance.

— Je l'ignore, fit-il en haussant les épaules. Je ne m'en suis jamais mêlé. Et Charlie était avec Julia presque depuis le début. Elles s'étaient rencontrées dans un cours de marketing à Stanford. Je ne connaissais ni l'une ni l'autre à l'époque. Elles étaient plus jeunes, dans un autre domaine que le mien, et l'université — un autre haussement d'épaules — immense. Je n'ai pas vraiment envie de parler de Charlie.

— Alors, nous sommes deux.

— Et mes cinq minutes sont presque écoulées, dit-il en souriant.

— Chronométrais-tu les miennes ?

— Tu réagis toujours vite, chérie, répondit-il en éclatant de rire. Mais rapide ou lente, je veux seulement te dire que tu ébranles mon univers d'une vraiment belle façon.

— Alors, je pourrais te demander une faveur.

— Ma réponse est oui, répondit-il en souriant. Je connais ce regard.

— Alors, ça ne te dérange pas ?

— Pas pendant que mon cœur bat encore.

— Je voudrais seulement que ça soit simple. J'aime te sentir sur moi. J'aime te sentir me pénétrer lentement. J'aime la chaleur de ton corps sur le mien.

— C'est comme si c'était fait, chérie.

Ils firent l'amour tendrement, lentement, sans éclat ou feux d'artifice. Une fois, puis une fois encore, quand elle dit : « J'adore venir en même temps que toi ». Et une fois de plus parce qu'il aimait venir avec elle. Elle tomba endormie la première. Il resta éveillé pendant un moment, réfléchissant à l'expression « faire l'amour » dans une perspective complètement différente. Mais bientôt, il sombra lui aussi dans le sommeil. Les trois dernières journées avaient été longues, frénétiques, et physiquement éprouvantes.

CHAPITRE 20

Dominic se réveilla en sursaut, mille idées lui traversant l'esprit. Il jeta un regard aux fenêtres — il faisait encore noir —, puis à l'horloge. Il était 6 h. Se glissant tranquillement hors du lit, il attrapa son jeans, se rendit dans le corridor, les enfila, puis descendit rapidement l'escalier. Il entra dans son bureau, referma la porte, alluma son ordinateur portable et fit parvenir un bref courriel à Justin : *Tu as le feu vert. Trouve un appartement. Parle à Roscoe. Je te reparle plus tard.* Puis, il envoya un courriel à Roscoe : *Justin a besoin que tu ouvres un compte. Donne-lui ce qu'il veut.* Refermant son ordinateur portable, il leva la tête et écouta pendant un moment.

Aucun son ne lui parvenait d'en haut. Il prit le téléphone.

— Désolé de te réveiller, dit-il.

— Quand tu veux, Nick, répondit une voix ensommeillée. Quoi de neuf?

Dominic entendit un froissement de couvertures.

— Il faut ajouter un codicille à mon testament. Rien de compliqué. Je veux diviser mes biens entre ma sœur et Mlle Katherine Hart. Si tu as besoin de son numéro de sécurité sociale ou de son adresse, demande-les à Roscoe.

Une porte se referma, puis la voix de son avocat se fit soudain tranchante.

— En es-tu certain ? C'est seulement une question d'avocat, mais c'est un foutu paquet d'argent.

— Ça ne dérangera pas Melanie de partager. Elle et Matt sont financièrement à l'aise.

— Bon Dieu, tu es mourant ou quoi ?

— Non, je suis en bonne santé. J'ai un rendez-vous mardi qui pourrait se révéler difficile. Si les choses tournaient mal, j'aimerais qu'on prenne soin de Mlle Hart.

— Qu'entends-tu par « tournaient mal » ? demanda brusquement Chris Robbins.

— Ce ne sont que les affaires. Les gens que je vais rencontrer sont, disons, imprévisibles.

— Tu es sérieux ? fit Robbins en haussant la voix.

— Ne t'en fais pas pour ça. Je suis sûr que tout ira bien. Ceci n'est qu'une sorte d'assurance.

— OK, OK. Mais pourquoi je n'ai pas entendu parler de cette femme ?

— Parce que tu es mon avocat et non mon tuteur.

— Vas-tu l'épouser ?

— Je n'y ai pas pensé. Alors, si je devais te répondre tout de suite, je dirais non.

— Mais tu as pensé à lui donner la moitié de ta fortune. Une raison particulière pour ça ? articula prudemment Chris Robbins.

— Pas pour cette raison, répondit Dominic, amusé. Mais j'ai plein d'argent. Alors, elle devrait en avoir une partie.

— Bon Dieu, es-tu défoncé ?

— Non, et elle ne me fait pas chanter. Alors, tu as fait ton devoir de fiduciaire, Chris. Je sais ce que je fais. Apporte le codicille quand tu viendras à 10 h. Je vais laisser mon tiroir de bureau ouvert. Tu n'as qu'à y mettre le document.

— La dernière fois... Tu es sain d'esprit et toutes ces bêtises?

— Plus que d'habitude. En fait, beaucoup plus. Je te vois à 10 h.

Dominic retourna au lit en prenant soin de ne pas réveiller Katherine et il se glissa sous les couvertures. Il était agréablement fatigué; Katherine l'avait épuisé, la nuit dernière. Mais il ne pouvait être plus heureux. Tournant la tête sur l'oreiller, il la regarda étendue sur le dos, profondément endormie, et il lui revint à l'esprit, comme toujours, à quel point elle paraissait jeune dans le sommeil. Les joues roses, ses paupières légèrement teintées des vestiges de son ombre à paupières d'hier soir, ses longs cils reposant sur sa peau soyeuse de bébé; elle était si lisse et si douce. Ses lèvres pleines étaient d'un rose naturel, son rouge à lèvres depuis longtemps disparu, la forme de sa bouche, parfaite, tentante. Elle avait courbé une main contre sa tempe et l'autre reposait sur le haut d'un sein, l'aréole rose à peine couverte.

Son mamelon en pleine érection.

Voilà ce qui était vraiment tentant.

Même si elle paraissait si jeune avec son visage épanoui et sa peau soyeuse, elle était incroyablement femme sous tous les autres aspects; épuisé ou non, il pouvait sentir sa propre érection prendre vie. L'expression «sorcière» de Roscoe avait un certain fondement. Peut-être Roscoe le comprenait-il mieux que quiconque puisqu'il avait vu les Entreprises Knight sans PDG deux fois en autant de mois.

Des événements sans précédent pour un homme qui avait travaillé sans arrêt pendant les 12 dernières années. Puis, Katherine se réveilla, lui sourit et rien d'autre n'eut plus d'importance; ni le travail, ni les 12 années, ni les 12 dernières minutes. Il leur restait encore quelques jours à passer ensemble et il n'allait pas les gâcher en réfléchissant trop. Il se pencha et l'embrassa en guise de bonjour.

— Comment te sens-tu ? demanda-t-il en haussant légèrement les sourcils. Tu as mal ?

— À peine.

— Je suis désolé.

— Vraiment, ce n'est rien.

— Tant mieux, mais je m'excuse quand même. Tu aimerais que je te fasse couler un bain ?

— Pas tout de suite. Et tu peux arrêter de t'excuser, dit-elle en souriant. Parce que tes cinq minutes étaient drôlement bien ; j'avais eu mes cinq minutes aussi et elles étaient excellentes.

— Tu es une négociatrice tenace, dit-il en souriant.

Il lui indiqua du doigt la télécommande de son côté du lit, changeant volontairement de sujet. À la pleine lumière du jour, il n'allait pas entreprendre une discussion à propos de ses sentiments.

— Quels sont ces deux mots dans *Sesame Street* ? demanda Kate avec une lueur espiègle dans les yeux.

Un haussement de sourcils à peine perceptible, rapidement disparu.

— La télécommande. S'il te plaît. *Et* merci.

Elle la lui tendit.

Il alluma le téléviseur, écarta la courtepointe, jeta la télécommande à ses pieds, la tourna de façon à ce que sa tête se trouve au pied du lit et s'installa entre ses jambes en un long mouvement aisé de force brute et de muscles.

— Seulement pour que tu n'oublies pas qui donne les ordres ici, murmura-t-il tandis qu'il passait d'une chaîne à l'autre. Bien que tu aies fait un foutu bon boulot en entretenant mon érection ces trois derniers jours.

Il déposa un baiser sur son nez.

— Nous te remercions *tous les deux* même si tu nous as épuisés.

Kate déplaça légèrement le bas de son corps contre son érection.

— Il ne semble pas épuisé.

— C'est un mot bien relatif avec toi, chérie. Rien ne t'arrête. Nous sommes excellents, dit-il, les yeux fixés sur la télé. Alors, que pouvons-nous faire pour toi ce matin ?

— Oh, je ne sais pas. Je pensais peut-être à un orgasme pour commencer la journée.

— Seulement un ?

— Hé, ça te dérange ? fit-elle en lui tapant la joue.

Il baissa les yeux sur elle.

— Vraiment ? Ils rebranchent le système électrique dans une vieille Camaro. Je peux faire deux choses à la fois.

Elle lui jeta un regard furieux.

— OK, OK, répondit-il en pressant le bouton d'enregistrement, puis il éteignit la télé. Voilà.

Il lui sourit, puis ajouta :

— Maintenant, chérie, nous pouvons pleinement nous concentrer.

Prenant le visage de Kate entre ses mains, il l'embrassa lentement et la pénétra encore plus lentement, sa queue en mode autopilote, sachant exactement où aller, à quelle profondeur, à quelle hauteur, quoi faire si elle bougeait le moindrement, si elle en voulait davantage. Et que si elle bougeait de cette façon, elle en voulait davantage. Et que si elle demeurait immobile et gémissait doucement, elle en voulait davantage.

Alors, Dominic et sa queue se concentrèrent et y allèrent doucement. Kate était toujours indolente. Mais ils étaient paresseux; ils n'avaient pas beaucoup dormi, dernièrement. Et Katherine était sensible après des jours de baise. Mais un désir provocant brûlait en eux deux, comme une flamme éternelle, consumant tout, prodigue, insensible à la raison.

— J'ai besoin de te sentir en moi et sur moi, que tu me touches, murmura Kate en levant la bouche pour embrasser Dominic tandis qu'il se glissait langoureusement en elle. Toujours…

— Ça marche, alors, murmura Dominic en lui souriant et en l'embrassant. Parce que nous avons ce désir insatiable vis-à-vis toi.

Mais son sexe était enflé, étroit.

— Dis-moi si je te fais mal.

Il s'arrêta pour se reposer, attendit que la chair de Kate se détende.

— Tu es sûre que ça te va comme ça? demanda-t-il.

Les yeux verts de Kate étaient ensommeillés.

— Tu me fais du bien, murmura-t-elle. Je te sens énorme.

Sans blague. Parce qu'elle était extrêmement étroite. Il plia doucement ses jambes, s'avança un peu plus, se sentit comme un foutu explorateur cartographiant un nouveau territoire. Mais les muscles de Kate s'assouplirent, cédèrent, et il atteignit finalement son but.

— Est-ce trop loin?

— Hummm… non… Hummm, grogna-t-elle. Oh, mon Dieu, fais… ça encore.

Il se sentait toujours absurdement ravi quand il pouvait lui donner du plaisir, comme s'il était venu au monde pour répondre à tous ses désirs, une pensée étrange toujours rapidement oubliée après le sexe.

— Comme ça ?

Il bougea à peine, déplaçant ses hanches juste assez pour exercer une faible pression sur son point G.

— Oh, mon Dieu. Merde, Dominic, haleta-t-elle. Tu ne dois jamais te retirer…

— Seulement un peu, murmura-t-il en se retirant suffisamment pour ajouter la friction à la pression quand il plongea de nouveau en elle.

Kate allait protester, mais sa voix se transforma en un gémissement faible, voluptueux. Puis, elle tira fermement la tête de Dominic et siffla :

— Merde, tu es parfait. Je te déteste pour ça. Maintenant, refais-le.

Il le fit, plusieurs fois et de plusieurs façons jusqu'à ce qu'elle jouisse, lui aussi, elle encore, jusqu'à ce que beaucoup plus tard, elle le frappe brutalement du poing sur la poitrine.

— Tu es sûre ? dit-il avec un léger sourire.

— Nous ne sommes pas tous des machines, répondit-elle, le souffle court.

— C'est toi la patronne, chérie.

Elle leva les yeux au ciel.

— Tu ne comprends pas, n'est-ce pas ? dit-il avec un sourire, ayant modifié sa vie entière pour elle. Mais pas de reproches.

Il l'embrassa doucement.

— Et merci d'avoir porté ça, ajouta-t-il en touchant un des bracelets dorés sur ses poignets.

La nuit dernière, ils s'étaient entendus sur le fait qu'elle les porterait dans la maison ou, plutôt, il lui avait promis toute une liste de plaisirs sexuels si elle lui faisait ce plaisir. Et elle avait cédé comme elle le faisait toujours quand il lui offrait une contrepartie enchanteresse.

— Tout le plaisir est pour moi, oh seigneur et maître, dit-elle en lui adressant un large sourire.

— Est-ce que ce sont de foutus bracelets magiques ou es-tu trop épuisée pour résister ? demanda-t-il en éclatant de rire.

— Peut-être que je suis d'humeur soumise, ronronna-t-elle.

— Parfait, dit-il doucement. Ça n'arrive pas souvent.

— Considère-moi comme étant temporairement obéissante, dit-elle d'un ton léger.

Il sourit et, plutôt que d'amorcer une discussion sur le temporaire par rapport au permanent, il demanda :

— Temps de se laisser glisser dans le bain ?

Elle faillit dire : « Comment sais-tu que c'est exactement ce que je veux à ce moment précis ? ». Mais après tous ces adorables, doux orgasmes matinaux, elle n'était pas d'humeur à l'interroger à propos de son talent pour jauger les désirs des femmes ; elle était trop tranquillisée pour s'en soucier.

Ils étaient dans le bain quand Patty arriva, les bruits de cuisine qui remontaient l'escalier indiquant qu'elle se préparait pour la journée.

— Tu as faim ?

Kate était assise entre les jambes de Dominic, son dos contre sa poitrine, sa tête contre son épaule, à demi assoupie. Elle hocha la tête.

— Tu veux prendre le petit déjeuner au lit ou en bas ?

— Comme tu veux.

— Peux-tu rester éveillée pour manger ?

— Café, murmura-t-elle.

— Dans un instant, chérie. Ne bouge pas. Je reviens tout de suite.

Se glissant de derrière elle, il sortit du bain, vit qu'elle s'était confortablement adossée contre le bain et tourna le robinet pour réchauffer l'eau pendant qu'il enfilait rapidement une paire de pantalons de jogging.

Torse nu, ses cheveux trempés dégoulinant sur ses épaules, il ferma le robinet et fronça les sourcils; les yeux de Katherine étaient fermés, sa respiration lente.

— Devrais-je te relever? Je ne voudrais pas que tu te noies dans ton sommeil.

— Je ne me noierai pas. Fais vite.

Quelques instants plus tard, il se retrouva dans la cuisine, se séchant les cheveux avec une serviette.

— Bonjour, Patty. J'ai besoin de deux cafés il y a cinq minutes.

— Elle doit être drôlement sexy. Tu ne fais pas le service d'habitude.

D'un mouvement de la tête, elle rejeta ses tresses blondes sur ses épaules, sortit un plateau et y déposa deux grandes tasses et deux cuillères.

— Elle l'est, répondit Dominic en souriant, puis il lança la serviette sur le comptoir de marbre blanc. Alors, je fais le service. Tu as des pâtisseries?

— Des petits pains chauds au chocolat, ça ira?

Elle versa le café et ajouta du sucre et de la crème sur le plateau.

— Tu es une sainte.

— Nous en avons déjà convenu il y a des années, répondit-elle.

Patty sortit deux croissants du four et les déposa sur une serviette de table dans un panier.

— Je verrai ce que je peux faire ou peut-être vais-je seulement cuisiner ce que je veux, dit-elle avec son air espiègle habituel.

Dominic lui lança un regard sérieux.

— Tu vas peut-être préparer ce que Katherine veut aujourd'hui.

— Wow… J'ai vraiment entendu ça ?

— Sois seulement gentille, Patty, OK ? Tu ferais ça pour moi ?

— Bien sûr, Nicky. Pas de problème.

Repliant les extrémités de la serviette de table sur les croissants, elle tendit le plateau à Dominic.

— Mais je m'attends à rencontrer une déesse après t'avoir vu bouger ton cul pour une femme, dit-elle avec un clin d'œil.

Il jura contre elle ; elle sourit.

— Pour commencer, je vais faire du pain grillé d'un seul côté avec des bananes caramélisées et de la crème fraîche. Mais je suis ouverte aux ordres, patron. Tu sais ça.

Il ne le savait pas, bien sûr, parce que Patty n'avait jamais accepté un ordre pendant les 16 années où elle avait travaillé pour lui. Mais elle cuisinait comme elle surfait — une forme parfaite, une créativité incroyable —, il ne s'était donc jamais plaint. Elle paraissait à la fois sérieuse et sincère, ce qui représentait un bon signe.

— Merci, Patty. Maintenant, sois gentille avec Katherine. Je l'aime bien.

« Sans blague, songea Patty en regardant s'éloigner Dominic. Je vais inscrire cette journée sur le calendrier des choses que je n'aurais jamais crues possibles. »

Quand Kate et Dominic descendirent pour le petit déjeuner, Kate sursauta parce que Patty était pratiquement de l'âge de Dominic, blonde et belle, d'une manière *cool*, scandinave, en pleine forme, et elle se demanda s'ils étaient davantage qu'employeur et employé. Mais elle se rappela que Dominic avait été relativement ouvert avec elle la nuit dernière — ou autant qu'il pouvait l'être —, elle devait alors lui accorder le bénéfice du doute.

Dominic présenta les deux femmes.

— Enchantée de te connaître, dit Patty en regardant les bracelets de Kate d'un air impassible.

— Moi de même, sourit Kate en ignorant le regard de Patty. Le café et les croissants étaient succulents. C'est toi qui as fait les croissants ?

Patty acquiesça de la tête et sourit.

— C'est pour ça que Nicky me paie si cher.

Dominic ne savait pas ce que Patty avait en tête avec ce sourire moqueur, alors il dit :

— Le déjeuner sent bon. Tu es prête pour nous ?

— Bien sûr, patron.

Le fait que Patty l'appelle « patron » n'était pas rassurant. Dominic lui adressa un regard d'avertissement tandis qu'il suivait Kate jusqu'à la table. Et qu'elle ait ou non reconnu ce regard, elle se montra remarquablement polie pendant qu'ils mangeaient.

Les pains grillés à la française de Patty étaient vraiment succulents, tout comme le plateau de fruits qu'on aurait pu exposer dans un musée, et le café était tout ce qu'un café devrait être : chaud, très légèrement sucré, corsé avec seulement un peu d'amertume pour vous rappeler la raison qui vous faisait aimer le café.

Patty s'assit avec eux à la table de cuisine et parla de son mari et de ses enfants. Elle se leva pour indiquer du doigt les photos de sa famille sur les murs de sa cuisine — sur les murs de la cuisine de Dominic, pensa Kate. Et elle se montrait parfois un peu brusque avec Dominic. Elle l'appelait également Nicky, comme le faisait Melanie. Kate se réjouissait du fait que Dominic soit entouré de gens qui faisaient partie de sa vie — heureuse qu'il ne soit pas complètement seul.

Dominic s'inquiétait du fait que Patty soit trop amicale et pleine de sollicitude, mais Katherine ne semblait pas le remarquer. Et quand elle louangea le café de Patty en demandant comment elle le faisait, quelle sorte de café elle utilisait, demanda si elle pouvait en apporter un peu à sa grand-mère, la glace — s'il y en avait eu une — était brisée, fondue et évaporée dans l'atmosphère.

Patty était prête à tout faire pour Katherine parce que, se disait-elle, d'abord, la toute première femme que Dominic avait emmenée dans cette maison méritait un traitement particulier et ensuite, ces bracelets que portait Katherine étaient vraiment étonnants de la part de quelqu'un comme Dominic qui gardait privée sa vie sexuelle. Alors, Patty déclina le menu du jour pour Katherine au cas où il y aurait de la nourriture qui ne lui plairait pas.

Kate dit : « Je mange de tout », puis rougit de manière si mignonne que Patty ne s'étonna pas de l'attrait qu'elle exerçait sur Dominic après des années passées avec des femmes qui n'arriveraient pas à rougir même si leur vie en dépendait.

Et quand ils partirent après le petit déjeuner pour monter sur le toit et s'asseoir au soleil, Patty murmura au moment où Dominic quittait la cuisine :

— Elle envisage les choses à long terme, Nicky, tu as bien fait.

Du toit, le point de vue sur le Golden Gate Bridge était spectaculaire, les rayons de soleil chauds tandis qu'ils étaient étendus côte à côte sur des chaises longues, leur sentiment de satisfaction profond.

— Heureuse ? demanda Dominic tandis qu'il lui touchait la main et laissait glisser son doigt sur le bracelet d'or.

— Oh, absolument, répondit-elle en souriant. Et toi ?

— Tu ne peux pas imaginer, dit-il doucement en se voyant plus tard à Londres avec elle. Dors si tu veux. Nous avons jusqu'à 10 h.

— Et ?

— Mon avocat vient à 10 h.

— Tu es sûr que tu veux faire ça pour moi ? Ce n'est pas nécessaire. Je ne vais nulle part à moins que tu le veuilles.

Puisque l'idée de la menotter à son lit n'avait pas bien été accueillie, il s'efforça de garder un ton neutre.

— Les contrats sont routiniers pour moi. Fais-moi plaisir, si ça ne te dérange pas.

— Ça ne me dérange pas. C'est toi qui es habitué à vivre pleinement ta liberté sexuelle. L'exclusivité n'est pas un problème pour moi. Je ne veux personne d'autre. Tu le sais.

Elle faisait paraître ça si simple quand ça ne l'avait jamais été auparavant.

Alors que la simplicité ne l'avait jamais intéressé, quand il s'agissait des femmes dans sa vie. Même Julia avait apporté l'aventure exotique et les voyages dans le monde, à la recherche de sensations fortes. Maintenant, il était heureux de ne rien faire, étendu là avec Katherine, le chaud soleil sur son visage, la personne qui donnait une signification à sa vie gisant près de lui.

C'était suffisant.

Il n'avait besoin de rien de plus.

Et cette fois, il était résolu à garder à distance les démons subversifs.

Même s'il ne pouvait annuler son passé ni oublier un seul souvenir amer, il pouvait se façonner un nouveau destin, créer un monde nouveau, peut-être apprendre à comprendre ce que signifiait l'amour.

CHAPITRE 21

L'avocat de Dominic était vêtu élégamment d'un costume marine magnifiquement coupé par quelque tailleur qui connaissait son métier, facturait ce que certaines personnes gagnaient en une année et envoyait ses clients dans le monde avec l'autorité que conférait la fortune.

Dominic et Katherine n'avaient pas changé de vêtements, mais Chris Robbins sourit poliment quand il lui présenta Katherine, fit semblant de ne pas voir les bracelets et traita Dominic et Kate avec une politesse toute professionnelle. Ou plus probablement avec la déférence plus que professionnelle accordée à un client milliardaire et à cette femme qui avait provoqué une modification du testament de Dominic.

Patty apporta un plateau de café et de biscuits, le déposa sur une petite table entre Katherine et les deux hommes, puis quitta la pièce. Pendant que Chris (il se trouva que lui et Dominic se connaissaient depuis l'université) sortait plusieurs documents de sa mallette, les hommes discutèrent de basketball : ils discutèrent aussi de la saison des Golden State Warriors et du résultat de la partie de la veille dont Dominic était au courant même s'il ne l'avait pas regardée. Ils s'entendirent sur le fait qu'il fallait davantage de pluie, que l'opéra nécessitait plus de financement, après quoi Dominic suggéra que Chris leur envoie la somme qui lui semblait appropriée et qu'il informe Roscoe du montant.

Chris déposa une petite pile de documents sur la table, en alignant minutieusement les bords, et sortit une plume noire laquée, très belle, comme de la fine joaillerie. Il en dévissa le bouchon et la tendit à Dominic.

« Bon Dieu, les gens riches n'ont même pas à se lever et à prendre leur propre plume », songea Kate en jetant un coup d'œil sur le bureau où se trouvait plusieurs plumes dans une boîte à crayons en cuir.

Dominic se pencha sur sa chaise.

— Montre-nous où signer.

— Tu aimerais le lire ?

— Le brouillon était bien, répondit Dominic avant de se tourner vers Kate. Tu devrais le lire quand même, Katherine.

Il hocha la tête vers l'avocat qui fit glisser une copie vers Kate.

— Je ne veux pas.

Dominic lui jeta un bref regard.

— Je te conseillerais de le lire. Dis-le-lui, Chris.

L'avocat sourit poliment.

— Je suggère toujours qu'on lise un contrat avant de le signer.

Kate pointa un doigt en direction du document.

— Ai-je ma porte de sortie ? C'est tout ce dont j'ai besoin.

Ça signifiait qu'elle pourrait partir, comme ils en avaient convenu à Singapour, à n'importe quel moment où elle le désirait.

L'avocat lança un coup d'œil à Dominic, passa rapidement une main dans ses cheveux clairsemés.

Dominic le fixa des yeux pendant une fraction de seconde avec une expression neutre.

— Katherine fait allusion à la clause révocatoire.

— Oui, bien sûr, fit Chris en déglutissant. La clause y est.

Kate se redressa quelque peu sur sa chaise.

— Alors, dites-moi où signer.

Dominic lui adressa un regard amer.

— Je vais m'assurer que ton contrat avec CX Capital soit passé en revue avant que tu le signes. Ils ne seraient pas aussi souples que moi, si tu devais changer d'avis.

— Tu es souple ? Vraiment ? lui répondit-elle en souriant d'un air espiègle. Depuis quand ?

— C'est assez, Katherine, l'avertit doucement Dominic en tournant les yeux vers l'avocat.

— Je m'attends à ce que la nature de notre amitié ne fasse pas de doute. M. Robbins a rédigé ce contrat pour toi, Dominic, dit-elle tout aussi doucement.

— Alors, tu n'as qu'à signer ce truc, fit Dominic en soupirant.

— C'est ce que je m'apprêtais à faire avant que tu commences à donner des ordres.

Dominic ferma brusquement la bouche, un tressaillement apparut au-dessus de sa joue, puis lui tendit la plume.

Plus tard, Chris Robbins dit à son partenaire à qui il pouvait faire confiance pour ne pas répandre des bavardages puisque tous deux préféraient garder Dominic Knight comme client, que non seulement Dominic désirait suffisamment cette femme pour signer un contrat d'exclusivité, mais qu'apparemment Mlle Katherine Hart n'était pas du type docile parce qu'elle avait argumenté avec Dominic jusqu'à ce qu'il serre les mâchoires et abandonne.

— Sauf pour les menottes, dit-il avec un petit sourire avant de poursuivre en décrivant les dispendieux bracelets.

— C'est ce qui l'attire chez elle, lui répondit Bob Thorp en lui rendant son sourire de cette manière impudente qu'employaient toujours les mâles qui discutaient de sexe. Docile quand c'est important, mais féroce dans les autres circonstances. Ça tient Knight dans l'incertitude.

— Elle ne s'intéressait qu'à la clause révocatoire. Elle a refusé de lire le contrat. Dominic a insisté et elle a résisté.

— Lui as-tu dit que la clause révocatoire ne vaut rien ?

— Elle ne l'a pas demandé.

— Elle ne sait rien non plus à propos du codicille au testament de Knight, n'est-ce pas ? Ou crois-tu qu'elle le sait, d'où son manque d'intérêt pour la clause révocatoire.

— Non, Dominic a été absolument clair à ce sujet. Elle ne sait pas. Le codicille se trouvait dans une autre enveloppe qu'il m'a dit de mettre dans son bureau. On m'y a conduit dès mon arrivée.

— À quoi ressemble cette femme potentiellement riche ? À quelque chose au-dessus de la moyenne, dirais-je ? fit Bob en ajustant la manche de son costume à 20 000 dollars. Peut-être qu'elle va chercher un nouvel ami.

— Tu ne fais vraiment pas le poids, mon cher Bobby, alors ne t'énerve pas. Et elle ne deviendra riche que si le rendez-vous que Dominic aura mardi tourne mal. Il a dit qu'il ne s'attendait pas à ce que ça se produise, mais qu'il prenait seulement des précautions. Il n'a pas donné d'autres détails, mais les Entreprises Knight font des affaires dans des régions plutôt douteuses du monde. Même avec des gardes, il y a toujours des risques.

— Je ne sais toujours pas à quoi ressemble cette femme brillante et apparemment trop belle pour moi.

Bob Thorp ne s'offusqua pas du commentaire de son partenaire. Bien peu d'hommes pouvaient être à la hauteur de Dominic Knight, en ce qui avait trait à la beauté.

— Voici, dit Chris en frappant du doigt quelques icônes sur son téléphone. J'ai téléchargé quelques photos à partir de mon stylo-caméra. Regarde.

Thorp éclata de rire.

— Toi et tes stupides trucs d'espion, dit-il en prenant le téléphone. Oh, elle est bien. Sans maquillage, sans vêtements tape-à-l'œil et elle est quand même renversante. Il n'y a que Dominic pour trouver une femme comme elle.

— Ce n'est pas comme s'il n'avait pas cherché la perfection féminine autour du globe avant et après son mariage. Statistiquement, il avait de bonnes chances de trouver ce qu'il aime.

— À hauteur de ?

— Cinquante pour cent.

Les yeux de Bob s'agrandirent comme ceux d'un personnage de dessin animé.

— Merde, tu me fais marcher.

— Non. Cinquante pour cent. Signé, scellé, livré.

— Dieu du ciel, elle doit être extraordinaire au pieu.

— Ne va jamais lui dire ça. Il est vraiment sérieux, en ce qui la concerne.

— Ouais, c'est ce que j'ai compris.

CHAPITRE 22

— Tu n'as aucune discrétion, maugréa Dominic après que la porte se soit refermée sur l'avocat.

— C'est toi qui me dis ça? Toi, qui te fous d'être enregistré sur vidéo en fouettant le cul d'une quelconque femme. Et compte tenuque ton avocat a rédigé l'entente — elle haussa les sourcils —, à quoi ça aurait servi?

Elle tendit les mains pour lui montrer les bracelets.

— Parlant de discrétion, ajouta-t-elle, tu ne semblais pas te soucier de ça. C'est parce que tu aimes ça, n'est-ce pas?

— Beaucoup, répondit-il en souriant.

— Alors, qui est indiscret, maintenant?

— D'accord, acquiesça-t-il en hochant la tête.

Une main en l'air, elle compta un doigt.

— J'ai gagné celle-là.

— Tu aimes gagner, n'est-ce pas? demanda-t-il en éclatant de rire.

— Tu as absolument raison. Tu aimes gagner toi aussi. Yin, yang, jamais un moment d'ennui. C'est pourquoi…

— Katherine, l'interrompit-il.

— Quoi?

— Viens ici.

— Patty pourrait entrer, fit-elle en regardant brièvement la porte.

— Elle ne le fera pas.

— Comment le sais-tu ?

Mais sa voix tremblait.

— Je le sais.

— Maintenant, lève-toi et viens ici.

Leurs regards se croisèrent.

— Lentement, dit-il d'une voix sereine, son bras reposant sur la table, ses doigts placés d'une main légère sur le contrat qu'ils venaient de signer… comme pour lui rappeler que son accoutumance était devenue légale.

Pour lui rappeler l'indicible pouvoir qu'il avait sur elle.

La voix calme de Dominic évacua ses objections et sa dignité, ses croyances fermes et toute référence à la réalité. Il n'avait qu'à parler sur son ton doux, paresseux, la regarder avec un désir évident dans ses yeux bleus, s'attendre à son obéissance, et elle se retrouvait instantanément mouillée, ses mamelons durs, son sexe accueillant.

Privée de toute émotion, sauf un désir immense.

Elle se leva.

Il se tourna lentement sur sa chaise, jambes écartées, la regarda en silence tandis qu'elle franchissait le court espace qui les séparait. Quand elle s'arrêta devant lui, il leva les yeux de sous la frange foncée de ses cils et examina ses seins, les yeux fixes, sans émotion.

— Tu es si facile à exciter, Katherine, que c'en est obscène. Je n'ai jamais rencontré quelqu'un qui avait autant besoin de sexe que toi. Tes mamelons se durcissent en quelques secondes.

Il remonta lentement les yeux et un court moment de silence s'écoula.

— Enlève ton t-shirt. Je veux voir mes nichons.

Tandis qu'elle retirait son t-shirt, il lui tendit la main.

Elle le laissa tomber sur sa paume ouverte; il le laissa tomber sur le tapis sans la quitter des yeux.

— Caresse tes mamelons pour moi.

Sa voix se fit légèrement plus dure.

— Maintenant, Katherine. Fais-le maintenant.

— Désolée, murmura-t-elle, concentrée sur la chaleur liquide entre ses jambes, sur l'excitation qui lui traversait le corps.

— Tu as entendu ce que j'ai dit? demanda-t-il d'une voix dure.

Mue par la dureté de son ton, elle bougea. Elle prit ses mamelons entre son pouce et son index et les serra doucement.

— Plus fort.

Elle serra, sentit sa peau fléchir, ferma les yeux en éprouvant le plaisir croissant qui envahissait son bas-ventre, chaud et luxuriant, primitif dans sa beauté sans limites et elle gémit doucement.

— Plus fort, lui ordonna-t-il calmement.

Elle accrut la pression, comprima la chair sensible, sentit le douloureux besoin l'envahir, retint son souffle quand le désir ardent traversa son corps, battit follement dans son cerveau et lui fit murmurer, les yeux fermés :

— J'ai besoin de toi.

— Tu en es sûre, murmura-t-il, ou n'importe qui peut te baiser quand tu es excitée à ce point? Te soucies-tu vraiment de quelle queue il s'agit, chérie?

Il se pencha vers l'avant, lui saisit fermement les poignets.

— Oui ou non ? grogna-t-il.

Ce grognement et sa poigne sauvage nécessitaient une réponse. Même distraite par sa frénésie croissante, elle comprenait. Fiévreuse, le souffle court, elle se força à ouvrir les yeux, lutta pour répondre à une question qu'elle n'avait pas entendue et répondit finalement en acquiesçant de manière générale.

— Tout ce que tu veux, Dominic.

Conscient de son dilemme, il sourit légèrement, laissa tomber ses mains et s'adossa de nouveau à sa chaise.

— Ça fera l'affaire, dit-il avant de pointer un doigt dans sa direction. Continue.

C'était incompréhensible, mais ce simple mot avait la puissance terrible d'une queue plongeant profondément en elle. Elle frissonna tandis qu'un sursaut foudroyant malmenait ses sens et que son corps esclave s'ouvrait, impatient et volontaire.

— Bon Dieu, Katherine, dit-il d'une voix douce comme la soie, amusé. As-tu seulement conscience de ma présence, en ce moment ?

— Comment pourrais-je ne pas en avoir conscience ?

Sa voix était basse et sensuelle, son regard torride sur le seul homme qui la rendait impuissante de désir, qui pouvait lui faire faire n'importe quoi en échange du plaisir qu'il lui offrait. Puis, il lui agrippa les mamelons, les tira lentement jusqu'à ce qu'ils soient étirés au maximum.

— Pourrais-tu m'aider ? dit-elle, le souffle court, se tournant vers la gauche, puis vers la droite, lui présentant une vue sans restriction. Je peux… les atteindre avec ma bouche… mais tu pourrais le faire.

Elle remarqua son érection croissante et, relâchant ses mamelons, elle glissa ses mains sous ses seins et releva sa chair pâle en deux monticules potelés.

— Je demande ça comme ça.

— Foutue enjôleuse, dit Dominic en souriant.

Il lui fit signe d'approcher.

Lui retournant son sourire, elle se plaça entre ses jambes.

— Finalement, dit-elle.

— Je vais vraiment devoir verrouiller ta chatte. Pas de doute, murmura-t-il en la regardant de sous ses paupières à demi fermées.

— Je vais peut-être te laisser faire.

— Pas de peut-être. Tu aimes trop baiser. Nous ne voulons pas te laisser partir à la recherche d'une aventure d'une nuit.

— Je promets de ne pas le faire.

— Comme si je croyais ça, rétorqua-t-il en reniflant.

— Peut-être que tu dois le croire.

— Et peut-être que je n'y crois pas.

Il plaça ses larges mains de chaque côté de ses seins, plia les doigts, prit possession de sa chair tendre, pencha la tête. Juste avant que sa bouche atteigne son mamelon, il leva les yeux et dit :

— Ils travaillent à ta ceinture de chasteté en ce moment même.

— Tu ne peux pas faire ça ! s'exclama-t-elle en essayant de reculer.

— Bien sûr que je le peux, fit Nick en serrant les doigts. Je peux faire n'importe quoi, Katherine.

Puis, sa bouche se referma sur son mamelon et lui fit tout oublier, sauf la pure sensation, le désir fiévreux, la frénésie de l'orgasme. En quelques secondes, elle devint haletante, les palpitations entre ses jambes turbulentes, les questions d'autorité et de soumission oubliées avec son corps en feu et l'orgasme pointant à l'horizon.

Puis, les mains de Nick glissèrent de ses seins. Il s'adossa de nouveau et dit tranquillement :

— Tourne-toi et mets tes mains derrière toi.

Elle se tenait debout, étourdie, un désir insatiable ayant envahi son esprit.

— C'est quand tu veux, Katherine. Tu veux jouir, n'est-ce pas ?

Non, elle voulait se venger de ce comportement de connard quand elle ne voulait pas attendre ou jouer des jeux. Mais elle pouvait surseoir à la vengeance jusqu'à ce qu'elle soit venue, décida-t-elle de façon pragmatique, si proche de l'orgasme qu'elle sentait son pouls battre dans ses oreilles.

Elle se tourna.

— Nous nous entendons bien, n'est-ce pas ? murmura-t-il sur un ton sarcastique en tirant les chaînes des bracelets.

Puis, liant ceux-ci entre eux, il plaça ses mains sur les hanches de Kate et la fit se retourner.

— Tu ne pourras jamais venir à moins que je sois avec toi. Tu comprends ?

Elle acquiesça de la tête, le désir se faisant de plus en plus intense en elle.

— Je ne t'ai pas entendue, Katherine.

— Je comprends, murmura-t-elle en essayant de contenir son tremblement.

— Encore une chose. J'aimerais que tu t'excuses de t'être montrée désagréable devant Chris.

Elle écarquilla brusquement les yeux de colère.

— Va te faire foutre !

— Pas tout de suite. Excuse-toi d'abord, fit-il doucement.

— Non.

— Je peux te faire changer d'avis.

Dénouant à la taille le pantalon de jogging de Kate, il le fit glisser le long de ses jambes, leva un pied, puis l'autre, repoussa le vêtement et enfouit un doigt en elle.

— C'est injuste, dit-elle, mais sa voix était à peine audible.

— Ça ne m'intéresse pas d'être juste. Ce que je veux, ce sont des excuses, répondit-il en glissant en elle un deuxième doigt et en caressant doucement sa chair moite. Tout ce que tu as à dire, c'est que tu es désolée et je vais te laisser jouir.

— Je ne vais pas le faire.

Il posa son autre main sur son sein, frotta paresseusement son mamelon entre son pouce et son index jusqu'à ce qu'elle frémisse, inondant ses doigts, haletante sous l'effet d'un sursaut de désir.

— Tu aimes ça ? Aimerais-tu venir ou devrais-je m'arrêter ? Que signifie le fait de gagner, maintenant ?

— Je veux venir.

— Qui peut faire ça pour toi ?

— Toi, Dominic. Tu peux gagner les 100 prochaines fois, si tu me laisses venir maintenant. S'il te plaît ?

— Bien sûr, chérie. Je veux juste que tu comprennes qui fait quoi à qui dans cette équation du yin et du yang.

Elle plissa les yeux. Même si près de l'orgasme, elle hésitait.

Il sourit.

— Nous sommes d'accord ?

Un long silence surchargé. Il pouvait sentir son orgasme commencer à poindre sous ses doigts. Il les retira, puis laissa tomber sa main de son sein.

— Devrais-je te remettre ton pantalon et t'enlever les bracelets ?

Elle se mordit la lèvre, puis secoua la tête.

— C'est ce que je croyais. Je n'ai pas besoin de longues excuses.

— Je suis désolée.

— Merci, chérie.

Il se releva, détacha les bracelets, l'assit sur la chaise, s'agenouilla et souleva ses jambes sur ses épaules. Glissant une main sous ses fesses, il l'attira vers lui, enfouit de nouveau ses doigts en elle, caressa doucement son point G, pencha la tête et suça tendrement son clitoris, la pression de sa bouche méticuleusement ajustée à son orgasme qui arrivait rapidement. Ayant atteint son but en mettant au clair leurs positions respectives, apaisé et satisfait, il prit un soin particulier à faire en sorte que l'orgasme de Katherine se prolonge pendant de longs moments délirants, émouvants.

Patty leva les yeux en entendant le cri frénétique, sourit, puis retourna à la cuisine. C'était bien que Dominic ait quelqu'un avec qui jouer plutôt que de broyer du noir dans sa chambre comme il le faisait habituellement quand il était à la maison. Elle pourrait faire des steaks pour le dîner. Si ces deux-là continuaient à s'envoyer en l'air de cette façon, ils allaient avoir besoin de viande rouge.

Après que Kate ait repris contenance, Dominic changea de place avec elle, la prit sur ses genoux, s'occupa de son propre orgasme et d'un autre pour elle, et l'enlaça pendant que tous deux atteignaient un état d'esprit plus tranquille, puis il dit :

— On fait une pause ? Tu as envie de nager ?

La tête de Kate reposait sur son épaule, ses bras serrés autour de lui.

— Je vais te regarder.

— Tu peux lire un magazine ou regarder la télé. Je vais faire seulement quelques longueurs. Maintenant, si tu es timide, ferme les yeux quand je vais te transporter au rez-de-chaussée. J'ai des vêtements et des peignoirs en bas.

Elle se redressa et le foudroya du regard.

— Je ne veux pas t'entendre dire que Patty t'a déjà vu nu.

Il se leva en la tenant dans ses bras.

— Nous nous sommes rencontrés en faisant du surf, alors il s'agissait d'un minimum de vêtements, mais c'étaient quand même des vêtements. Ça te va ?

Il se dirigea vers la porte.

— As-tu couché avec elle ?

— Non. Elle et Jack ont toujours été ensemble. Ils ont vécu dans mon miteux appartement de Half Moon Bay pendant quelques années, mais c'est le plus près que nous sommes passés de nous voir nus. Satisfaite ?

Il ouvrit la porte, puis tourna sur sa droite.

— Puisque je ne peux pas, comme toi, envoyer des gens au Groenland, je suppose que je n'ai pas le choix, dit Kate.

— Ni l'amour ni l'argent ne pourraient persuader Patty d'aller si loin dans le nord, dit Dominic en riant. Elle est comme toi. C'est un paquet de problèmes. Mais elle est une foutue bonne cuisinière, alors les concessions mutuelles en valent la peine.

Un autre escalier plus petit au bout du corridor menait à l'étage inférieur. Il descendit les marches d'un mouvement souple, rapide, et pénétra dans la pièce éclairée.

Kate mâchouilla le lobe de son oreille.

— Parlant de problèmes et de concessions, M. Knight, je sais ce que tu veux dire.

— Au moins, ça n'est jamais monotone, chérie, fit-il en lui adressant un large sourire.

Il la remit sur pied dans un petit vestiaire comportant d'immenses casiers.

— Les vêtements sont là, dit-il en pointant les casiers du doigt. Certains des vêtements d'exercice devraient te faire. Il y a des maillots de bain.

Il pointa de nouveau un doigt.

— Ne te sens pas obligée d'en porter un si tu ne le veux pas. Il n'y a que moi qui va à la piscine et l'eau circule constamment et est filtrée de mille manières. Je n'aime pas le chlore ou les produits chimiques.

Il arqua les sourcils.

— Mais que fais-tu ? lui demanda-t-il.

Elle fit glisser ses doigts le long du bras de Nick.

— Est-ce une chose qui t'excite aussi ? Regarde comme ta peau est foncée.

Nu sous les lumières éclatantes du vestiaire, la peau bronzée de Dominic était encore plus évidente.

— Comme je suis pâle. Ça me rappelle… des romans illustrés ?

Il sourit.

— Suis-je ton fantasme barbare ?

Elle glissa la main de Nick entre ses jambes, leva les yeux et sourit.

— Tu es mon fantasme concrétisé.

Il l'attira contre lui, enfouit deux doigts dans sa chaleur humide.

— J'éprouve ce besoin terrible de te violer quand je regarde ta pâle fragilité, chérie. Et ça n'a rien à voir avec un fantasme. Tu es si foutrement petite. Ça m'a rendu fou depuis le début. Voici, regarde, dit-il en la tournant à demi de façon qu'elle se retrouve dos à lui, ses doigts toujours profondément enfouis en elle. Tu vois ?

Son bras puissant était posé en travers du corps de Kate, sa main reposant sur son pubis, ses doigts refermés sur son sexe, les deux doigts en elle faisant monter le rouge à ses joues. La peau de Nick était beaucoup plus foncée, les poils noirs sur ses avant-bras, les réseaux de veines en relief à peine visibles sur ses muscles noués formant un contraste lascif avec la peau laiteuse de Kate.

Prenant le menton de Kate dans son autre main, il leva son visage vers le mur en miroirs.

— Regarde ça.

Son grand corps puissant la faisait paraître toute petite, la couleur de leurs peaux foncée et pâle, les images contrastées rappelant un chasseur et sa proie, des libertés prises, l'urgence et la possession.

— Regarde comme tu es petite. Tu es mon cadeau préservé, mon doux soulagement, fit-il en souriant. Mon besoin criant.

Le cœur de Kate s'était accéléré parce que la voix de Nick avait baissé, comme s'il réfléchissait à voix haute. Mais elle savait à quel point il ne souhaitait pas entendre parler d'amour, alors elle lui rendit son sourire et frôla son bras du bout des doigts.

— La sensation d'être submergée par toute cette masculinité m'excite aussi.

— C'est bizarre.

— Mais bizarre de belle façon. J'aime que tu sois plus fort que moi, plus gros, plus grand, tout en muscles et avec ce charme magique.

Il l'entoura de ses bras.

— J'ai remarqué la différence la première fois où je t'ai vue. J'ai ressenti… — il cligna des yeux, sourit — probablement seulement du désir. J'ai du mal à distinguer d'autres sentiments.

— Tu m'as effrayée, ce jour-là, dit-elle en soupirant doucement.

— Hé, rappelle-toi à qui tu parles, dit-il en penchant la tête et en frottant son nez contre l'oreille de Kate. Tu as éprouvé quelque chose d'autre aussi.

Elle tourna la tête et lui sourit.

— Je n'étais pas certaine de quoi ou si j'avais une chance.

Chaque femme qui se tenait immobile devant lui suffisamment longtemps avait une chance à cette époque.

— Je suis heureux que tu aies décidé de rester, fit-il poliment en levant la tête.

Il prit une petite inspiration.

— Il m'arrive de penser à quel point nous avons failli ne jamais nous rencontrer et je commence à croire au destin, poursuivit-il. Je ne fais *jamais* passer d'entrevue, mais Max était occupé et il tenait à t'embaucher, alors il a insisté pour que je le remplace ; il voulait que je constate par moi-même à quel point tu serais utile pour la compagnie. Et la raison pour laquelle j'étais en retard, c'était que je songeais à ne pas y aller. Jusqu'à ce que Max m'appelle. Comme s'il savait qu'il devait me forcer la main.

— Puis, je t'ai dit non et tu as paniqué.

— Je n'aime jamais essuyer un refus. Toutefois, j'étais pratiquement certain que ça n'allait pas arriver quand je te baiserais.

Elle se retourna complètement dans ses bras et leva les yeux vers lui.

— J'aurais pu avoir quelque chose à dire à ce propos.

— Vraiment ? demanda-t-il en souriant.

Elle lui frotta le menton avec ses jointures.

— Sale arrogant.

— *Ton* sale arrogant. Habitue-toi, répondit-il même si le fait de parler de ses sentiments comportait toujours pour lui une limite de temps. Plus longue maintenant qu'auparavant, mais ce n'était toujours pas son sujet préféré.

— Tu as besoin d'aide pour trouver des vêtements ?

— Non.

Elle apprenait à déchiffrer ses malaises, mais quel homme aimait analyser ses émotions ?

Il fit un signe en direction d'une autre porte.

— Je serai là.

Et il s'éloigna, complètement nu et beau comme un dieu.

Kate fouilla dans un casier de vêtements d'exercice, choisit un short vert et un t-shirt, s'habilla, puis s'installa sur une chaise longue près de la piscine et regarda Dominic faire ses longueurs en des mouvements de natation souples et faciles. Elle arrêta de compter les longueurs après une centaine alors qu'il nageait toujours avec autant de vigueur et elle se dirigea vers l'exerciseur. Ajustant le siège et les poids, elle travailla paresseusement ses pectoraux. Les bracelets étaient suffisamment lâches pour ne pas représenter un problème. Elle aimait bien lever des poids. Elle avait commencé quand son grand-père lui avait acheté une Harley-Davidson pour son 14e anniversaire. Il avait dit : « Aussitôt que tu pourras le relever quand il va tomber, tu pourras rouler avec ». En l'espace d'un mois, elle pouvait, étendue sur un banc d'exercice, soulever 50 kilos. Elle gardait des poids et haltères dans son appartement de Boston, mais cet endroit était un rêve pour un haltérophile. Elle passa les appareils l'un après l'autre, essayant chacun sans se tuer à la tâche, prenant son temps.

Pendant qu'il nageait, Dominic revoyait mentalement son horaire. La natation représentait son temps d'arrêt, comme la méditation, ses muscles programmés, ses mouvements aérodynamiques, automatiques, sa respiration lente et régulière. Son corps se déplaçait avec une précision mécanique tandis que son cerveau improvisait et analysait. Il y avait encore beaucoup à faire pour se préparer à son rendez-vous du mardi ; il s'imagina atterrir à Rome et recommença le compte à rebours. Il préférait ne rien laisser au hasard. Il lui arrivait de prendre des risques calculés, mais il n'était jamais téméraire.

Kate travaillait lentement les muscles de ses jambes quand Dominic arriva une demi-heure plus tard, portant un peignoir en tissu éponge blanc.

— Je vais prendre une douche rapide. Tu veux venir avec moi ou je te revois là-haut ?

— J'y serai dans un moment.

Il se pencha, l'embrassa, puis s'éloigna et grimpa les marches en courant.

Quinze minutes plus tard, il avait pris sa douche, enfilé un jeans et endossé un vieux t-shirt usé sur lequel était inscrit *Légalisez le cannabis*, et il était assis à son bureau au rez-de-chaussée, parlant au téléphone. On cogna à la porte ouverte ; il se retourna pour apercevoir Patty debout dans l'embrasure avec une visiteuse imprévue. Charlie lui souriait comme s'il s'était attendu à la voir. Et elle était vêtue en dirigeante d'entreprise, comme s'il s'en souciait. Son tailleur gris de designer relevait de la haute couture, sa blouse de soie blanche était un peu trop échancrée, et elle portait suffisamment de vrais bijoux pour indiquer qu'elle n'avait pas à travailler pour vivre. Ce qui n'était pas loin de la vérité parce qu'il n'était pas certain qu'elle travaillait vraiment beaucoup.

Alors, que pouvait-elle bien faire ici ?

Et à quelle vitesse pourrait-il se débarrasser d'elle ?

Mais il lui fit signe d'entrer et pointa un doigt vers le canapé, puis vers le téléphone dans sa main.

— Non, non Kevin, pas avant la semaine prochaine. Non, au plus tôt mercredi.

Il regarda Patty et porta sa main libre à sa bouche en mimant le fait de boire.

Patty inclina la tête et sortit.

— Entre temps, Roscoe pourra t'aider si tu as des questions. Absolument. Nous serons de retour comme convenu après mercredi.

Il adressa un sourire poli à Charlie.

— C'est ça, Kevin.

Il replaça le récepteur sur son socle, puis se leva de son fauteuil. Contournant le bureau, ses pieds nus silencieux sur le tapis, il tira une chaise de la table au centre de la pièce et s'assit.

— Il y a un problème à l'ONG ?

Bon Dieu, faites qu'elle dise oui parce qu'il ne voulait rien entendre d'autre.

Charlie lui adressa un petit sourire timide qui aurait pu être efficace 10 ans plus tôt bien que, même alors, ç'aurait été difficile. Elle n'était pas du type timide.

— Non, aucun problème, Dominic. Je voulais seulement te montrer les résultats du quatrième trimestre. Je viens de les obtenir.

Vraiment ? Depuis quand supervisait-il l'ONG ? Il avait des gens qui le faisaient. Soupirant silencieusement, il tendit la main.

— Bien sûr. Je vais y jeter un coup d'œil.

— Tu peux voir ce que nous envisageons de dépenser et les résultats. Et le nouvel accord d'indemnisation se trouve dans un document séparé à la fin.

Dominic commença à feuilleter les pages, leva les yeux quand Patty arriva avec le café et dit « Pas pour moi », puis retourna à sa lecture. Il posa quelques questions, Charlie y répondit incorrectement et il revint aux premières pages pour regarder les graphiques illustrant les différences de dépenses d'un trimestre à l'autre.

Quand Kate entra, il leva les yeux.

— Salut, chérie. Viens t'asseoir.

Il lui tapota la jambe.

— Tu te souviens de Charlie. Elle a apporté les résultats du quatrième trimestre de l'ONG de Julia.

— Je m'en souviens. Salut, dit Kate en observant l'habillement de sa rivale.

Aucune chance que Charlie soit ici pour affaires.

Le regard de Charlie se porta sur les bracelets et son « allô » était glacial.

— Je voix que tu faisais de l'exercice, dit-elle d'un ton de voix tout aussi froid.

— Pas beaucoup, répondit Kate en prenant la main tendue de Dominic et en s'assoyant sur ses genoux. Je suis allergique à l'exercice.

Charlie plissa les yeux. La nouvelle pétasse de Dominic paraissait fraîche comme une rose en short et en t-shirt, sans une ombre de maquillage. Sûrement que ses nichons étaient en silicone. Ils n'étaient sûrement pas vrais. La salope ne portait même pas de soutien-gorge.

— J'ai un entraîneur personnel. En fait, il entraîne les célébrités, ajouta-t-elle avec une sorte de hauteur qu'on ne voyait que sur scène. Il vient en avion de Los Angeles deux fois par semaine.

Et puis merde. Elle pouvait se le permettre.

— Dominic m'aidait, répondit-elle avec un petit sourire timide. C'est tellement mignon de sa part.

Dominic fut tenté d'éclater de rire devant la prestation de Katherine. Et il l'aurait peut-être fait, si Charlie n'avait pas été furieuse.

— Regarde, chérie, fit-il rapidement en intervenant pour calmer le jeu. Jette un coup d'œil au rapport d'indemnisation de l'ONG, ajouta-t-il en lui tendant le document. Tu connais la comptabilité mieux que moi.

Puis, Dominic posa quelques autres questions à Charlie sans obtenir de réponses plus utiles et retourna à sa lecture.

Quand Kate tourna une page et que le diamant sur ses fermoirs de bracelets étincela dans la lumière, Charlie plissa les lèvres, ses yeux se rétrécirent et elle se demanda rapidement quel danger il y aurait à exprimer sa pensée. N'étant pas une idiote, elle prit sa voix la plus charmante quand elle regarda Kate et dit :

— Quels adorables bracelets ! Un design très inhabituel. Tu les as trouvés ici ?

Dominic se tut au cas où Katherine préférerait donner sa propre explication. Les bracelets n'étaient pas ouvertement sexuels — les larges bandes dorées assez simples, les fermoirs de diamants auraient pu être des bijoux de fantaisie. Le fait qu'il y en ait deux était peut-être plus suggestif que ne l'aurait été un seul.

— Dominic les a trouvés quelque part, répondit Kate en se tournant à demi vers lui, sourire aux lèvres. Tu les as trouvés ici ?

— Mon joaillier les a fait faire.

Le silence se fit tout à coup dans le bureau.

Charlie se leva brusquement d'un air indigné.

— Je devrais simplement te laisser le rapport, Dominic. J'ai l'impression de t'interrompre.

— Je vais le renvoyer quand j'aurai fini, lui répondit Dominic avec son air imperturbable habituel.

— Garde-le.

Charlie se tenait toute droite, chaque mot chargé d'indignation.

— Nous en avons toute une pile au bureau.

— Très bien, fit-il.

Soulevant Kate de sur ses genoux, Dominic la mit sur pied, se rendit à la porte et cria à l'intention de Patty :

— Patty te montrera la sortie !

Puis, il se tourna et s'écarta pour laisser passer Charlie.

Quelques instants plus tard, quand la voix de Patty devint presque inaudible, Kate regarda Dominic toujours debout à la porte.

— Charlie fait ça souvent ? Apporter des rapports chez toi ?

— Jamais.

Il marcha jusqu'au canapé et s'y laissa tomber. Celui-ci, comme tant de meubles dans la maison, était confortable et avait beaucoup servi : en velours côtelé autrefois vert foncé, il était maintenant légèrement terni par le soleil.

— Elle s'est montrée foutrement transparente, ajouta-t-il.

— Tu étais remarquablement poli.

— Je n'aime pas les scènes et je n'avais aucune intention qu'elle reste longtemps, dit-il en soupirant. Merci, en passant, d'être venue. J'apprécie.

— Je me demande à quel point elle a dû se lever tôt ce matin pour appliquer tout ce maquillage.

Dominic sourit.

— Miaou.

— Je m'en fiche. Je ne ferais jamais ce qu'elle a fait. Se présenter comme ça sans prévenir.

— Tu n'as pas à le faire, chérie. Les hommes te courent après. Mais j'ai fait mettre une clôture électrique dans notre entente. Tu es intouchable, maintenant.

— Je devrai faire savoir à Charlie que tu n'es plus sur le marché non plus.

— Ne te gêne pas. Ça m'évitera des ennuis.

— Parlant d'ennuis, dit Kate en tapotant le rapport de son index, je ne sais pas si je devrais te faire part d'une chose qui ne me regarde en rien…

— Depuis quand as-tu peur de dire ce que tu as en tête ? demanda-t-il en souriant.

— Cette fois, c'est différent. Ça n'est *vraiment* pas mes affaires.

Il s'adossa contre l'accoudoir du canapé.

— Oublie son irruption. Dis-le-moi.

— Je sais que tu paies bien tes employés, mais les clauses d'indemnisation pour Charlie et son assistant dépassent de loin la norme pour ces postes. Dans mon domaine, je vois beaucoup de systèmes de rémunération. Celui-là est très élevé. En particulier quand on le compare à celui d'autres gestionnaires à l'ONG de Julia. Je ne veux pas créer des ennuis. Je dis ça comme ça.

— En fait, je ne supervise pas l'ONG. Roscoe saurait qui vérifie les comptes.

Il sourit faiblement.

— Hier soir, Melanie m'a dit que je devrais virer Charlie. Je me demande si elle sait quelque chose que j'ignore. J'ai pensé qu'elle parlait seulement de l'objectif évident de Charlie, mais…

Il haussa les épaules.

— Je ne dis pas que tu ne peux pas te permettre de jeter cet argent par les fenêtres, dit Kate. Tu le peux. Mais personnellement, je me demanderais à quel point ça met en colère les autres gestionnaires, ceux qui connaissent réellement leur boulot.

Elle déposa le rapport sur la table.

— Elle n'a même pas pu répondre à une seule question, n'est-ce pas ? ajouta-t-elle.

— Pas même à la moitié d'une.

Il lui adressa un large sourire.

— Tu veux un boulot ?

— Oh, oui. Je meurs d'envie de travailler pour toi.

— Un de ces jours, chérie, je vais te faire changer d'avis.

— Tu peux changer mes vêtements pour moi si tu veux, dit-elle avec un sourire, en se levant de sa chaise. Je vais prendre une douche.

— Je vais t'aider.

— Tu viens d'en prendre une.

— Hé, la pureté de l'âme passe d'abord par celle du corps.

— Comment tu pourrais savoir ça ?

— Je lis.

— Pas des sermons spirituels.

— Je devrais ?

— Il est trop tard pour toi.

— C'est ce que je pensais. Mais je pourrais te laver les cheveux. Qu'en penses-tu ?

Elle remonta son t-shirt.

— Que penserais-tu de laver autre chose ?

Puis, elle laissa retomber son t-shirt, se tourna et partit en courant.

Il la rejoignit au milieu de l'escalier et la souleva dans ses bras.

— Tu ne peux pas t'enfuir, chérie. N'essaie même pas.

Il était très bon pour laver les cheveux.

Vraiment excellent.

Elle faillit lui demander où il avait appris à être si doux, mais songea qu'elle ne voulait peut-être pas le savoir.

CHAPITRE 23

Les quelques jours suivants furent parfaits, de la même manière qu'était parfaite la poésie amoureuse de 2000 ans d'Ovide — parce qu'il était assez brillant pour définir l'indéfinissable.

Dominic et Kate jouèrent plusieurs fois aux échecs avec les enfants. Une fois, ils déjeunèrent chez Lucia, s'y rendant avec la limousine blindée et entrant par la porte arrière, bien que Kate ne se soit pas rendu compte de la vigilance accrue. Et un après-midi, sous la même surveillance discrète, Dominic emmena Kate rendre visite à Gretchen, puis au Tosca Café pour goûter à ses boissons préférées. Le propriétaire, que Dominic connaissait, les conduisit dans une pièce à l'arrière où ils burent le cappuccino maison, un mélange de chocolat, de brandy et de lait chaud, une recette datant de l'époque de la prohibition. Sur une recommandation de Melanie, Dominic demanda à ce que le Young Museum demeure ouvert tard un soir pour que Kate puisse voir en privé *La jeune fille au turban*, de Vermeer. En tant qu'important donateur, sa demande fut acceptée sans hésitation. Et après avoir entendu les exclamations enthousiastes de Kate devant le superbe petit tableau presque virginal, il se trouva ravi d'avoir fait cette démarche.

Mais ils restèrent surtout à la maison, passant la majeure partie de leur temps dans la chambre à coucher de Dominic, en sortant parfois pour manger, descendre au gymnase ou s'asseoir sur la terrasse sur le toit avec son magnifique point de vue sur le Golden Gate. Lors de ces occasions passagères, Patty faisait venir du personnel d'à côté pour nettoyer rapidement la chambre et la salle de bain de Dominic, changer les draps et les serviettes, ramasser en général ce qui traînait et laver en particulier les jouets sexuels dont ils s'étaient servis.

La première fois qu'ils étaient retournés à la chambre et que Kate avait aperçu les jouets bien propres et bien rangés sur le comptoir de la salle de bain, elle avait timidement demandé qui, précisément, était responsable de cette tâche.

— Patty est responsable de la maison, des gens chargés du nettoyage, des jardiniers, de la facturation et des livraisons. Je ne pose pas de questions. Tout paraît propre, n'est-ce pas ? dit Dominic d'une voix nonchalante. Patty est une maniaque de la propreté. Elle n'utilise que des produits biologiques, nous sommes donc en sécurité sur ce point. Tu pourrais manger sur le plancher, me dit-elle toujours fièrement. Alors, je pense que les jouets sont tout aussi salubres.

— Salubres ? fit-elle en haussant un sourcil.

— Et pourtant tes inquiétudes ne durent jamais longtemps, n'est-ce pas, chérie ? dit-il en souriant.

— Tu as un talent fou pour me corrompre, murmura-t-elle.

— Ce n'est pas de la corruption si tu as du plaisir, lui répondit-il d'une voix traînante. Et je vais toujours m'assurer que tu aies du plaisir.

Il hocha la tête.

— Alors, choisis quelque chose.

Ayant obtenu la réponse à sa question avec l'indifférence habituelle de Dominic à l'égard des tâches de son personnel, Kate accepta sa suggestion et fit son choix. Il ne savait peut-être pas comment les jouets en étaient venus à être si systématiquement rangés dans la salle de bain, mais il savait certainement comment s'en servir.

Le lendemain, alors que Kate discutait d'une recette avec Patty, Dominic profita de l'occasion pour s'enfermer dans son bureau et appela Justin.

— Il se peut que je raccroche brusquement si Katherine entre, le prévint-il. Tu as trouvé quelque chose ?

— Quand l'argent n'est pas un obstacle, tout se résout.

— Bien. Où ?

— Sur Upper Belgrave Street. Un bel appartement avec deux chambres. Cinq millions et demi.

— C'est réglé ?

— Quelqu'un de ton bureau d'ici viendra signer les documents cet après-midi. Et le compte pour Amanda a été ouvert.

— Bien. Roscoe a dit qu'il s'en occuperait. Tu es sûr qu'Amanda n'a pas d'objection à m'aider ?

— Elle est au paradis des emplettes en ce moment même.

— Embrasse-la pour moi, mais dis-lui que s'il faut repeindre ou poser de nouveaux tapis, ça doit respecter l'environnement : pas de produits chimiques, rien de toxique. Même chose pour les meubles. Un fini et des tissus naturels. Katherine est toute petite. Elle ne peut pas absorber la même quantité de toxines que quelqu'un de ma taille.

— Tu donnes l'impression de vouloir l'envelopper dans la ouate et la mettre dans une boîte de verre.

— Si seulement je le pouvais, répondit Dominic d'un ton sec. Alors, ajouta-t-il rapidement, tu peux faire en sorte que tout soit prêt pour samedi ? Nous allons prendre l'avion tard samedi soir ou dimanche.

Il n'y avait toujours qu'une seule réponse pour Dominic Knight.

— Bien sûr, pas de souci, dit Justin. Tout sera prêt.

— Merci, répondit Dominic. Nous te verrons cette fin de semaine. Soit dit en passant, nous ne nous sommes jamais rencontrés. Tu n'es qu'un gestionnaire magnanime de CX Capital qui aide une nouvelle contractuelle. Tu peux couvrir tes arrières avec ça, n'est-ce pas ?

— Pas de problème. Je suis un peu comme toi, Nick. J'établis mes propres règles.

Dominic éclata de rire.

— Heureux d'entendre ça. *Ciao.*

Puis, il donna un rapide coup de fil à Leo.

— Je me demandais quand j'aurais de tes nouvelles, fit remarquer ce dernier.

— La vie est pleine d'activités quand on est en vacances, dit Dominic, le sourire évident dans sa voix.

— On dirait. Tout va bien, alors ?

— Oui, tout à fait, mais nous partons samedi ou dimanche. Je préférerais samedi. Nous déciderons ça plus tard. Et dis à Sese que je vais avoir besoin de lui à Londres. J'espère pouvoir convaincre Katherine de le prendre comme cuisinier à demeure. De cette manière, il y aura quelqu'un à l'intérieur en même temps que tes équipes à l'extérieur. Un petit service de sécurité supplémentaire. Et Yash ferait mieux de venir aussi. Au cas où.

— Je vais le leur dire. Sese est chez sa parenté dans la Central Valley ; Yash assiste à une conférence. Je verrai à ce qu'ils soient de retour d'ici vendredi soir.

— Comment ça s'est passé avec Tan ?

— Tout s'est bien déroulé. Ils sont tous partis.

— Tu n'es pas en train de me dire que les fiers-à-bras de Gora sont retournés à Bucarest ?

— Non.

— Pas de répercussions ?

— Seulement à Bucarest, je suppose. Ça devrait aider tes négociations, ajouta Leo.

— Peut-être. Gora manquera d'armes avant de manquer de muscles, mais ça pourrait lui faire remettre en question ses tactiques. Tan et sa parenté vont bien ?

— Tout le monde va bien.

— Je suppose que…

— Tu ne veux pas savoir, l'interrompit Leo. *Je* ne veux pas savoir. Tan voit ça comme un service qu'il te rend et ce n'est pas comme si les hommes de Gora étaient venus de Bucarest pour prendre des vacances.

— Bien. Merci pour cette mise à jour. Je dois y aller.

Il raccrocha et sourit à Kate qui se tenait à la porte de son bureau.

— Je parlais à Leo. Je pense que nous allons partir samedi à moins que tu préfères dimanche. As-tu obtenu la recette que tu voulais ?

Kate lui montra la fiche de recette qu'elle tenait.

— Viens ici. Montre-moi. C'est quelque chose que j'aimerais ?

— Comme si tu te souciais de la cuisine, dit Kate avec un sourire en se dirigeant vers lui.

— Hé, je m'intéresse à ce qui t'intéresse.

Il pivota à demi sur son fauteuil et leva les bras à son approche.

— Vas-tu cuisiner pour moi ? demanda-t-il en la tirant sur ses genoux.

— Peut-être, répondit-elle en lui souriant. C'est ton pouding au riz.

— Super, dit-il avant de lui déposer un baiser sur la joue. Je vais même t'aider. Bien que, ajouta-t-il en gardant délibérément une voix neutre, je me disais que tu aimerais peut-être que Sese demeure avec toi et te fasse la cuisine. Tu es vraiment un peu perdue dans une cuisine. Tu aimes travailler de longues heures ou tout au moins, c'était le cas à Amsterdam — à Singapour aussi, d'après Johnny Chen. Quand tu travailles à ce point, tu as besoin de repas nourrissants et Sese ne te dérangera pas.

— C'est tentant, mais je ne peux pas imaginer que cet appartement soit très grand.

— Attendons et nous verrons.

Le mot « tentant » était de bon augure. Elle ne s'était pas opposée avec force à l'idée. Et il savait qu'un appartement à deux chambres à coucher de cinq millions de dollars devait avoir des pièces d'une grandeur plus que convenable.

Leurs dernières journées se résumèrent à du soleil et des roses, des arcs-en-ciel et des rouges-gorges et à des plaisirs sans mélange, sublimes et mémorables. Dominic s'en assura. Quoi que Kate puisse désirer, il le lui donnait.

Cette première soirée à Singapour, Kate s'était dit que peu importait le temps qu'elle passerait avec Dominic, elle n'allait pas le gâcher en pensant à l'avenir. Et, généralement parlant, elle était capable de composer avec ses émotions d'une manière pragmatique. Elle était incroyablement heureuse la plupart du temps — en fait, extraordinairement heureuse. Seulement de temps en temps, tard le soir, elle se réveillait terrifiée, le cœur battant, effrayée à l'idée de le perdre. Mais une seconde plus tard, elle sentait Dominic près d'elle, ou qui l'enlaçait, et ses craintes disparaissaient.

Dominic, quant à lui, éprouvait une rare tension. Il était habituellement calme, mais avec la sécurité de Katherine en cause, étant tous deux la cible des hommes de Gora, les enjeux étaient beaucoup plus élevés. Katherine avait été repérée à Singapour parce que les hommes de Gora étaient arrivés sur place avant lui. Alors, il ne mettait pas seulement sa vie en jeu, laquelle il lui avait été curieusement facile de considérer comme sans importance pendant des années. La vie était plus attirante, maintenant. Depuis qu'il connaissait Katherine, il avait l'impression d'avoir un avenir, peut-être même radieux. Et il n'était pas prêt à perdre Katherine ni cet avenir.

Toutefois, à un niveau purement tactique, c'était Gora qui constituait le problème. Dans le meilleur des cas, c'était un électron libre asservi sous conditions à l'organisation mafieuse de la famille de sa femme. Ouvertement indépendant en apparence. Rien de tout cela ne permettait de prédire le résultat de la rencontre du mardi.

L'argent représentait d'habitude un bon levier, mais pas toujours. Cette fois, il y avait trop de joueurs à la table.

Et certains d'entre eux étaient invisibles.

CHAPITRE 24

Le jet privé de Dominic atterrit à Londres à 17 h le samedi.

La veille, Kate avait reçu un message lui indiquant l'adresse de l'appartement. Justin lui avait offert de l'y rencontrer et de lui en faire faire le tour ; il les attendait avec Max quand ils arrivèrent à l'appartement.

Justin se présenta au couple et, pendant qu'il faisait visiter l'appartement à Kate, Dominic et Max passèrent rapidement en revue leurs plans pour mardi et convinrent de se rencontrer à l'aéroport le lundi après-midi. Puis, Max partit, et Dominic retrouva Justin et Kate dans la cuisine ultra moderne.

— C'est bien, dit Dominic. J'aime ça.

— C'est intimidant pour quelqu'un qui ne fait pas la cuisine, dit Kate en regardant les armoires qui s'élevaient jusqu'au haut plafond, l'immense cuisinière Aga bleue et le réfrigérateur encore plus grand, puis les trois éviers et le refroidisseur à vin de bonne taille.

— Mais je vais m'arranger, ajouta-t-elle. Il y a toujours les mets à apporter et la pizza.

— Pourquoi ne pas laisser Sese s'occuper de tout ça ? suggéra Dominic. Tu n'auras même pas à venir dans la cuisine. Et avec ton horaire de travail épouvantable, je doute que tu en aies le temps.

Il se tourna vers Justin.

— Katherine est un bourreau de travail. CX Capital est chanceuse de l'avoir.

— C'est ce que j'ai entendu dire, répliqua Justin avec un sourire poli. Nous sommes impatients d'obtenir son aide.

Dominic jeta un regard à Sese qui était arrivé derrière lui.

— Qu'en dis-tu, chérie ? Tu veux voir si Sese peut t'aider ? Au moins jusqu'à ce que tu sois installée. Ta première semaine au travail pourrait être trépidante.

— Je ne sais pas, hésita-t-elle. M'imposerais-je ? Sese a probablement d'autres choses plus importantes à faire.

— Pourquoi ne pas le lui demander ? fit Dominic en souriant. Mais n'oublie pas que Sese cuisine pour gagner sa vie.

— Divinement, en fait.

Kate adressa un sourire au géant qui se tenait debout près de Dominic. Leurs repas dans l'avion avaient été absolument divins.

— Ça te dérangerait de m'aider, Sese ? Ça ne durerait pas longtemps. Seulement jusqu'à ce que mon horaire… je ne sais pas… s'organise.

— Bien sûr. Pas de problème, répondit Sese en inclinant la tête.

— OK.

Kate prit une petite inspiration. C'était sa première expérience avec quelque chose d'aussi grandiose que d'avoir un cuisinier à demeure.

— Je n'ai aucune idée comment tout ça fonctionne, dit-elle.

— Ne vous en faites pas, lui répondit-il avec un grand sourire. Je fais ça depuis un bon moment.

— Super, répondit-elle. Et je peux payer pour ça, ajouta-t-elle en se tournant vers Dominic. Alors, n'y pense même pas.

— Parfait. C'est réglé, alors.

Il jeta un coup d'œil à Sese.

— Voici ton nouveau domaine. Tu commences lundi.

Dominic jeta un coup d'œil à Justin.

— Y a-t-il une cafétéria à votre siège social ou Sese doit-il apporter des repas quand Katherine travaille tard ?

— En général, les gens sortent manger.

Dominic posa son bras sur les épaules de Kate et l'attira vers lui.

— Sese s'arrangera pour que tu aies de la nourriture. Tu oublies parfois de manger quand tu travailles. Maintenant, as-tu des questions pour Justin ?

— À quelle distance se trouve le bureau ?

— Mon chauffeur te conduira, intervint Dominic avant que Justin puisse répondre.

— Ce n'est pas nécessaire.

— Sottise, c'est son boulot. Nous lui ferons savoir quand te prendre le matin et tu pourras l'appeler quand tu voudras te faire reconduire à la maison. Au moins jusqu'à ce que tu te sois adaptée, ajouta-t-il doucement plutôt que de dire « Tu ne peux pas sortir de l'appartement sans un garde ». Sese, pourquoi ne pas demander à Katherine ce qu'elle veut que tu achètes comme bouffe et je vais reconduire Justin.

Il embrassa Kate sur la joue, s'éloigna et sourit à Justin.

— Merci d'être venu.

Tandis que les deux hommes s'éloignaient de la cuisine, Justin dit comiquement dans un souffle :

— Est-ce qu'elle a l'âge légal ?

Kate portait des chaussures de sport, des pantalons de jogging et un t-shirt à manches longues, ses cheveux en désordre comme d'habitude, son regard vert lumineux — l'image même de la naïveté.

— Va te faire foutre, répondit Dominic en souriant.

— Je demandais ça comme ça. Elle semble avoir 15 ans et être vertueuse.

— Alors, je m'attends à ce que tu la protèges des gros méchants loups à CX Capital.

— Bon Dieu, ce sera un travail à temps plein. Elle est magnifique. Sérieusement, quel âge a-t-elle ?

— Elle a 22 ans.

— Et elle te supporte ?

Dominic se contenta de lui adresser un regard dur.

— Ça ne te regarde pas ni personne d'autre. C'est clair ?

Justin leva les mains en signe de reddition.

— Désolé.

Dominic sourit.

— Pas de problème.

Peu après, Justin se versait un verre à la maison et répondait aux questions de sa femme à propos de la *nouvelle amie* de Dominic.

— Je pense que Katherine Hart est davantage qu'un beau cul pour lui. Un appartement de plus de cinq millions. Peut-être même plus de ce que Dominic en sait. J'ai commis l'erreur de faire une blague à propos de sa vie sexuelle avec elle et il a failli m'arracher la tête.

— Oh là là !

Amanda leva les yeux de son fauteuil près du foyer, Adam endormi dans ses bras, et sourit d'un air entendu.

— Dominic la protège. Comme c'est mignon et comme ça ne lui ressemble pas.

Elle leva un sourcil.

— Un mariage peut-être ? demanda-t-elle.

— Ne t'emporte pas, l'avertit Justin en se laissant tomber dans un fauteuil devant sa femme. Je ne suis pas certain que Dominic soit du genre à se marier.

— Julia gérait la situation.

— Exactement. Elle *gérait la situation.* Je pense que c'est pour ça qu'il a accepté de l'épouser. Ça ne le dérangeait pas qu'elle organise ses aventures. Elle ne gérait rien d'autre.

— Du moment où ça ne te dérange pas que je gère ta vie entière, roucoula Amanda en lui envoyant un baiser.

— Hé, c'est pour ça que je me suis engagé, répondit-il en souriant. Fais de ton mieux.

C'était exactement ce que Dominic avait aussi en tête.

Comme il ne lui restait qu'un jour et deux nuits avant de devoir partir pour Rome, il voulait faire en sorte que le temps passé avec Katherine soit le plus agréable possible.

Ce qui signifiait un minimum d'interruptions, pas de personnel, seuls tous les deux.

Dès que Sese était parti, Kate avait glissé ses bras autour de la taille de Dominic et murmuré :

— Merci. Je veux seulement être avec toi. Seulement nous deux.

Elle jeta un rapide coup d'œil autour de la cuisine.

— Je peux cuisiner quelque chose pour toi.

— Tu peux cuisiner à peu près autant que moi, dit Dominic en éclatant de rire. C'est-à-dire pas du tout. Je vais faire venir quelque chose de chez moi. Ce n'est qu'à quelques pâtés de maisons. Décide de ce que tu veux.

— À part toi ?

— Tu m'as, chérie. Cette décision a été prise. Et tu sais quoi ? Mon chef peut nous cuisiner n'importe quoi plus tard. La nourriture ne figure pas au haut de ma liste de priorités, en ce moment.

Il n'y a que toi sans vêtements sur ma liste. Toi complètement nue dans un lit quelque part.

Il leva les yeux.

— Où est la chambre à coucher ?

— Laquelle ? demanda-t-elle en lui adressant un large sourire.

— Nous avons le choix ? Peut-être les deux. Je vais peut-être te poursuivre dans tout l'appartement et te baiser dans chaque pièce. Que penses-tu de ça ?

— J'adore t'entendre dire de si belles choses, ronronna-t-elle.

— Et tu en es la raison, chérie. Tu es ma beauté, mon rappel que la vie est belle, mon tout. Oh, ne pleure pas, chérie.

Il l'attira doucement contre lui, puis l'enlaça.

— Tout sera bien à partir de maintenant. Je te le promets.

— Tu ne seras pas parti longtemps, n'est-ce pas ? Mens, si nécessaire. Tu me manques déjà.

Il essuya du pouce les larmes sur ses joues.

— Quelques jours, c'est tout, dit-il doucement. Je serai revenu avant que tu t'en rendes compte.

Elle renifla, déglutit, essaya de sourire.

— Promis ?

— Oui, promis, murmura-t-il en l'embrassant sur la bouche.

CHAPITRE 25

Dominic passa le temps du vol jusqu'à Rome dans son bureau et, quand il sortit avant l'atterrissage, il tendit à Max une lettre scellée adressée à Kate.

— Si les choses tournent mal, dit-il, et que je ne réussis pas à sortir vivant du restaurant. S'ils utilisent quelque truc stupide d'espion dont ils se servent dans cette partie du monde — poison, isotopes radioactifs, peu importe —, assure-toi que Gora ne s'en sorte pas vivant non plus, puis donne la lettre à Katherine.

— Ne t'inquiète pas, dit Max. Il y aura plein de monde pour te protéger.

Dominic leva la main.

— Si je meurs, je veux qu'il meure aussi. Compris ?

— C'est sûr.

— Bien, fit Dominic en inclinant la tête. Je pense que je leur suis plus utile vivant, mais on ne sait jamais. Je croyais avoir suffisamment bien payé Gora pour que l'usine de Bucarest ne m'escroque pas et tu vois comment ça s'est terminé. Tout le monde est foutrement cupide, comme tu sais. Maintenant, décris-moi le lieu du rendez-vous.

— Le restaurant sera fermé. Nous allons fouiller l'endroit de fond en comble avant que tu y entres. Puis, il n'y aura que toi et Gora. Nous avons des tireurs d'élite qui surveillent leurs tireurs d'élite. Nous avons des hommes qui surveillent leurs fantassins et suffisamment d'armes et de munitions à ton hôtel ici pour déclencher la Troisième Guerre mondiale. Les policiers ne s'en mêleront pas. Alessandro s'est occupé d'eux. Nous avons trouvé la poupée d'âge mineur de Gora hier soir dans un couvent en haut des collines et nous la surveillons. Nous ne l'avons vue qu'une fois parce que les murs sont élevés, mais elle ne peut sortir de là sans que nous le sachions. Et si le pire survient, je suppose que nous pourrions foncer à l'intérieur toutes armes dehors. Bien que ça pourrait causer un scandale politique — il haussa les épaules —, à toi de décider. Puisque Gora se fout de sa femme, nous n'avons que quelques hommes en surveillance auprès d'elle. Elle est en vacances à Istanbul. Et, pour finir, je m'attends à ce que Gora te propose une somme que tu peux te permettre de dépenser.

— Si ce n'était pas de Katherine, je serais d'accord. Mais il sait à quel point je tiens à elle. Il a perdu huit hommes à Singapour, alors je pense que son prix a grimpé en flèche. Et pour être tout à fait franc, je ne peux plus repartir comme par le passé et lui dire de faire de son mieux ou d'aller se faire foutre. Pas avec Katherine dans le décor. Ça change tout.

— Nous pouvons la protéger.

— Non, nous ne le pouvons pas, dit Dominic. Pas complètement. Pas à moins de lui foutre la trouille, ce qui n'est pas une option. Et pas alors qu'elle travaille dans un foutu édifice avec des milliers de gens qui vont et viennent.

— Alors, quel est le plan ?

— Je n'ai que le plan d'offrir le tas habituel d'argent qui achète pratiquement tout dans le monde. J'attendrai que Gora avance sa première pièce, puis j'avancerai la mienne. Nous verrons ce qui arrivera.

— Au moins, tu as déjà fait des affaires avec Gora.

Dominic sourit.

— Je lui ai versé beaucoup[8] d'argent sale pour garder mon usine ouverte, tu veux dire.

Max haussa les épaules. Tous deux connaissaient le prix à payer pour faire des affaires dans les régions sans foi ni loi du monde.

— Tu as tout de même raison, fit Dominic en soupirant. Nous avons pu nous fier à Gora jusqu'ici. Il gardait les petits voyous à bonne distance de nous. Et je crois qu'il n'avait pas beaucoup le choix quand ses beaux-parents lui ont mis de la pression pour qu'il vole un autre 20 millions. Il aime vivre lui aussi. Probablement encore plus maintenant qu'il a cette nouvelle fillette dans son lit.

Dominic pointa un doigt en direction de la porte de l'avion qu'un agent de bord ouvrait, puis sourit.

— Tu es prêt ? Voyons voir si nous pouvons conclure ce marché.

Le restaurant se trouvait de l'autre côté de la rue, en face du Panthéon, la vue par les fenêtres était splendide, l'immeuble de 2000 ans d'une grande beauté architecturale, encore parfait et magnifique au point où Dominic faillit se tourner vers Gora et dire : « Tout ça, ce ne sont que des broutilles. Pourquoi ne mettrions-nous pas nos queues sur la table, voir qui a la plus grosse et en finir avec ça ? ». Mais Gora était assis devant lui, habillé par le meilleur tailleur de Rome, lui servant son regard je-suis-le-mâle-alpha, ce qui augurait mal pour ce qui était de lui présenter l'argument « Ce ne sont que des bagatelles dans le grand ordre des choses ».

8. N.d.T.: En français dans le texte original.

— Alors, que puis-je faire pour toi, Gora ? demanda Dominic en italien, leur langue commune, en s'installant sur sa chaise et en se disant qu'il aurait dû mieux s'habiller qu'avec ses jeans et son t-shirt pour l'occasion, bien que la lame de couteau dans la semelle de sa chaussure de sport rouge lui permettrait de franchir la porte plus rapidement que n'importe quel costume de Savile Row, sans compter que Gora était un poids plume par rapport aux normes dans les Balkans où les armoires à glace étaient monnaie courante. Son cou ne serait pas difficile à briser.

— Il me faut un dédommagement pour la perte de huit hommes.

— Tu n'aurais pas dû les envoyer. Tu as volé mon argent. Je l'ai repris.

Gora sourit d'un air onctueux, écarta les mains et les posa à plat sur la table.

— S'il ne s'agissait que de moi, Dominic, nous pourrions en venir à une entente. Mais l'organisation n'aime pas perdre de l'argent.

— Alors, la famille de ta femme devrait s'attaquer à des gens qui ne ripostent pas. Ils ont merdé. Qu'est-ce que je peux dire ?

— Ta petite amie est à Londres, je vois.

Il ne perdait pas de temps et c'était tout aussi bien ainsi.

— Oui. Pour six mois.

— C'est ce qu'on m'a dit.

— Ça ne m'étonne pas. Alors, permets-moi d'être parfaitement clair. Je ne veux pas que Katherine soit impliquée dans tes problèmes d'argent. Alors, estime-toi heureux. Je vais plutôt régler ça avec de l'argent. Combien veux-tu pour régler cette situation ?

— Je ne veux pas de ton argent. Je veux que tu épouses ma petite amie.

Gora leva rapidement la main alors que Dominic commençait à se lever.

— Temporairement. Elle est enceinte de six mois. Elle vient d'une vieille famille conservatrice qui insiste pour qu'elle se marie bien avant la naissance de l'enfant.

Dominic se rassit.

— Et tu as peur de ta femme.

— Comme Katherine pour toi, Dominic, cette jeune femme est importante à mes yeux, dit Gora en ignorant le commentaire de Dominic qui était trop véridique pour se donner la peine d'en discuter. Alors, tu vois, nous faisons face au même dilemme.

— Et si tu ne reviens pas avec l'argent ? Comment vas-tu expliquer ça à l'organisation de ta femme ?

Gora haussa les épaules.

— J'ai assez d'argent pour couvrir le manque à gagner, dit-il en souriant. Mes affaires sont lucratives aussi.

— J'aimerais pouvoir t'aider, Gora, répondit Dominic, mais ça ne m'intéresse pas de marier ta petite amie de 16 ans que tu baises depuis 3 ans. N'aie pas l'air si surpris. Pourquoi je ne te surveillerais pas ? J'ai presque envie de montrer la vidéo que j'ai à ta femme, mais alors tu serais un homme mort et avec qui je marchanderais ensuite ?

Un certain degré de corruption était inévitable, lorsqu'on faisait des affaires dans les Balkans. Le fait que Gora ait été utile quand Dominic avait établi son usine à Bucarest constituait le compromis.

— J'aurais pu te faire tuer à la place, dit froidement Gora. Qu'en penserait ta Mlle Katherine Hart ?

— Elle s'est bien arrangée avant moi, dit calmement Dominic. Elle s'arrangera tout aussi bien après moi. Je ne m'imagine pas être indispensable à quiconque. C'est toujours une erreur, Gora, de penser que ça a de l'importance que nous vivions ou que nous mourions. Le monde survivra sans toi ou moi. Alors, ne me menace pas. Je m'en fiche absolument. Tout comme je me fiche que tu vives ou meures.

— Laisse-moi te montrer quelque chose.

Gora prit son téléphone cellulaire, tapa sur une icône et tendit l'appareil à Dominic.

L'écran ne comportait qu'une seule photo prise avec une caméra à vision nocturne. La photo avait été prise d'un endroit plus élevé — de l'autre côté de la rue, remarqua Dominic. Katherine était dans sa chambre, assise à sa coiffeuse, se brossant les cheveux.

— Est-ce que je menace ta petite amie maintenant ?

— Si tu peux l'atteindre.

— Je sais où elle est. Mes hommes la surveillent. À toi de jouer.

— Regarde ça, dit Gora en tapant de nouveau sur son téléphone. Celle-là a été prise il y a 10 minutes, seulement pour toi.

Il tendit le bras et montra la photo à Dominic. Katherine parlait à un collègue au bureau.

— J'ai un cousin qui distribue le courrier chez CX Capital, déclara Gora en souriant. C'est un tout nouveau boulot. Probablement temporaire, mais il aime ça. Plein de belles filles, d'après lui.

Dominic demeura silencieux pendant quelques moments, puis regarda Gora d'un air neutre, froid.

— Laisse-moi te conter une petite histoire, Gora. Quand j'étais jeune, ma mère m'a envoyé voir des psys parce qu'elle pensait que je voulais la tuer.

— Tu l'as fait ?

— Pourquoi je te dirais quelque chose que je n'ai jamais dit aux psychiatres ?

— Elle est encore en vie ?

— Ça ne concerne pas ma mère, Gora. Un des psychiatres était pédophile. Alors, j'ai prévenu de manière anonyme les autorités à propos de ses activités illégales comme l'aurait fait tout bon citoyen. Je leur ai dit où se trouvaient ses dossiers. Je leur ai dit où se trouvait sa collection de photos. Je leur en ai envoyé une parce que cet imbécile m'a montré tout ça comme si ça m'intéressait. Tu comprends où je veux en venir, Gora ? Je n'avais pas encore 10 ans et j'avais déjà saisi qu'on doit faire ce qu'il faut, peu importe quoi. Toujours. Point final. Alors, si tu touches à un cheveu de la tête de Katherine, si même tu lui fais peur, si un de tes abrutis se montre et l'effraie… OK ? Tu vois bien l'image ? Je vais t'éliminer ; je vais éliminer la famille de ta femme. Je vais le faire même du fond de ma foutue tombe. Et avant que tu montes sur tes grands chevaux, laisse-moi te dire que ta sécurité n'est pas à toute épreuve. Je peux atteindre ta jeune amie. Si tu oses faire du mal à Katherine, ça retombe sur elle. Bianca, n'est-ce pas ? Je vais l'étrangler de mes propres mains. Tu veux toujours que je la marie ?

Gora lui jeta un regard scrutateur, prit une profonde inspiration, choisit ses mots.

— Je pensais que nous allions conclure une entente.

— Je pensais que l'entente c'était de l'argent. De moi à toi. Si tu as besoin d'un fiancé, ajoutes-y le prix d'un quelconque gigolo qui se tiendra devant l'autel avec ta poupée. J'ai seulement besoin d'un foutu chiffre, dit Dominic d'un ton légèrement agacé.

Il tapota son téléphone dans sa poche de chemise.

— Tu auras l'argent dans ton compte en cinq minutes.

Gora faisait du mal aux gens pour gagner sa vie, mais il ressemblait quand même à un comptable maigrichon dans un costume dispendieux qui ne lui convenait pas. Et son visage avait perdu un peu de son arrogance méchante maintenant que s'effondrait l'entente qu'il essayait de conclure pour plaire à la poupée à qui il n'avait pas été assez intelligent pour faire prendre la pilule. Bien que, songea Dominic, après sa folle semaine avec Katherine à Hong Kong, il était la dernière personne à pouvoir parler d'intelligence dans la planification des naissances.

— Écoute, Gora, je souhaite autant que toi de régler ce différend, mais il doit se régler avec de l'argent. Et je vais probablement regretter d'avoir dit ça, mais fixe ton prix. Finissons-en.

Gora secoua lentement la tête.

— Tu sais que je peux jurer de ne pas faire de mal à Katherine. Je tiens toujours parole. Je suis sûr que tu sais aussi que ma Bianca vient d'une famille d'aristocrates. Alors, j'ai tout aussi besoin de toi Dominic que tu as besoin de moi. Moi aussi, je joue aux échecs. Je sais que tu protèges ta reine.

» Ceci dit, poursuivit-il en soupirant, j'ai besoin de ton statut, de ta richesse. N'importe qui ne fera pas l'affaire comme mari. C'est pourquoi j'ai des hommes qui surveillent ta petite amie. C'est la seule emprise que j'aie sur toi. Et je ne te demande pas de le faire longtemps. Tu peux avoir le contrat de mariage que tu désires. Je ne veux pas de ton argent. Après trois mois, l'enfant vient au monde avec un nom respectable et tu obtiens le divorce.

Il eut un petit sourire.

— Nous savons que c'est un garçon, précisa-t-il. Ma femme ne m'a donné que des filles.

Dominic s'enorgueillissait de conclure de bonnes ententes, mais il commençait à se sentir inquiet à propos de celle-ci. Comme s'il allait peut-être s'y brûler. Il avait déjà éprouvé ce sentiment et il avait toujours tout laissé tomber. Mais il ne pouvait pas le faire cette fois. Pas avec la vie de Katherine en jeu. Pas quand Gora savait qu'il ne lui laisserait pas lui faire de mal.

— Bon Dieu, Gora, Je m'attendais à pouvoir survivre à cette entente. Le mariage ? Merde. Tu ne peux pas trouver quelqu'un d'autre pour te remplacer comme fiancé ?

— Avec les gens que je connais ? fit Gora en haussant les épaules. Impossible.

Dominic se leva tout à coup, se rendit derrière le bar, attrapa une bouteille de brandy, brisa le sceau, en avala une gorgée, puis demeura là pendant quelques moments, réfléchissant à toutes les possibilités comme un preneur de paris de Las Vegas, traitant l'information, échafaudant des tactiques et évaluant les contraintes, déterminant des objectifs. Les hommes de Gora étaient stupides, mais puissants. Surtout en ce qui concernait l'usine de Bucarest. Surtout avec leur puissance de feu. Dominic *pouvait* poursuivre une réaction en chaîne d'une impasse à l'autre : d'abord lui, puis Gora, puis lui, menaces par-dessus menaces jusqu'à l'infini, tout en essayant de garder Katherine en dehors de ça et hors de danger. Mais une pareille joute ferait en sorte que chaque jour lui paraîtrait comme celui du Jugement dernier.

Une partie de lui se disait que ça pourrait être un bon moment pour prendre une pause. Il pourrait résoudre d'un coup toute la myriade de problèmes d'un seul geste pragmatique. Apaiser toutes les parties en cause et assurer la sécurité de Katherine. Parfois, il était utile aux échecs de se mettre en position de faiblesse en acceptant une perte tactique pour obtenir un gain stratégique plus important. Tout bon joueur d'échecs savait ça d'instinct.

Et il avait toujours été un homme de chiffres. Les chiffres avant les émotions. C'était ainsi qu'il était arrivé où il était. Et récemment — depuis l'entrée en scène de Katherine — l'émotion avait reconfiguré ses algorithmes et troublé son esprit, ajoutant un facteur inconnu qui bousillait ce qui avait toujours représenté une équation favorable.

Peut-être devait-il simplement tout mettre sur la glace. Laisser la situation se calmer. Voir s'il voulait vraiment ce qu'il pensait vouloir. Se concentrer sur la stratégie d'ensemble qui parfois était plus grande que la somme de ses parties. Et trois mois, ce n'était pas si long.

C'était une décision de la part d'un homme qui en était venu à envisager la vie comme étant explicitement calculable.

Ou, en tout cas, il l'avait fait jusqu'à récemment.

Dominic revint s'asseoir.

— J'ai une condition, dit-il en posant la bouteille sur la table et en la tenant entre ses mains. Je vais faire mon temps pour toi, mais Katherine ne va pas en faire autant. Je veux que les choses soient bien claires. Quand les avocats auront rédigé les documents, Katherine sera à l'abri. Complètement à l'abri. Je ne vais pas quitter Londres avant que ton commando de tueurs soit parti. Ce n'est pas négociable. Tu veux quelque chose. Je veux quelque chose. Nous sommes à égalité.

— Je te prends quand même tes 20 millions.

— Ferme-la, Gora. Arrête-toi pendant que tu as le haut du foutu pavé.

L'affaire fut conclue. Ils s'entendirent aussi, pendant que Dominic buvait la moitié de la bouteille, sur le fait que leurs avocats se rencontreraient à l'hôtel de Dominic, à Rome, plus tard ce jour-là, pour rédiger le contrat de mariage et les documents préliminaires pour le divorce. Les formalités d'usage à propos d'un permis se régleraient rapidement pour que le mariage puisse avoir lieu avant la fin de la semaine.

Dominic se leva.

— Quand j'aurai la preuve que tes hommes sont partis, que Katherine est en sécurité, je vais retourner à Rome. *Ciao*, fils de pute.

Quand Dominic se glissa sur le siège arrière de sa voiture quelques minutes plus tard, il frappa sur la vitre opaque, puis tendit la main à Max.

— Je vais reprendre cette lettre.

— Alors, ça s'est bien passé ?

— Pas vraiment.

Tandis que la voiture s'éloignait, Dominic plia la lettre et la glissa dans sa poche arrière.

— Accorde-moi une minute et je vais te raconter. En ce moment, j'essaie de me retenir de foutre mon poing à travers la fenêtre.

CHAPITRE 26

Dominic arriva à sa maison d'Eaton Place à 20 h. Leo et Danny l'attendaient.

— Rassurez-moi encore, leur dit Dominic en entrant.

— Comme je te l'ai dit au téléphone, l'appartement de l'autre côté de la rue a été vidé, dit Leo. Le propriétaire est en vacances en Espagne. Il ne sait même pas que les hommes de Gora y étaient.

— Et les équipes de surveillance ?

— Parties il y a trois heures.

— Toutes ?

— Nous les avons suivies jusqu'à leur quai d'embarquement à l'aéroport. Au total, 20 hommes. Ils sont partis en groupes au cours des dernières heures. Certains à Bucarest, d'autres à Rome, trois à Genève.

— Gora sort de sa poche les 20 millions pour que sa femme ne le sache pas, dit Dominic avec un léger sourire. Bon Dieu, je pourrais presque me sentir désolé pour cette petite merde, s'il ne perturbait pas si complètement ma vie.

Danny lui adressa un regard de commisération.

— Trois mois, tu as dit ?

— C'est ce que les avocats ont écrit.

— Tu ne peux pas divorcer en Italie.

— Bon Dieu, non. Je n'ai pas envie d'attendre des années. Je vais divorcer en France. Les documents sont déjà rédigés et signés. Au moins, je peux m'estimer heureux que ma mère ait eu la bonne idée de se trouver à Paris quand je suis né : j'ai la double citoyenneté. Le divorce par consentement mutuel[9*] est une procédure simple, rapide et facile, qui ne nécessite que l'estampille d'un juge.

— Quand retournes-tu à Rome ?

— Dans quelques jours, répondit Dominic en faisant la grimace.

— Vas-tu le dire à Katherine ?

— Non. Je ne veux pas qu'elle vive dans la peur ou même avec la plus légère inquiétude. Et ce n'est pas comme si ce foutu merdier pouvait s'expliquer facilement avec l'implication de la mafia.

Dominic soupira.

— Alors, ce sont des mensonges, des mensonges et encore des mensonges, termina-t-il.

— Et tu pourras compter les jours qui restent, dit gentiment Leo.

— Ouais. Au moins, il y a une fin en vue.

Puis, Dominic expédia un texto à Sese : *Aussitôt que j'arrive, tu as congé pour la nuit.*

Mais une demi-heure plus tard, quand Dominic frappa à la porte de Katherine, il était de toute évidence déprimé.

— Tu es fatigué, dit Kate en lui prenant les mains et en lui faisant franchir le seuil pendant que Sese sortait par l'arrière. Viens dormir. Je vais te parler au matin.

— Je ne veux pas parler.

9. N.d.T.: En français dans le texte original.

Refermant la porte du pied, il libéra ses mains, la souleva dans ses bras et marcha à grands pas jusqu'à la chambre.

— Je veux seulement baiser.

Le sexe était une constante qui, dans sa vie, surmontait tous les dilemmes, estompait la réalité — comme les drogues pour un toxicomane.

— J'essayais d'être polie, dit-elle en souriant tout près de son visage, son souffle chaud sur sa joue et ses bras autour de son cou. Tu parais vraiment fatigué. Je devrais dire à Sese…

— Il est parti. Et je ne suis jamais fatigué à ce point, chérie. Pas avec toi.

— Comment lui as-tu…

— Par texto. Je voulais être seul avec toi.

Il marchait rapidement le long du corridor, indifférent à ce qui l'entourait ; il traversa sans un regard la grande salle de réception au haut plafond, dépassa la petite salle à manger qu'Amanda avait meublée avec une table pour deux fabriquée par Chippendale deux siècles et demi plus tôt pour une dame qui prenait son chocolat chaud matinal dans son boudoir avec son amant, le tapis moghol du XVIIe siècle dessous, d'un joli rose usé qui venait peut-être du boudoir de la même dame.

— As-tu passé une bonne journée au travail ? lui demanda-t-il.

La question superficielle, abstraite, lui fit oublier son unique objectif comme si quelqu'un l'avait frappé sur les jointures et lui avait dit d'être poli.

— Je ne portais aucun vêtement, murmura Kate tandis que les tableaux sportifs décorant le corridor menant aux chambres défilaient à toute vitesse. À part ça, tout s'est bien passé.

Dominic tourna brusquement son regard vers elle.

— Bon sang, j'espère que c'est une blague.

— Je vérifiais seulement si tu m'écoutais, M. Knight. Tu sembles bien pressé.

— Tu as raison, répondit-il sèchement en entrant dans sa chambre et en remettant Kate sur pied.

— Enlève ta robe, dit-il en arrachant ses propres vêtements. Dépêche-toi. Tu m'as manqué.

Même si elle ne possédait pas la mentalité de droit divin que conférait à Dominic son immense richesse, elle comprenait comment il se sentait. Mais il lui avait manqué chaque minute de la journée, chaque seconde, pendant qu'elle effectuait plusieurs tâches à la fois et faisait son travail. Et elle avait attendu qu'il frappe à la porte, s'était trouvée proche du désespoir quand il était arrivé.

Dominic était déshabillé avant qu'elle ait jeté sa robe sur une chaise et qu'elle ait atteint le lit. Il la souleva dans ses bras, la laissa tomber sur le lit et se jeta sur elle avec un empressement effréné en lui murmurant : « Pardonne-moi ».

Il se montra tout de suite frénétique. Elle ne l'avait jamais vu comme ça. Il faisait toujours preuve d'une incroyable retenue, comme s'il pouvait durer une éternité ; il pouvait *vraiment* durer une éternité. Mais cette fois, il jouit presque immédiatement en la pénétrant, dit dans un souffle « Désolé » et, quelques instants plus tard jouit encore en même temps qu'elle.

— Bon Dieu, ce que c'est bon avec toi, grogna-t-il, reposant en elle, son membre encore dur comme fer, tandis qu'elle cherchait son souffle. Tu vas devoir me chasser à coups de pieds quand tu n'en pourras plus. Je peux continuer toute la nuit.

Son taux t'adrénaline était au maximum pour cause de frustration et de colère, de désir sexuel, de sentiments qu'il ne pouvait identifier, qui n'avaient pas de nom, qui enflammaient son corps et son cerveau.

— Ça me convient parce que j'ai vraiment besoin de toi.

Elle fit courir ses mains le long de son dos comme pour s'assurer de sa présence, mue par ses propres besoins urgents, son profond sentiment de perte durant son absence. Dominic n'était parti qu'une nuit et un jour et il lui avait terriblement manqué : ce qu'il lui faisait éprouver quand il était en elle et sur elle, le plaisir qu'il lui offrait et qui illuminait son univers, son sourire chaleureux et sa bonté. Et maintenant, elle débordait d'une telle reconnaissance du fait qu'il soit revenu qu'elle en était au bord des larmes. Tremblante. À sa propre façon, elle était accro et son injection suivante était en vue.

— Oh, merde, fit-elle, la gorge serrée, essayant d'éviter de pleurer, reniflant, repassant dans sa tête des formules comptables pour se changer les idées.

Et pendant une seconde de plus, les nombres retinrent ses larmes jusqu'à ce qu'une émotion incontournable ouvre les vannes.

— Bon Dieu, chérie, ne pleure pas, murmura Dominic en penchant la tête et en séchant ses larmes d'un baiser. Si j'ai fait quelque chose de mal, j'en suis désolé.

— Je ne… pleure pas parce que… je suis triste, sanglota-t-elle en serrant le dos de Dominic de toutes ses forces et en pleurant sans retenue. Je suis seulement… heureuse… que tu sois revenu.

Il serra si fort les mâchoires qu'il craignit que ses dents se brisent. Il prit une profonde inspiration, puis exhala lentement et, essuyant les joues de Katherine avec le drap, il se laissa rouler de côté, s'assit et la tira sur ses genoux.

— OK, nous avons tous les deux besoin d'un instant de répit.

Il tendit la main, attrapa la boîte de mouchoirs de papier sur la table de chevet, en prit une poignée et les lui tendit parce que, maintenant, elle gémissait comme un bébé.

— Désolée, dit-elle entre deux sanglots, terriblement gênée, le nez coulant ; elle haletait.

— Tout va bien. Pleure autant que tu veux. Je vais trouver d'autres mouchoirs de papier si tu en as besoin.

Il la tint contre lui et lui passa ses mouchoirs et l'embrassa tendrement jusqu'à ce que ses pleurs se tarissent.

— Je suppose que c'est vraiment super de revenir à la maison et de me trouver ainsi, dit Kate en essuyant ses yeux pour la dernière fois et en jetant les mouchoirs de papier. C'est le rêve de tout homme.

« Revenir à la maison », répéta-t-il silencieusement.

Il se souvint que Katherine avait dit ça à San Francisco et, comme alors, il eut l'impression de recevoir un coup de poing à l'estomac.

— Hé, tu es mon rêve quoi qu'il arrive, dit-il submergé par une soudaine vague d'épuisement comme si son adrénaline s'était finalement évanouie.

Sa décision à Rome n'avait maintenant plus rien de pragmatique. Il voulait que les choses changent. Pas de répit de trois mois, pas de jeu de chiffres.

— Merci.

La voix de Kate était redevenue instable ; elle voulait croire qu'il était sincère alors qu'elle n'en était pas si sûre, alors qu'elle n'était sûre de rien à propos de Dominic.

— Ne parlons de rien d'important jusqu'à ce que je me sois ressaisie, termina-t-elle.

— Tu prêches à un converti, chérie.

Rien ne représentait foutrement mieux que le chaos complet qui lui perturbait les idées.

— Alors, parle-moi de ta première journée au travail. Qui as-tu rencontré ? Qu'as-tu fait ? Dois-je casser des gueules parce que des gars t'ont fait la cour ?

Elle gloussa.

C'était là l'objectif. Il devait surmonter cette nuit. Il devait rester *lui-même* rationnel. Il lui posa des questions auxquelles elle répondit, et ni l'un ni l'autre ne fit quoi que ce soit d'irrémédiablement stupide. Elle décrivit sa première journée au travail sans mentionner la douleur profonde qu'elle avait éprouvée en son absence, ce qui aurait fichu en l'air l'idée de prendre un bref répit. Elle lui parla des projets qu'on lui avait attribués, de l'ampleur enthousiasmante des problèmes, du fait qu'elle était impatiente de les résoudre.

— Alors, tu aimes les défis, fit-il remarquer d'un ton léger. Ça doit être pour cette raison que nous nous entendons si bien. Tu crois que tu vas régler mon problème un jour ?

— Comme si je le pouvais, répondit-elle en souriant.

— J'aime quand tu essaies, répondit-il avant de hausser les épaules. Qui sait ? Tu pourrais avoir de la chance.

— J'ai déjà de la chance, dit-elle en réprimant les larmes qui lui montaient aux yeux. Je t'ai dans ma vie.

— Et voilà. Première étape. Dix mille autres et tu pourrais être à mi-chemin de faire de moi un humain. Tu te souviens ? la taquina-t-il parce qu'il la voyait lutter pour contenir ses larmes et qu'il était prêt à parler de n'importe quoi pour oublier momentanément son mariage imminent. Tu m'as dit une fois avec colère que je devrais rejoindre la race humaine. Maintenant, dis-moi, ajouta-t-il en réorientant la conversation vers un sujet encore plus inoffensif, as-tu rencontré Justin aujourd'hui ? Ou est-il à un autre étage ?

— J'ai rencontré sa femme. Elle est venue au bureau.

— Comment est-elle ?

— Gentille. Amicale. Une grande blonde mince. Magnifique, évidemment.

— Pourquoi « évidemment » ?

— Parce que Justin gagne très bien sa vie. Il peut se permettre de faire un choix dans un patrimoine génétique plus large. Elle était enceinte.

— Ah… Je me demandais ce que tu voulais dire.

— Elle m'a invitée à dîner un de ces jours.

— Tu devrais y aller.

— Tu aimerais venir ?

— Bien sûr.

Pourvu que l'explosion à laquelle il s'attendait à propos de son prochain mariage ne fasse pas trop de dégâts.

Leur conversation prit une tournure plus agréable — moins de larmes, des sujets plus inoffensifs — et quelques minutes plus tard, Dominic partit à la recherche d'un verre. Un refuge ou un remède — il ne savait lequel des deux, mais grâce à Sese, il trouva une bonne quantité de Krug Clos d'Ambonnay 1996 dans le réfrigérateur et en prit deux bouteilles.

— Comme tu travailles demain, tu vas devoir diminuer ta ration de boisson, lui dit-il en souriant de toutes ses dents, mais moi, je ne travaille pas.

S'adossant à la tête de lit, il attira Kate sous un bras, tint la bouteille dans son autre main et s'efforça de lui poser des questions parce qu'il voulait entendre sa voix. Le son accueillant le calmait, tenait à distance les mauvaises et les pires décisions, lui rappelait qu'il y avait de la bonté en ce monde après tout… ou parfois… ou à l'occasion. Surtout quand Katherine était tout près.

Ensuite, il lui fit tendrement l'amour, comme un amant sage, comme un homme qui imprimait dans sa mémoire chaque sensation, chaque sentiment, chaque toucher, chaque baiser. Elle ronronna tandis qu'il bougeait lentement en elle et il grogna doucement, son désir pour lui tout à fait partagé, et il n'y eut pas au monde cette nuit-là deux personnes plus généreuses l'une envers l'autre. Il lui fit l'amour avec une patience exceptionnelle, percevant chaque nuance et subtilité de son désir, satisfaisant ses besoins passionnés, soient-ils frénétiques ou tranquilles, mettant ses talents considérables à sa disposition. Et elle se donna à lui corps et âme, réagissant à son affection désarmante, au trésor que représentait sa queue infatigable et, comme toujours, à sa force et à sa beauté saisissantes.

Il était sa tentation et sa délivrance. Il était sa vie.

Il aurait probablement dû s'arrêter avant, mais il voyait devant lui la possibilité de trois mois misérables, peut-être solitaires, et il n'était pas à ce point altruiste. Mais il sourit vaguement quand elle dit :

— Je vais dormir, mais je me sens bien quand tu es en moi. Tu n'as pas besoin d'arrêter.

— Une dernière fois pour le bon vieux temps, alors, murmura-t-il en s'enfonçant dans sa chaleur moite.

Et quand elle ouvrit grand les yeux d'inquiétude, il sourit.

— Ce n'est qu'une expression, chérie. Voici pour le moment. Qu'en penses-tu ?

Ensuite, il la borda et l'embrassa en lui souhaitant bonne nuit.

— Dors bien, chérie. Je suis là. Je vais te réveiller à 8 h 30.

Puis, il alla chercher une autre bouteille et l'observa tandis qu'elle dormait, se sentant mal à l'aise et déprimé, fâché de n'avoir aucun moyen d'éviter le purgatoire nauséabond que lui avait réservé Gora.

Il jura silencieusement contre Gora et la famille de la femme de Gora qui le tenaient prisonnier, proféra des injures contre la stupidité d'un homme de 50 ans qui fréquentait des jeunes filles, se demanda quand toutes les incarnations du mal qui conspiraient pour bousiller sa vie allaient disparaître.

Puis, il sortit son iPhone, quitta le lit, marcha lentement jusqu'à la cuisine, prit une autre bouteille dans le réfrigérateur et partit à la recherche d'un interlocuteur.

L'alarme réveilla Kate. Elle était seule au lit, mais elle entendait *Bring It On Home* qui jouait, alors elle ne paniqua pas. Dominic était encore là.

Elle le trouva calé dans un fauteuil du salon, nu et magnifique, des cernes sous les yeux, une bouteille de Krug dans une main.

Il leva les yeux, puis éteignit la musique.

— Désolé, j'ai oublié de te réveiller. Tu as bien dormi ?

— Oui, fit-elle en souriant, mais ce n'est apparemment pas ton cas.

Il haussa les épaules.

Il avait répété son discours — celui à propos du fait de donner à Kate des choix, à propos, pour lui, d'être magnanime. Celui où il lui disait de sortir avec d'autres, de voir davantage le monde, de s'assurer qu'elle savait ce qu'elle voulait. De s'amuser. Je te verrai dans trois mois quand cette entente commerciale à laquelle je travaille serait terminée, dirait-il, si tu veux encore de moi.

Mais elle bousilla tout ça en restant debout là complètement nue, plus belle que jamais, terriblement tentante, son éternelle

Ève. La logique ficha le camp. La raison disparut. Et s'il se demandait s'il voulait vraiment ce qu'il voulait, en cet instant même. Puis, pour empirer les choses, quand elle parla, sa voix était débordante de compassion.

— Qu'est-ce qui ne va pas ? demanda-t-elle parce qu'elle n'avait eu aucune nouvelle de Sam Cooke depuis Hong Kong. Il y a quelque chose qui ne va pas, Dominic. S'il te plaît, dis-le-moi.

Alors, c'est ce qu'il fit, du moins en partie, lui qui avait prévu de n'en rien faire. Alors qu'il allait lui servir son discours prudent à propos d'une modification soudaine de son horaire qui l'éloignerait de Londres, sur le fait qu'elle devrait penser à sortir pendant qu'il était parti, rencontrer des gens, se faire de nouveaux amis.

— Je suis allé à Rome pour faire une transaction, dit-il plutôt, et les choses se sont compliquées. Ce n'est pas le genre de transaction avec un avocat à souliers blancs ou un pirate à cravate — il s'arrêta un moment en se demandant le peu qu'il allait dire et comment il allait le dire. Alors, je suis coincé. Je dois temporairement marier quelqu'un et dans trois mois, je vais divorcer. C'est tout.

Les jambes de Kate plièrent sous elle et elle glissa lentement sur le plancher.

« S'effondrer exactement comme dans les films », pensa-t-elle.

Il lui fallut un moment pour retrouver sa voix et, même alors, elle était à peine audible.

— Tu me fais une blague ? balbutia-t-elle.

Il ne répondit pas immédiatement, luttant pour trouver les mots qui conviendraient. Ou les mots les moins susceptibles de la provoquer ou de lui déplaire.

— Ce n'est pas une chose à propos de laquelle je blaguerais.

Elle retrouva sa voix normale et son caractère aussi.

— C'est vraiment une excuse lamentable, dit-elle en le foudroyant du regard. Je ne te crois pas.

— Crois-moi, dit-il, c'est foutrement vrai.

Il se redressa, déposa la bouteille sur une table tout près, se pencha et la regarda d'un air sombre.

— J'aimerais te demander d'ignorer tout ça ou, si tu ne le peux pas, d'au moins m'attendre. Mais c'est égoïste de ma part de même songer à te demander ça quand la situation est si épouvantable. Alors, je ne le ferai pas.

Pourquoi n'était-elle pas surprise ? Il s'agissait de Dominic Knight, après tout.

— Si tu cherches une porte de sortie, tu n'as qu'à le dire, lança-t-elle. Tu commences à t'ennuyer ? Ça devient une routine ? Tu veux du changement ?

Chaque mot était rempli de sarcasme.

— Bon Dieu, non. Je ne cherche pas une porte de sortie. Je pensais que nous passerions ces six mois ensemble à Londres. Puis, cette foutue chose s'est produite, dit-il d'un ton maussade. Écoute, ne bouge pas. Je reviens tout de suite.

Il se leva et quitta rapidement la pièce.

Sans tenir compte du choc et de la colère, le cerveau de Kate fonctionnait à toute vitesse, voulant trouver une solution, voulant plus que tout espérer. C'était comme si elle avait été frappée entre les deux yeux ; elle n'était pas certaine qu'elle aurait pu bouger même si l'appartement avait été en feu.

Dominic revint quelques instants plus tard vêtu de son jeans. Il apportait un peignoir de soie primevère et, la remettant sur pied, il la lui glissa rapidement sur le dos en détournant le regard au cas où il oublierait ce qu'il devait faire. Puis, il la conduisit au canapé, s'assit, la prit sur ses genoux et enfouit son visage dans ses cheveux.

— C'est la seule façon que je connaisse qui puisse régler ce problème, dit-il d'une voix étouffée.

— Qui est-ce ?

Il n'y avait pas une femme au monde qui ne l'aurait pas demandé.

Il leva la tête, croisa son regard.

— Je ne sais pas, répondit-il en exprimant une demi-vérité. Je ne l'ai jamais rencontrée.

— Allons donc, tu vas épouser quelqu'un que tu n'as jamais rencontré ? Tu peux faire mieux que ça.

Il ne pouvait lui dire que sans ce mariage, sa vie serait menacée.

— C'est compliqué.

— Je n'arrive tout simplement pas à imaginer quoi que ce soit de compliqué *à ce point*.

Elle le regarda directement, scrutant son visage comme si la réponse s'y trouvait.

— Que se passe-t-il vraiment ? poursuivit-elle. Tu dois avoir fait du tort à quelqu'un d'important. Ou es-tu simplement fatigué de moi ?

— Bon Dieu, arrête. Avais-je l'air d'être fatigué de toi hier soir ?

— Les marathons de baise font partie de tes habitudes, dit-elle en soupirant. N'est-ce pas ?

— Tu t'attends à ce que je réponde à ça ? demanda-t-il, la colère commençant à poindre dans sa voix.

Et l'éléphant dans la pièce prit vie.

— Tu dois avouer que ce n'est pas déraisonnable que je remette en question cette supposée complication. Compte tenu de tes antécédents.

Il ferma les yeux, en souhaitant que les trois mois soient passés, que cette conversation n'ait pas lieu.

— Non, ce n'est pas déraisonnable, dit-il en ouvrant lentement les yeux.

— Veulent-ils ton argent ?

Elle avait besoin d'une réponse qui ait du sens, pour faire disparaître sa crainte qu'il ne veuille plus d'elle.

— Dis-moi quelque chose que je puisse comprendre, poursuivit-elle, parce que je ne saisis rien à tout ça.

Il poussa un profond soupir.

— Je ne peux vraiment pas en parler.

Il hésita un instant, puis ajouta :

— Ça fait partie de la complication.

— Merde, Dominic, fit-elle tandis que la tête commençait à lui tourner. Je ne sais pas si je peux te croire. Il me semble que tu pourrais changer ça, si tu le voulais. Bien que, je m'attends peut-être à trop. Tu ne le souhaites peut-être pas.

La voix de Dominic se fit plus douce, son regard bienveillant.

— Si je croyais pouvoir changer ça, je le ferais, mais ça m'est impossible. Et je comprends à quel point il est difficile pour toi de me croire. Toute la foutue situation est incroyable. Mais ce merdier, c'est à moi de le régler et non à toi. En ce moment, tu as les mains pleines avec ton nouveau boulot. Ce serait peut-être mieux que nous prenions une pause pendant quelques mois.

C'était plus difficile à dire qu'il ne l'avait cru. Le sacrifice de soi avait toujours été pour les autres.

Elle sentit son univers devenir opaque, comme si quelqu'un avait fermé les lumières.

— C'est ce que tu veux ?

— Non, ce n'est pas ce que je veux, répondit-il, se sentant complètement épuisé. Bon sang, c'est à 100 lieues de ce que je veux, mais j'essaie de faire preuve de décence. Comment puis-je te demander de m'attendre tranquillement ? J'aimerais ça plus que tout. J'aimerais seulement que rien ne change.

Il soutint son regard.

Elle ne répondit pas immédiatement. Elle détourna la tête. Puis, elle le regarda, se dit que si elle était assez stupide pour pleurer, elle avait vraiment perdu l'esprit.

— C'est trop demander.

— Je comprends, dit-il doucement. C'est injuste pour toi.

Elle sentit quelque chose céder au plus profond d'elle-même, comme si le sol s'effondrait sous ses pieds.

— Merde, murmura-t-elle en essayant de se relever. Je ne vais pas pleurer sur toi. Tu dois faire ça tout le temps.

La poigne de Dominic se raffermit, la forçant à rester.

— Je ne fais jamais ça.

Il ferma les yeux une seconde et prit une inspiration avant de poursuivre :

— D'habitude, je dis merci, ça a été bien. J'essaie pour une fois dans ma vie d'être un bon gars.

— Tu deviens un bon gars en me quittant ? C'est ça que tu me dis ?

— Bon Dieu, chérie. Dis-moi ce que tu veux que je dise et je vais le faire.

— Dis-moi que tu ne vas pas te marier.

Le silence était oppressant.

— Merde, Dominic. Les gens ne se marient pas à cause d'un quelconque marché douteux. Si c'était le cas, la moitié des gens que j'attrape en ligne devraient se marier. Ce sont tous des escrocs. Crois-tu vraiment que je sois à ce point stupide ? Merde, j'aurais dû le savoir en constatant que tu étais super gentil hier soir, quand tu m'as fait croire que tu avais vraiment de l'affection pour moi, que je m'y brûlerais en fin de compte. Bon Dieu, c'est la même situation qu'à Hong Kong qui se produit encore.

Il lui jeta un regard noir.

— Si seulement c'était si simple. Parce que quand il s'agit de se brûler, je suis consumé dans un autodafé et toi, tu sens la chaleur après avoir soufflé tes chandelles d'anniversaire. OK ? Ça n'a rien à voir.

— Alors, ce que je ressens n'a pas d'importance ? Ou pas autant que toi ? C'est ça ?

Il demeura silencieux.

— Réponds-moi, merde.

Il la fixa des yeux.

— Tu n'aimerais pas ma réponse.

— D'accord. Je suis sûre que tu as raison. Parce que tu as toujours raison, n'est-ce pas ? J'espère que ta nouvelle femme est foutrement docile.

Elle se releva et dit méchamment :

— Je devrais te remercier pour le sexe d'hier soir. C'était super. Tu as été fantastique comme d'habitude. Et assure-toi de rappeler tes gens engagés. Je ne vais pas avoir besoin d'eux. Maintenant, si tu veux bien m'excuser, je dois me préparer pour le travail.

Il la regarda partir.

Bon Dieu, ça s'est vraiment bien passé.

Si c'était ça l'amour, c'était nul !

Il se leva en entendant se refermer la porte de la salle de bain et finit de s'habiller pendant que Kate se trouvait dans la douche. Les rues étaient encore tranquilles quand il franchit les quelques pâtés de maisons jusque chez lui. La porte s'ouvrit avant qu'il ne l'atteigne. Son majordome se tenait au garde-à-vous près du guéridon sur lequel reposait une énorme composition florale au centre du hall d'entrée.

Dominic hocha la tête en direction du garçon qui avait ouvert la porte, parla poliment au vieil homme qui s'occupait de sa maison de Londres.

— Pas d'appels aujourd'hui, Martin, et pas de visiteurs non plus. Je ne veux pas être dérangé à moins que Mlle Hart appelle.

Mais elle n'appela pas.

Il n'avait pas vraiment pensé qu'elle le ferait.

CHAPITRE 27

Kate jura dans la douche, et puis pendant qu'elle s'habillait, jura avant et après avoir avalé un verre de lait au chocolat, traitant Dominic de tous les noms, ce qui était mieux que de pleurer et d'arriver au travail les yeux rouges d'avoir tant sangloté. Elle trouva un taxi au coin de la rue et vérifia sa messagerie électronique avec son téléphone cellulaire en route pour le travail.

Elle ferma la porte de son bureau alors qu'elle ne l'aurait pas fait normalement, mais ses émotions étaient à fleur de peau et ça ne servirait à rien d'avoir à expliquer de possibles larmes à des gens qui étaient plus ou moins des étrangers. La journée se déroula rapidement, ce qui avait sans doute quelque chose à voir avec le fait qu'elle était perdue dans ses pensées la majorité du temps. Elle avala des friandises pour se nourrir, ce qui était en fait la norme pour elle avant de rencontrer Dominic Knight et sa horde de chefs cuisiniers personnels. Elle s'était toujours consolée en se disant que la barre de Snickers contenait des arachides, donc des protéines, n'est-ce pas ? Et la poussée d'énergie que lui procura le sucre lui était nécessaire aujourd'hui alors que sa vie était à ce point bousillée. Mais ses sens réagissaient automatiquement devant un clavier et un écran d'ordinateur, alors elle était capable de fonctionner à un niveau tolérable, son cerveau naviguant sur le mode automatique dans le cyberespace. Toutefois, il n'y avait pas qu'elle qui ait des problèmes ce jour-là. Elle colmata une longue liste de brèches informatiques et envoya se faire foutre les pirates avant de fermer leurs points d'entrée.

À la fin de la journée, un des autres consultants l'invita à se joindre à un groupe qui sortait prendre un verre. Elle hésita brièvement en se disant « Allez, vas-y ! Ne sois pas stupide ! ». Puis, elle sourit et répondit « Peut-être la prochaine fois » parce qu'elle était déjà déprimée et que le fait de boire ne ferait qu'empirer la situation.

Mais à l'instant où elle rentra chez elle, elle appela Meg et se plaignit des bons à rien qui épousaient d'autres personnes sans raison apparente.

— Quel foutu menteur ! s'exclama Meg. J'espère que tu vas trouver quelqu'un d'autre avec qui coucher ce soir.

— Je vais sortir et me taper le premier mec que je vais rencontrer dans la rue, lança-t-elle en éclatant de rire.

Et elle se sentit un peu mieux.

— J'espère que tu es foutrement sincère, hurla Meg au téléphone. Toutefois, peut-être que ce serait moins hasardeux, si c'était quelqu'un que tu connais, quelqu'un du bureau, ajouta-t-elle sur un ton plus réfléchi. Tu m'enverras une photo.

Puis, elles discutèrent pendant quelques heures des hommes cruels, passés et présents, rirent davantage qu'elles pleurèrent, échangèrent des commentaires sur leurs boulots respectifs — celui de Meg merveilleux et amusant, celui de Kate non moins fabuleux quand elle ne pleurait pas —, et toutes deux décidèrent finalement qu'à leur âge la vie était encore belle, remplie de possibilités et que des légions d'hommes attendaient d'être baisés.

Avant qu'elles ne raccrochent, Meg demanda d'une voix prudente :

— Vas-tu le dire à Nana ?

— Non, fit Kate. Je ne vais sûrement pas lui parler du mariage. J'aurais droit à un sermon pour ne pas avoir été plus prudente à propos de mes fréquentations alors qu'elle demanderait en réalité comment j'avais pu être si crédule. Nana et la crédulité n'habitent même pas le même univers. Je devrais être aussi intelligente.

— Hé, ne te fais pas de reproches. N'importe qui serait tenté. Cet homme est magnifique même sans argent.

— Et malheureusement, il a un superbe cul. Mais comme Nana sait que le fils de pute m'a déjà quittée une fois, elle ne s'étonnera pas qu'il parte de nouveau. Alors, quoi que je décide de lui dire, ce sera plus ou moins la même vieille rengaine. À propos, es-tu encore avec Luke ? C'est un record pour toi.

— Je l'aime bien, tout simplement. Il est fiable d'une manière sereine, tranquille — aimable et apaisant quand je suis sur les nerfs. Et il est super au lit et n'est pas le moindrement exigeant.

Le mot « exigeant » fit jaillir en Kate des souvenirs torrides qu'elle s'efforça de supprimer. Elle n'allait pas se rappeler tous les plaisirs sensationnels que lui inspirait un Dominic exigeant lui faisant faire des choses pour lui, des choses qui…

« Arrête ! Arrête ! », se réprimanda-t-elle.

Prenant une profonde inspiration, elle dit aussi calmement qu'elle en était capable :

— Super au lit fait absolument partie de ma liste de souhaits.

— Je vais m'attendre à recevoir des rapports sur ta vie sexuelle, répondit Meg avec son enthousiasme habituel mi-figue mi-raisin. Pense à tout le plaisir que tu as eu avec ce gars dont j'ai oublié le nom. Crois-moi, Dominic n'est pas le seul homme qui sache se servir de sa queue. Maintenant, ne me déçois pas. OK ?

Il n'y avait qu'une seule réponse acceptable pour Meg.

— OK, dit Kate. Je vais te tenir au courant.

Et elle le pensait vraiment. Après avoir parlé avec Meg, elle se sentait dans un bien meilleur état d'esprit. Meg voyait les hommes comme des objets fonctionnels munis d'une queue qu'elle pouvait utiliser. C'était vraiment sensé. Pourquoi s'engager ?

Pendant que Kate survivait à sa journée chez CX Capital, Dominic était resté dans sa bibliothèque et il buvait. Max appela. Il ne décrocha pas. Max arriva. Il demanda à Martin de le renvoyer. Alors, Martin lui apporta un mot de Max lui indiquant le jour et l'heure de son mariage inscrits en gros caractères avec une note au bas : *Danelli Villa, à Fiesole. Queue-de-pie.*

Dominic jura, déchira le mot, grommela « queue-de-pie, mon cul », se versa un autre verre et finalement, tard le soir, verrouilla la porte de la bibliothèque pour s'empêcher d'aller voir Katherine et d'empirer la situation.

Il se réveilla sur le canapé le lendemain matin, jurant et recrachant l'eau que Max lui versait sur la tête.

— J'avais verrouillé la foutue porte, grogna-t-il.

— Tant mieux pour toi, lui répondit sèchement Max. Déverrouiller des portes, c'est un jeu d'enfant. Il faut que nous soyons là-bas demain, ajouta-t-il pendant que Martin appelait les domestiques pour nettoyer l'eau.

Dominic gémit, prit la serviette qu'on lui tendait et s'en couvrit le visage.

Le lendemain, il comprit au plus profond de lui-même la phrase « châtiment cruel et inhabituel » après avoir subi les affres d'un mariage avec quelqu'un qu'il ne connaissait pas, avec des invités qu'il ne connaissait pas, avec un prêtre qui le dévisageait comme s'il était une sorte de pervers. « Pas moi », aurait-il voulu dire. « Je ne me tape pas des fillettes de 13 ans, ni même de 16 ans ». Mais il répondit oui ou non selon le cas, ne regarda pas une seule fois la jeune mariée enceinte et se tint debout, un sourire tendu sur les lèvres, pendant le temps heureusement court que durèrent les félicitations après la cérémonie.

Quand il avait entendu parler pour la première fois, trois ans auparavant, du nouvel engouement de Gora, Dominic s'était demandé quel genre de famille permettrait une telle chose.

Une semaine plus tard, après avoir reçu un autre rapport, Dominic avait obtenu sa réponse : une famille titrée avec des biens fortement hypothéqués et sans le sou. C'était ça. Et quand il vit au mariage les invités bien nantis, même s'il ne s'agissait que de la famille proche, *et* la villa nouvellement rénovée, quand il rencontra les parents qui l'examinèrent comme un cheval de course primé, il se rappela l'adage « Peu importe à quel point vous devenez cynique, vous ne pouvez continuer ».

Même s'il avait déjà pris des précautions pour qu'aucune photo ne soit publiée, Gora avait lui aussi pris ses propres précautions. Mais Dominic se souvint de redoubler d'efforts à cet égard. Cette famille Danelli n'avait plus d'argent et ils se fichaient d'où il venait.

Il ne resta pas pour le repas de noces, non plus qu'il réagit aux câlineries de Bianca qui était beaucoup trop amicale ; lui, plus que la plupart des hommes, reconnaissait une invitation quand il en voyait une. Et au moment où lui et Max se retrouvèrent dans la voiture qui s'éloignait, il mentionna l'attitude ouvertement séductrice de Bianca.

— Si cette petite salope n'est pas prudente, Gora va s'assurer qu'elle le soit. Tu as remarqué ce qu'elle a fait ? Elle m'a pratiquement grimpé dessus, ce qui n'est pas facile à faire quand on est enceinte de six mois. J'ai cru que ses parents allaient dire quelque chose.

— Tu es plus riche que Gora, dit Max d'un ton comique. Pourquoi ils interviendraient ?

— Toute la scène était surréelle. Et on ne m'effraie pas facilement.

— Tu as remarqué que Gora n'avait pas été invité, dit Max en haussant un sourcil. Ils apprécient son argent, mais pas lui.

— Le pauvre connard. Elle s'est complètement moquée de lui et il est impatient de voir naître cet enfant. Dis-moi de ne pas me sentir désolé pour lui.

Max regarda Dominic en plissant les yeux.

— Ne fais pas cette erreur. C'est un tueur impitoyable.

Dominic hocha la tête et sourit.

— Il ne faut jamais laisser ses sentiments faire obstacle, n'est-ce pas ?

— C'est toujours une bonne idée, quand il s'agit de Gora.

— Sans tenir compte des problèmes de Gora, dit Dominic, nous ferions mieux de surveiller cette minette sexy jour et nuit. Bianca est à vendre et je ne veux pas me retrouver au milieu d'un plan fourbe concocté par cette famille. Ce sont comme des Borgia modernes.

— Nous nous en sommes déjà occupés. Si tu te souviens bien, c'est moi qui ai fait les premières recherches sur les Danelli.

— Eh bien, garde-les loin de moi.

— C'est ce que j'entends faire. Resteras-tu longtemps à Paris ?

— Jusqu'à ce que tout ça soit terminé.

Le trajet fut court jusqu'à l'aéroport de Florence. L'avion de Dominic était prêt à se rendre sur la piste dès qu'ils embarquèrent, et deux heures plus tard, Dominic se trouvait dans son appartement de Paris. Il prévoyait y demeurer sauf pour deux courts voyages d'affaires en perspective. Il ne voulait pas s'éloigner de son avocat français pour que ses documents de divorce puissent être paraphés aussitôt que naîtrait le fils de Gora. Non pas qu'il fasse confiance aux autres parties intéressées pour l'en avertir. Pour s'assurer de l'apprendre aussitôt, il avait conclu une entente avec le médecin de Bianca. Celui-ci venait tout juste d'acquérir une villa en Sardaigne et avec ce pot-de-vin, il s'était assuré qu'il l'avertisse aussitôt que l'enfant naîtrait.

Dominic était également à Paris pour des raisons de logistique. Il était suffisamment loin de Londres pour ne pas se précipiter chez Katherine — ce qui était vraiment une possibilité après avoir englouti une bouteille ou deux — sans avoir le temps de réfléchir à ce qui serait de toute évidence une mauvaise décision. En même temps, Paris était suffisamment près pour qu'il puisse la rejoindre en moins de deux heures au cas où elle appellerait. Dieu du ciel, il était comme un ado attendant un appel de sa première amoureuse alors qu'il n'avait jamais, de toute sa vie, attendu qu'une femme lui donne signe de vie.

Tant pis pour les obsessions.

Il essaya d'appeler Kate. D'habitude tard le soir, d'habitude ivre. Elle ne répondit jamais.

Une fois, il lui avait envoyé un texto et elle lui avait répondu :

Ne fais pas ça.

Le court message était en lettres minuscules et se terminait par un point final plutôt que par un point d'exclamation, mais il pouvait sentir la froideur derrière l'écran. Il n'avait pas recommencé.

Tout cela rendait la situation actuelle terriblement difficile pour lui.

En désespoir de cause, il se rendit six semaines plus tard au Minnesota pour aller voir Nana. Il avait essayé de s'en dissuader, mais il éprouvait une douleur permanente, un sentiment de perte déchirant, un sentiment de solitude qui n'avait jusque-là jamais eu d'importance à ses yeux et qui maintenant était si profond et vaste qu'il ne connaissait pas de limites.

Dominic était debout devant la porte de Nana, attendant que quelqu'un vienne répondre après avoir cogné. Il faisait froid au nord du Minnesota. Il aurait dû tenir compte de la température avant de quitter le Maroc ; il portait un jeans, un t-shirt et des sandales. La voiture qu'il avait louée à l'aéroport de Duluth était bien chauffée, alors il n'avait rien remarqué jusqu'à ce qu'il se trouve exposé au vent sur ce perron surplombant un lac encore couvert de glace.

La porte s'ouvrit soudainement.

— Je ne vais pas rendre l'argent si c'est pour ça que vous êtes ici, fit la vieille dame d'un ton sec.

Dominic sourit, songea à Kate, comprit d'où elle tenait son franc-parler.

— De toute évidence, vous savez qui je suis.

— Vous dissimulez vraiment bien cette fondation privée. Il m'a fallu plus de 20 heures pour passer à travers toutes les sociétés-écrans avant de trouver votre nom sur un document.

Elle sourit.

— J'adore Internet, poursuivit-elle. Le monde entier s'ouvre à vous, même si vous vivez en pleine cambrousse.

Elle ouvrit plus grand la porte.

— Entrez. Vous devez être ici pour une raison et — elle jeta un coup d'œil à ses sandales — vous n'êtes pas habillé pour cette température.

— Il faisait chaud quand j'ai pris l'avion.

— Qu'est-ce que vous êtes ? Un enfant de trois ans ? fit-elle par-dessus son épaule en l'entraînant le long d'un corridor.

— J'avais beaucoup de choses en tête, Mme Hart.

— Appelez-moi Nana. Tout le monde le fait. Au moins, vous avez une excuse. Je suppose que ce qui vous occupait l'esprit, c'était Katie.

— Appelez-moi Dominic et, oui, elle m'occupait l'esprit.

— J'ai un cousin qui s'appelle Dominic. C'est un nom assez courant ici. Assoyez-vous.

Elle lui indiqua un fauteuil dans un salon qui n'avait pas changé depuis les années 1980. Un mélange de meubles rembourrés qui ne s'agençaient nullement, des photos encadrées partout, surtout de Katherine avec son tricycle, son vélo, sa moto — il haussa les sourcils en voyant ça —, sa remise de diplôme du secondaire, son bal de fin d'année — il grimaça en apercevant le beau garçon debout près d'elle —, deux autres photos plus récentes, le visage souriant sur le campus ; une ou deux de Nana, une d'un homme en uniforme qu'il supposa être Roy Hart, le grand-père de Katherine, plusieurs autres qui auraient pu représenter la mère de Katherine parce que la ressemblance était frappante.

— Je me demandais si j'allais vous voir un jour, dit Nana en s'assoyant devant Dominic dans un fauteuil réglable. Soit dit en passant, merci pour l'argent. Je vous ai déjà dit que je n'allais pas le rendre si c'est pour ça que vous êtes venu. Avec toutes les coupes budgétaires en éducation publique, la région a besoin d'argent. Je n'en ai pas parlé à Katie non plus. Je n'avais aucune raison de le lui dire. Elle n'est pas ici, si vous êtes venu pour elle, et je ne vais pas vous dire où elle est.

Il savait où elle était. Ce n'était pas la raison pour laquelle il était là.

— Je me demandais comment elle allait.

— Comment croyez-vous qu'elle aille ? Un beau jeune homme comme vous riche à craquer. Vous feriez tourner la tête de n'importe quelle fille. Laissez-la tranquille. Vous n'êtes pas du même monde.

— Non, je ne le suis pas.

— Alors, vous choisissez de l'être.

Il y eut un moment de silence, puis il dit :

— Je ne suis pas tout à fait sûr à propos de ça.

— Vous avez trop hésité, mon garçon. Ma petite-fille chérie a besoin de quelqu'un qui n'a pas à réfléchir pour savoir s'il l'aime.

Dominic tressaillit visiblement en entendant ces paroles.

— Voilà, vous voyez. Vous n'y arrivez pas.

— J'aimerais essayer.

— Alors, dites-le-lui.

— Elle ne veut pas me parler.

— C'est une fille intelligente, répondit Nana, sa permanente grise s'agitant avec son brusque hochement de tête. Elle a été malheureuse pendant un bon moment. Elle va mieux, maintenant, si vous voulez vraiment le savoir. Si vous souhaitez l'aider, laissez-la tranquille. Elle vous oubliera. Vous n'êtes pas le seul bel homme au monde.

Il était ravi d'apprendre que Kate allait bien, mais il était désolé d'entendre qu'elle allait bien sans lui. Toutefois, le seul fait de parler d'elle le rendait heureux, alors il sourit et dit :

— J'ai entendu dire qu'elle réussissait bien dans sa nouvelle entreprise.

— N'essayez pas de me charmer, rétorqua Nana en grimaçant. Je suis une vieille dame. J'ai déjà tout vu ça.

— J'aimerais parler d'elle, si ça ne vous dérange pas.

Franc, honnête, une humilité tranquille dans son regard.

— Boiriez-vous quelque chose ? Vous semblez un peu fatigué.

— C'était un long vol.

— Venez en bas, je vais vous préparer un petit remontant. Mon mari, Roy, a construit mon alambic il y a des années quand il est revenu du Viêtnam. Il avait besoin d'oublier… eh bien, vous savez, ce qui se passait là-bas. Il m'a tout montré ce que je sais à propos de la préparation de vodka et la mienne est vraiment bonne, si j'ose dire.

— Pas de problèmes avec la police ? demanda Dominic en descendant les marches du sous-sol.

Elle était mince et vigoureuse à 75 ans, descendant les marches d'un pas vif.

— Je connais le shérif et son père, et son grand-père, et ils me connaissent. Je leur en donne quelques bouteilles de temps en temps. Tout est formidable. Assoyez-vous là, à cette table. Je vais nous servir un verre. Aux bleuets, ça vous va ?

Il faillit sourire en se souvenant du visage de sa mère quand il avait parlé du passe-temps de Nana au déjeuner, ce jour-là, à Hong Kong.

— Ce sera parfait, répondit-il poliment.

Deux verres plus tard, après que Dominic ait interrogé Nana à propos de Roy, à propos de Kate quand elle était enfant, à propos de la vie dans une petite ville qui était comme un autre univers pour lui ; après qu'elle lui ait parlé du nouveau toit sur le gymnase grâce à son don et des huit enseignants qu'ils avaient pu réembaucher avec des contrats de cinq ans, Nana déposa son verre, lui jeta un regard perçant et dit :

— Vous devez avoir aidé Katie à démarrer son entreprise.

— Pas personnellement, mais de très loin. J'ai pu lui envoyer quelques clients, mais sa réussite lui appartient en propre. Je n'ai rien à y voir.

— Elle a aimé les fleurs que vous lui avez envoyées quand elle a ouvert son bureau. Des iris pourpres, j'ai entendu dire. Trois ou quatre paniers.

Il lui fallut une fraction de seconde pour répondre, les souvenirs de la chambre dans la maison de campagne tout à coup trop vifs, faisant vaciller son monde.

— Je suis content qu'elle les ait aimés.

— Elle fait tout plein d'argent.

— C'est là l'idée.

— Pourquoi ne sait-elle pas que vous avez fait ça pour elle ? C'est évident, pourtant.

— Vous l'avez élevée pour qu'elle ne soit pas cynique. Elle est remarquablement innocente malgré ses réalisations intellectuelles. C'est une de ses plus grandes qualités.

— Ouf. De la part d'un grand cynique.

— Je n'ai pas eu l'avantage d'avoir été élevé comme elle. Elle a été chanceuse.

— Alors, vous dites que l'argent n'achète pas le bonheur.

— C'est à peu près ça.

— Et vous vous demandez si elle peut remplir ce vide pour vous.

— Je ne sais pas. C'est seulement que je l'ai beaucoup à l'esprit. Je voulais savoir comment elle allait, c'est tout. Je devrais partir. J'ai assez abusé de votre temps, fit-il en se levant.

— Je ne vais pas vous demander de me promettre que vous n'allez pas la harceler parce que je vois bien que vous allez le faire. Mais elle est comme son grand-père. Vous l'embêtez, et elle rend les coups.

— J'en suis conscient, dit-il en souriant faiblement.

— Si vous l'embêtez, *je* vais vous causer des problèmes. Roy est revenu du Viêtnam un peu fou et ça m'a influencée. Juste pour que vous soyez au courant.

— Je n'ai pas l'intention de lui faire du mal.

— Je ne vous envie pas, lança Nana en soupirant doucement. Vous ne savez pas ce que vous voulez.

— J'essaie de régler ça, dit-il en lui adressant un mignon sourire d'adolescent.

Puis, il indiqua du doigt la bouteille sur la table.

— Si jamais vous voulez vous lancer en affaires, avisez-moi. Votre vodka est de première qualité. Je cherche toujours de nouveaux investissements.

— Vous essayez de me corrompre pour atteindre ma petite-fille ? demanda Nana en souriant.

— Je ne suis pas si stupide, répondit Dominic en éclatant de rire. Katherine se fichait de l'argent. Je suppose qu'elle a appris ça de vous.

Nana croisa son regard.

— La vie concerne à peu près tout *sauf* l'argent. Je ne dis pas qu'on n'a pas besoin d'en avoir assez pour garder un toit sur sa tête, mais après ça — elle haussa les épaules — elle concerne les gens que vous aimez. C'est ce qui fait que la vie vaut la peine d'être vécue. Désolée pour le petit cours. Je suis une vieille enseignante. J'ai ça dans le sang.

— Ça ne me dérange pas. Et si vous avez besoin d'autres choses pour l'école, n'hésitez pas à me le dire. Je suis sincère. Ma fondation en éducation est un des mes projets préférés. Laissez-moi vous donner mon numéro de téléphone cellulaire.

— Je l'ai déjà.

Dominic haussa brusquement les sourcils.

— Où croyez-vous que ma petite-fille chérie a appris à aimer les ordinateurs ? Dans ce monde, il n'y a plus de vie privée. Je n'ai pas besoin de vous dire ça.

— Dans ce cas, appelez-moi si vous avez besoin de quoi que ce soit, dit Dominic en riant.

— Ou si j'entends quelque chose de la part de Katie ?

Kate aurait reconnu ce petit réflexe d'étonnement.

— J'aimerais ça, fit Dominic un moment plus tard. J'aime savoir comment elle va. Merci pour le verre et la conversation.

Nana se tint debout sur le perron et regarda le richissime jeune homme marcher dans la neige avec ses sandales, entrer dans son auto louée et s'éloigner.

« Elle n'a jamais rencontré quelqu'un d'aussi seul », pensa-t-elle.

CHAPITRE 28

Leur séparation n'était pas plus facile pour Kate. Dominic avait épousé une autre femme et, peu importe à quel point elle disséquait et passait en revue leur dernière conversation, elle ne doutait pas un seul instant qu'il lui avait menti. *Je dois la marier.* Sottise. Un homme comme Dominic, qui dirigeait pratiquement la terre entière ? Comme si on pouvait l'obliger à se marier. Il ne voulait pas d'elle ; il voulait seulement quelqu'un d'autre.

« Alors, oublie-le », se dit-elle.

Mais elle avait dû lire les mauvais articles de *Cosmo* parce que, oublier quelqu'un n'était pas censé assombrir le soleil, fermer la musique dans le monde, faire descendre le rideau sur la vie de quelqu'un ou, comme son grand-père aurait dit, vous obliger à tirer votre dernière cartouche.

Kate sourit parce que son grand-père avait toujours dit ça comme si c'était une bonne chose. Comme s'il était temps de tourner la page. Alors, elle essaya.

Elle composa avec la souffrance en se réfugiant dans le travail : elle accumula de longues heures, vérifia des codes sources et les nettoya, créa des programmes pour éviter les cyberattaques, élabora un nouveau code afin d'empêcher le site de s'effondrer sous le poids des données, s'occupa d'une série de points faibles sur le site Internet de la banque. Et après le départ de Dominic, elle commença à aider une collègue entrepreneuse les fins de semaine dans un petit bureau sur Bond Street. Ensemble, elle et Joanna travaillaient sans relâche à traiter à grande vitesse des nombres et des codes, et quand Kate était finalement sur le point de s'effondrer, elle retournait chez elle et essayait de dormir. Mais elle ne dormait pas bien, ne mangeait pas bien non plus. Elle travaillait dur pour éviter de penser au brouillard de désespoir qui ne levait pas.

Dominic avait pris l'habitude de vérifier une dizaine de fois par jour l'endroit où se trouvait Katherine grâce au GPS sur son téléphone cellulaire, le système de positionnement global représentant son espoir en des temps meilleurs et en de plus heureuses perspectives. Quand les trois mois seraient terminés, quand son divorce aurait été officialisé, il allait faire tout en son pouvoir pour la reconquérir.

Il était hors de question qu'il agisse autrement.

Et si elle lui avait parlé, il le lui aurait dit.

Il ordonna aussi à Max de mettre sur pied des équipes de sécurité pour surveiller Katherine au cas où Gora perdrait tous ses moyens. Chaque soir, Max faisait rapport de la situation à Dominic, mais son compte-rendu ne variait jamais.

— Tout ce qu'elle fait, c'est travailler. Nous avons trois équipes de surveillance toutes les huit heures, mais elle travaille pratiquement sans arrêt. Elle dort à peine. CX Capital en a pour son argent. Apparemment, sa nouvelle partenaire ne mange pas et ne dort pas non plus.

Et ainsi se poursuivit la situation tout au long de mars et d'avril.

Jusqu'à un jour du début de mai.

Même si Kate s'était habituée à se priver de nourriture et de sommeil, elle ne pouvait facilement ignorer ses nausées. En particulier quand elle finit par être assez attentive pour constater qu'elle n'était malade que le matin. À 11 h, elle se sentait toujours parfaitement bien. Après quelques moments de panique, elle se lança dans une recherche sur Internet pour se rassurer.

Mais le résultat de sa recherche n'était en rien rassurant.

Elle pouvait quand même se tromper, se disait-elle. Comment une pareille chose pourrait-elle arriver alors que Yash lui avait fait une injection à Singapour ? Il devait y avoir une explication raisonnable. Une conversation avec Amanda, la femme de Justin, lui revint à l'esprit. Amanda avait mentionné son carnet de célébrités d'obstétricienne et le nom du médecin paraissait sortir tout droit d'Hollywood. *Bryce Clifton.* Alors, Kate appela le bureau du Dr Clifton et prit rendez-vous. Non pas parce qu'elle s'intéressait à l'aspect célébrité, mais parce qu'elle s'attendait à ce qu'une femme comme Amanda choisisse un bon médecin.

Deux jours plus tard, ses nausées s'étant poursuivies, Kate tournait nerveusement les pages d'un magazine dans la salle d'attente du Dr Clifton qui ressemblait à un parloir de campagne confortable plutôt qu'au décor de chrome et de plastique qu'on trouvait d'habitude dans les bureaux des médecins. Elle était seule à attendre. Apparemment, les médecins riches n'accumulaient pas les patients comme ils le faisaient à la clinique de sa petite ville.

Une infirmière arriva, convoqua Kate en chuchotant, la conduisit dans une autre pièce confortable aux couleurs chaudes — sauf la table d'examen en acier inoxydable recouverte d'un drap blanc. On lui demanda d'enfiler une chemise d'hôpital à motifs floraux, puis on la dirigea vers une petite salle d'habillage gaiement décorée avec du papier peint paré de guirlandes de fleurs, des fauteuils de cuir rose et des peintures de jolis paysages sur les murs.

Si le but était de faire en sorte que vous vous détendiez, ça fonctionnait.

Quand le Dr Clifton arriva, il se présenta avec un charme élégant, comme s'ils se rencontraient pour prendre le thé, et parla même de la pluie et du beau temps. Puis, il dit avec un sourire :

— Voyons voir ce que nous avons ici.

L'infirmière aida Kate à s'étendre et, tandis qu'il l'examinait, il parla doucement à l'infirmière dans un jargon médical.

Puis, retirant ses gants chirurgicaux, il aida Kate à s'asseoir et lui dit en souriant de nouveau :

— Félicitations, Mlle Hart. Vous allez avoir un bébé.

— Impossible ! s'exclama-t-elle, parce que le déni l'emportait sur le raisonnement déductif.

Le sourire du Dr Clifton s'élargit.

— Vous n'êtes pas la première qui m'ait dit ça.

— Mais j'ai reçu une injection contraceptive, poursuivit Kate sur un ton plus poli. Comment est-ce possible ?

— Il arrive que l'injection ne fasse pas effet, ma chère. On ne vous a pas dit ça ?

— Mais on m'a dit que les possibilités étaient extrêmement faibles. De toute évidence, ajouta-t-elle en essayant de demeurer calme tandis que son cœur battait à tout rompre, pas suffisamment faibles. Avez-vous une quelconque idée ? Ça fait…

Elle essaya de compter les semaines.

— Vous en êtes environ à 12 semaines, Mlle Hart. Quand avez-vous eu vos dernières menstruations ?

Elle le lui dit et il effectua quelques calculs.

— Vous devriez accoucher au début de novembre. Je dirais le 10.

Kate pâlit. Une date précise rendait la chose terriblement réelle.

Le médecin lui tapota l'épaule.

— Souhaiteriez-vous vous étendre pendant quelques minutes ? Certaines patientes ont besoin d'une pause pour absorber la nouvelle. Ou aimeriez-vous que j'appelle quelqu'un qui viendrait vous reconduire à la maison ?

— Non !

— Eh bien, dit-il diplomatiquement, parce qu'il avait vu d'autres jeunes femmes comme Mlle Hart qui s'inquiétaient des conséquences sur leur vie privée. L'infirmière pourrait vous conduire dans une salle tranquille où vous pourriez vous reposer.

Kate secoua la tête et se redressa.

— Merci, mais ce n'est pas nécessaire. Ce n'est qu'un choc… quand on croit être protégée.

Puis, la phrase « N'utilise pas ça. OK ? » résonna clairement dans son esprit. Cette première nuit où ils avaient couché ensemble à Singapour, c'était elle qui avait pris la décision.

Elle ne pouvait reprocher à Dominic de ne pas s'être servi d'un condom même si elle aurait aimé le faire parce qu'il lui avait brisé le cœur — deux fois. Mais elle ne pouvait que se le reprocher. Ce qui démontrait à quel point un grand homme aux cheveux noirs terriblement beau avec une queue de classe mondiale pouvait causer comme dommages lorsqu'une femme le désirait.

Peu après être retournée au travail, Kate prit conscience qu'il lui était impossible d'effectuer ses tâches avec diligence ou même avec le minimum d'attention nécessaire alors que le sol s'effondrait sous ses pieds. Alors, elle invoqua le fait qu'elle était malade en disant à sa collègue Joanna :

— Ce n'est qu'une migraine. J'irai mieux demain.

Un mauvais mensonge puisque Joanna avait des migraines, ce qui signifiait premièrement que Kate dut subir le récit d'une longue liste de remèdes qui n'étaient qu'à peine efficaces. (Apparemment, la source des migraines était un mystère complet ou faisait l'objet de vives controverses.) Et, deuxièmement, Kate dut essayer de discuter de ses symptômes avec un certain degré de conscience. Elle répondit surtout en inclinant la tête aux bons moments répétant « C'est ça, exactement. ».

Après avoir réussi à s'enfuir, submergée par les nausées — probablement provoquées par le stress à cette heure avancée de la journée —, elle commanda rapidement un thé au resto d'en bas, trouva un siège dans un coin tranquille près de la fenêtre et avala immédiatement une demi-tasse : en fait, découvrit-elle, le thé soulageait ses malaises.

Puis, assise tranquillement, sirotant son thé, elle sentit son estomac se calmer et ayant recours au lent compte à rebours que lui avait apprit son grand-père, elle essaya de se détendre. Il lui était arrivé d'attendre des jours entiers en territoire ennemi pour qu'une cible se présente, avait-il dit, et quand il pouvait à peine bouger pendant des jours, il devait demeurer calme. Dieu qu'il lui manquait. Ses yeux se remplirent de larmes. Sa grand-mère lui manquait aussi, et elle sourit en songeant à ce qu'allait dire Nana quand elle lui révélerait qu'elle allait devenir arrière-grand-mère. Elle dirait probablement « Essaie de battre ça, Jan Vogel » parce que Jan se plaignait toujours de ne pas avoir de petits-enfants. Et, en un endroit tout au fond d'elle-même qui avait résisté à ses tentatives visant à débarrasser sa vie de la présence de Dominic, elle se demanda l'espace d'un instant ce qu'il dirait.

Probablement rien. Il était doué pour ne pas répondre.

Puis, elle aperçut une jeune mère poussant un landau et elle se trouva immédiatement clouée sur place. Elle la regarda jusqu'à ce qu'elle disparaisse à sa vue, puis commença à remarquer d'autres landaus et d'autres gens qui déambulaient en portant des bébés dans la foule de piétons, et de jeunes enfants, puis des filles et des garçons revenant de l'école. Parfois, elle retenait son souffle comme si tout à coup la vue de bébés et de jeunes enfants la laissait estomaquée et envoûtée. Comme si elle prenait conscience pour la première fois du miracle de la naissance.

Mais une certaine panique sous-tendait également son émerveillement.

Et un petit doute perturbant la submergea en des vagues successives d'indécision.

Bon sang, qu'allait-elle faire avec un bébé ?

Le même après-midi, Dominic s'étonna de recevoir un appel de Max bien avant l'heure habituellement prévue.

— Je voulais seulement te dire que Katherine s'était rendue sur Harley Street, dit Max.

— Oui, je le sais déjà.

Le GPS dans toute son utilité : carte routière, rue, adresse, nom.

— Elle est allée voir un médecin.

— Oui, je sais. Pour recevoir son injection contraceptive. Ça fait trois mois.

— Elle n'a pas eu son injection.

Dominic bougea légèrement sur son fauteuil, jeta un coup d'œil à l'horloge dans son bureau de Paris comme si à un quelconque niveau subconscient, le temps avait de l'importance.

— Tu sais ça ? demanda-t-il.

— Tu voulais que je sois minutieux.

— Et ? Arrête ça. Si tu as quelque chose à dire, dis-le.

— Elle est enceinte.

Dominic se redressa d'un coup sur sa chaise.

— Impossible.

— Apparemment, c'est ce qu'a dit Katherine au médecin.

Dominic jura à voix basse.

— Une foutue possibilité de 3 % ? Et c'est quand même le casino qui gagne ? Bon Dieu.

— Je ne connaissais pas les possibilités, mais l'infirmière les a mentionnées. J'ai bavardé avec elle. Une sympathique vieille dame qui vit à Woking, deux enfants, une nouvelle petite-fille…

— Bon sang, marmonna Dominic. Tu en es sûr ?

— Tout à fait.

— Merde.

Il s'affala dans son fauteuil, puis ferma les yeux.

— Katherine pourrait décider de ne pas le vouloir, dit Max.

Dominic ouvrit soudainement les yeux et toute une série de souvenirs amers lui traversèrent l'esprit, des images de Katherine de 50 façons différentes.

— Je ne suis pas sûr que ce soit une solution, dit-il d'un ton légèrement maussade.

— Ça pourrait l'être pour elle.

— Nous verrons ça, répliqua poliment Dominic. Fais-moi venir une voiture à Heathrow. Je devrais y être dans une heure et demie.

Dominic composait déjà des numéros sur le téléphone de son bureau.

— Katherine est encore au travail. Tu ne devrais peut-être pas la déranger là, intervint Max.

— Je vais d'abord voir le médecin. George, dépose un plan de vol pour Londres. Je serai à l'avion dans 15 minutes.

Dominic raccrocha brutalement le téléphone, se leva et dit dans son téléphone cellulaire :

— Merci, Max. Je dois partir.

CHAPITRE 29

Trois heures plus tard, parce que la circulation était cauchemardesque entre Heathrow et Londres, Dominic se trouvait dans le bureau du Dr Bryce Clifton, ses souliers laissant des empreintes sur l'épais tapis tandis qu'il traversait la vaste pièce. Le bureau aux murs lambrissés était élégamment meublé, le foyer du XVIIIe siècle encore fonctionnel, un vrai Canaletto sur le mur, des meubles antiques placés avec art pour mieux en montrer les lignes. De toute évidence, le médecin gagnait fort bien sa vie. Dominic faillit demander « Amanda Parducci est-elle une de vos patientes ? », mais il ne voulait pas la mêler à ça. Toutefois, Katherine n'aurait pas trouvé cet homme d'une autre façon. Clifton n'était pas le genre de docteur à faire de la publicité.

— Veuillez vous asseoir, lui offrit le médecin d'une voix douce.

Le nom de Dominic avait suffi pour qu'il obtienne immédiatement un entretien.

— Merci.

Dominic choisit le plus gros des deux fauteuils Sheraton placés devant un bureau impressionnant et s'assit.

Le Dr Clifton remarqua le complet marine à double boutonnage et à rayures blanc craie en laine de vigogne.

— Anderson et Sheppard ?

Dominic jeta un rapide regard sur son complet.

— Les revers les trahissent toujours, n'est-ce pas ?

Il avait eu une raison de porter le costume à 50 000 dollars. Il n'y avait que les gens très riches qui pouvaient se permettre de porter le tissu le plus rare et le plus dispendieux du monde. C'était un signe incontournable de son statut dans la société.

— Oui, effectivement. C'est une de leurs signatures.

Le médecin lui adressa un sourire aux dents parfaites ; ses implants capillaires étaient tout aussi impeccables.

— Maintenant, comment puis-je vous être utile ?

Dominic considérait avec méfiance une pareille vanité chez un homme plus âgé ; elle laissait entendre de possibles relations mal avisées avec sa clientèle. Écartant cette pensée, il ramena son regard vers le sourire du médecin.

— Vous avez récemment vu une Mlle Katherine Hart. J'aimerais connaître les détails de sa visite.

— C'est impossible, évidemment. La confidentialité vis-à-vis mes patients, vous comprenez.

Le médecin affichait toujours son sourire. Il joignit les mains sur son dessus de bureau immaculé.

— La loi est très claire à ce sujet, M. Knight.

Dominic haussa légèrement les sourcils et son sourire était à peine moins agréable.

— Épargnez-moi le sermon, docteur. Je sais tout ça. Mais j'attache une certaine importance à la question, fit-il doucement remarquer plutôt que de frapper le connard arrogant.

— Alors, vous devriez en parler à Mlle Hart, répondit le médecin sur un ton irrité, n'étant pas habitué à ce qu'on lui réplique.

— J'en ai l'intention, mais elle est de retour au travail et elle n'aime pas qu'on l'y dérange, dit Dominic avec une exquise retenue. Je n'ai pas pu m'empêcher de remarquer votre Canaletto, ajouta-t-il en tournant les yeux vers la peinture magnifiquement encadrée et éclairée. *La vieille garde montée*, n'est-ce pas ?

— Oui, fit immédiatement le médecin avec fierté. Elle a été peinte quand Canaletto était en Angleterre.

— Il avait du talent pour la lumière, n'est-ce pas ? On peut presque sentir le soleil. J'ai déjà vu la même interprétation, mais elle n'était pas aussi bien exécutée que la vôtre. Vous l'avez depuis longtemps ?

— Elle appartient à la famille de ma femme depuis des générations, dit le médecin rempli d'orgueil.

Et pourtant, elle se retrouvait dans son bureau, connard avide. Bien que cela pourrait simplifier les choses. Dominic prit le téléphone cellulaire dans la poche de son veston, fit rapidement défiler quelques écrans, et se penchant vers l'avant, il tourna l'appareil vers le médecin.

— Avez-vous vu ce Canaletto ? *Le Palais des doges*. Il est tout aussi bien.

— Je l'ai vu, fit Clifton avec une lueur d'avarice dans les yeux. La Galerie Hamilton l'a mis en vente en mars.

— Pourquoi ne l'achetez-vous pas ? demanda Dominic. Quelle est l'adresse ici ?

Il connaissait l'adresse, mais il voulait seulement un engagement de la part du médecin.

Dix secondes.

Quinze.

Dominic s'adossa à son fauteuil, tapa l'écran quelques fois.

— Voici. Je peux toujours choisir un autre Canaletto, si vous ne le voulez pas.

Il leva les yeux et sourit au médecin. Puis, il fixa l'écran pendant une seconde avant d'éclater de rire.

— Douglas a dit qu'il ouvrirait sa réserve de whisky pour moi. Je lui ai acheté quelques trucs au fil des années. Où devrais-je lui dire de l'envoyer ?

Le Dr Clifton lutta avec sa conscience pendant seulement quelques secondes de plus. Puis, il donna l'adresse à Dominic.

Celui-ci tapa l'adresse du médecin, ferma son téléphone cellulaire et le remit dans sa poche.

— Ils vont le livrer demain à 14 h. J'espère que vous l'apprécierez. Et maintenant.

Il avait besoin d'une confirmation, et non d'un renseignement de seconde main.

— Vous comprenez ma responsabilité envers mes patientes ? dit le Dr Clifton en regardant Dominic dans les yeux comme tout bon commerçant de chevaux qui ne trahit jamais ses pensées.

— Bien sûr, répondit Dominic en souriant.

— Alors, je ne peux ni confirmer ni infirmer le fait que Mlle Hart soit enceinte de 12 semaines, non plus que je peux confirmer ou démentir qu'elle soit en excellente santé.

Dominic resta immobile pendant un moment, absorbant l'élan de bonheur, puis il se leva.

— Merci, Dr Clifton, fit-il en inclinant la tête. Ce fut un plaisir de vous connaître.

Dominic quitta le bureau et mille pensées lui traversaient l'esprit, un petit sourire permanent aux lèvres, tandis qu'il se rendait à son auto et se faisait conduire à Eaton Place. D'après le médecin, Katherine était enceinte de trois mois. Ce qui signifiait qu'il aurait dû porter un condom le soir où elle avait reçu l'injection. Il eut un demi-sourire. Comme si n'importe quel homme vivant aurait pu refuser le plaidoyer dans ses grands yeux quand elle avait dit doucement de ne pas le faire.

Mais s'il oubliait ses chers souvenirs, il avait un problème sur les bras.

Parce qu'il avait encore une dette envers Gora pendant deux autres semaines, ou un peu plus, selon la date de naissance de son fils.

Il n'y pouvait rien. Par ailleurs, il s'attendait à ce qu'il faille au moins autant de temps pour que n'importe quelle femme planifie son mariage. Alors, il n'avait qu'à dire « Marions-nous dans trois semaines » et aucune autre explication ne serait nécessaire. Toutefois, le moment précis représentait le moindre de ses problèmes. La difficulté, c'était de faire en sorte que Katherine lui parle. Il n'avait pas eu beaucoup de chance au cours des 10 dernières semaines.

Des heures plus tard, quand Max l'appela pour lui dire que Katherine était chez elle, Dominic était encore indécis quant à la manière de l'aborder.

Sans être encore fermement convaincu, ses émotions étranges, heureuses, craintives, son univers entier déséquilibré, Dominic se retrouva sur le perron de Katherine, le soleil brillant légèrement d'un reflet doré derrière lui, l'horizon strié des lueurs pourpres du crépuscule.

Il frappa à la porte, vit bouger un rideau à une des fenêtres donnant sur la rue.

Il frappa de nouveau, plus fort cette fois, en se servant du heurtoir de laiton.

— Va-t'en !

La voix de Katherine était tranchante, manifestement hostile. Et elle provenait cette fois de derrière la porte, et non de la fenêtre.

— Je ne vais pas partir, dit-il en élevant la voix juste assez pour se faire comprendre sans pour autant attirer l'attention. Ouvre la porte.

— Non.

Elle entendit une clé tourner dans la serrure, se demanda si elle pourrait tenir la porte fermée, mais avant même que sa pensée se soit complètement formée, Dominic l'avait poussée et se tenait sur le seuil. Il était beau à couper le souffle, vêtu d'un blazer bleu et d'un jeans, chaque mèche de cheveux bien en place, grand et sombre et perfidement beau.

« Oh, bon Dieu… ne réagis pas à cette masculinité irrésistible », se dit-elle.

— Où as-tu obtenu cette clé ? demanda-t-elle d'un ton brusque.

Il ignora sa question, la regardant plus ou moins discrètement des pieds à la tête, remarquant son t-shirt large et son pantalon de jogging.

— Comment ça va ?

— Bien. Tout à fait bien. Et toi ?

Elle tendit la main pour qu'il lui rende la clé.

— Très mal. Vraiment très mal, répondit-il en lui remettant la clé parce qu'il pouvait en faire faire une autre. Puis-je entrer ?

— Non.

— Nous devrions discuter.

— Il n'y a rien à discuter.

Il regarda le long de la rue encore peuplée de gens qui profitaient du soir de mai.

— Nous pouvons discuter d'ici, sur les marches, du fait que tu portes mon enfant ou nous pouvons en parler où les gens des tabloïds ne prendront pas de photos.

— Comment sais-tu ça ?

Il ignora son regard furieux.

— J'ai des relations.

— Ce qui veut dire ? demanda-t-elle d'une voix encore plus furieuse.

— Max me l'a dit.

— Comment *lui* le savait-il ?

— Tu devras le lui demander.

— Tu me traques encore ? siffla-t-elle en le foudroyant du regard.

— Pas personnellement, non, dit-il immunisé contre ses regards et son ton furieux et contre quoi que ce soit qui faisait obstacle à sa mission. Maintenant, je peux entrer ?

Elle ne bougea pas.

— Nana t'a-t-elle dit que j'étais allé la voir il y a quelques semaines ? Elle pourrait adorer les photos dans les journaux. Ou CX Capital. Les journaux à potins ont toujours des gros titres salaces.

Elle faillit avoir le souffle coupé.

— Tu es allé voir Nana ?

— Elle ne te l'a pas dit ? Nous avons eu une rencontre agréable.

Il pencha la tête, puis ajouta :

— Je ne vais pas partir avant que nous ayons parlé de ça. Alors, nous pouvons le faire en privé ou dans les tabloïds. À toi de décider.

Elle recula.

— Je te remercie de m'accorder un peu de ton temps, dit-il doucement en entrant et en refermant la porte.

Elle lui faisait face, la mâchoire tendue, le regard froid.

— Dis ce que tu as à dire et va-t'en. Retourne avec ta femme.

Il prit une courte inspiration, souhaitant éviter la querelle qu'elle voulait.

— Ma femme n'est qu'un détail, dit-il prudemment. J'aurai divorcé dans deux semaines.

— Alors, retourne chez elle pour deux semaines. Avez-vous déjà eu votre bébé ?

Il parut profondément surpris.

— Un bébé ?

— Oui, celui dont tu ne m'as pas parlé, celui dont tu viens tout juste de confirmer l'existence avec ce petit tic révélateur, dit-elle sournoisement. Tu n'es pas toujours impassible, après tout.

Elle soupçonnait depuis longtemps que ce serait la seule raison qui pourrait obliger Dominic à faire un mariage forcé.

— Ce n'est pas mon enfant.

— Ils disent tous ça.

— Je ne dis pas ça à propos de toi.

— Tu le devrais peut-être. Nous n'avons pas passé tant de temps ensemble. Combien ? Trois semaines en tout ? Mais c'est probablement un record pour toi. Les aventures sans lendemain, voilà plutôt ton genre, n'est-ce pas ?

Dieu qu'il n'aimait pas les querelles. Il s'était beaucoup tu et avait beaucoup attendu au cours de sa vie. Et ce n'était pas là une querelle qu'il voulait avoir.

— Je n'ai pas de style, Katherine, dit-il tranquillement. Ce dont je voudrais te parler, c'est de notre enfant. Soit dit en passant, je suis ravi que tu portes notre bébé.

Elle leva une main pour le faire taire.

— Va te faire foutre, Dominic. Tu peux arrêter ces bêtises immédiatement. Quoi que tu aies à dire, ça ne m'intéresse pas. Ça ne m'intéresse pas de savoir si tu es ravi ou non, fit-elle d'une voix indignée. Tu m'as quittée deux fois. C'est deux fois de trop, aboya-t-elle, la fureur illuminant son regard. Alors, c'est mon bébé et non le tien. Le mien. Comprends-tu ? Tu n'as absolument rien à voir avec ça.

Son ton montait.

— Alors, je ne veux pas entendre un foutu mot de ta part ! Ni maintenant ni jamais !

Elle hurlait maintenant.

— Fous le camp !

Se sentant soulagé qu'elle veuille le bébé, il dit, très doucement :

— Calme-toi un instant. Parlons…

— Ne me dis pas de me calmer, espèce de salaud ! cria-t-elle. Je ne vais pas me calmer ! Je pourrais ne jamais me calmer ! Si tu crois que tu peux revenir ici comme si rien ne s'était passé, tu es complètement fou !

Elle serrait les poings le long de son corps, le visage rouge de colère.

— Maintenant, casse-toi !

Pendant un instant fugace, Dominic envisagea de la prendre dans ses bras, de la porter jusqu'au lit et de la baiser jusqu'à ce que ni l'un ni l'autre ne puisse plus bouger. Ça fonctionnait d'habitude avec elle, mais elle le mettait réellement en colère. Ce ne serait probablement pas sage. Elle n'était pas la seule à être soupe au lait. Prenant une bonne inspiration pour se retenir, il s'obligea à parler sur un ton conciliant.

— Pourrions-nous s'il te plaît discuter de ça comme des adultes, Katherine ? Que tu le veuilles ou non, j'ai un lien avec ce bébé. Je suis le père. Je peux le prouver avec un test de paternité, si nécessaire. Toutefois, je préférerais en venir à un accord raisonnable.

— À quel propos, Dominic ? À propos du fait que tu baises qui tu veux ? Qu'est-ce que ça peut bien faire ? Tu maries qui tu veux, et moi, je reste à la maison à m'occuper de ton enfant ? Laisse-moi te dire une chose, fit-elle d'un ton hargneux, pourquoi tu n'irais pas baiser d'autres femmes et discuter avec elles. Je ne suis pas d'humeur à parler. Alors, tu te casses ou j'appelle la putain de police !

Il se pencha vers elle, ses yeux bleus enflammés, sa mâchoire si serrée qu'il pouvait sentir la tension jusque dans ses épaules.

— Cette discussion n'est pas terminée, dit-il d'une voix basse, rauque. C'est hors de question. Tu vas entendre parler de moi.

Puis, il pivota sur ses pieds, ouvrit la porte et sortit en coup de vent.

Il n'entendit même pas la porte se refermer bruyamment derrière lui tandis qu'il descendait les marches, plus fâché qu'il ne l'avait jamais été de toute sa vie.

Encore plus en colère qu'il l'avait été à l'école secondaire quand il avait massacré une bande de cogneurs et de durs à cuire.

Toutefois, Dominic et Kate auraient pu se faire concurrence à propos des niveaux de colère les plus élevés.

Kate était si près de sauter un fusible qu'elle se laissa tomber sur le canapé, se mit à prendre de profondes inspirations et alluma la télé en un effort pour se changer les idées.

« Fils de pute », pensa-t-elle.

Il avait vraiment un culot extraordinaire. Frapper à sa porte, demander d'entrer et essayer de prendre le dessus sur la situation en tant que père de son enfant comme s'il avait quelque foutu droit alors qu'il était marié à quelqu'un d'autre. Bon Dieu !

Elle passa à la chaîne météo qui réussissait toujours à lui changer les idées et, lorsque le présentateur commença à déblatérer à propos de la situation climatique au-dessus de l'Afrique, elle respirait de nouveau normalement. Elle devait vraiment prendre davantage soin de sa santé maintenant, changer ses habitudes et adopter un style de vie plus sain. Apprendre à se détendre. Elle devra également prendre trois repas par jour — faire vraiment attention. L'idée la fit se lever et se diriger vers la cuisine. Elle ouvrit la porte du réfrigérateur à demi vide. Sauf pour le champagne qu'elle n'avait pas bu parce qu'il lui rappelait trop Dominic, il ne contenait en tout et pour tout qu'un sac de pommes vieilles de presque trois mois, quelques citrons rabougris... Dieu du ciel, cette laitue était dégoûtante. Elle aurait besoin de gants jetables pour y toucher. Tout était dégoûtant. Elle referma la porte, commanda une pizza et alla sur Internet pour voir si elle ne pouvait pas trouver une épicerie qui faisait la livraison.

Elle mangeait maintenant pour deux et elle ne voulait pas que son enfant soit en mauvaise santé parce qu'elle était trop stupide ou paresseuse pour bien se nourrir. *L'épicier qui livre ! Oui !* Elle commanda tout ce qu'elle aimait et demanda à ce qu'on le lui livre le lendemain après le travail.

Mais quand elle revint chez elle le lendemain, son réfrigérateur était déjà rempli d'aliments sains et de dizaines de repas préparés comme ceux que Patty avait emballés à San Francisco, avec le même genre de directives quant à la cuisson ou au réchauffage. Elle aurait pu tuer Dominic pour cette entrée par effraction, mais elle sourit aussi un peu. Il pensait au bébé. Foutu Dominic. Puis, tous ses sentiments s'entremêlèrent dans sa tête comme toujours lorsque Dominic se montrait super gentil et attentionné.

Mais elle se maîtrisa quelques secondes plus tard quand elle pensa à sa femme.

Connard déloyal.

Ses projets, sa vie entière, étaient toujours purement égoïstes ; au diable les règles, les normes, et la politesse élémentaire. S'il voulait quelque chose, il le prenait. Mais pas cette fois, pas avec elle. Un connard déloyal ne faisait pas un bon père. Pas plus qu'il n'avait fait un bon Prince charmant.

Mais ses nombreuses lacunes ne signifiaient pas qu'elle n'allait pas avaler toute cette délicieuse nourriture entreposée dans son frigo. Elle devait penser au bébé et non pas seulement à ses rancunes amères de femme délaissée.

Dominic s'était efforcé de retrouver un état d'esprit plus raisonnable peu après être retourné chez lui et il commença à mettre à exécution son plan B. La calmer par la gentillesse, lui montrer qu'il pouvait être quoi que ce soit qu'elle désire, prendre soin d'elle et du bébé. Il était hors de question qu'il abandonne après avoir attendu trois mois qu'elle revienne dans sa vie. Toutefois, avec le bébé maintenant dans le décor, ils avaient dépassé l'étape des simples dispositions. Ils devraient se marier et rapidement. Ce qui signifiait qu'il allait devoir se mettre à plat ventre.

Mais il allait faire le nécessaire.

Il eut un demi-sourire. Devant une femme qui ne voulait pas de lui, quand même. C'était nouveau. Différent.

Il allait devoir repenser à son plan de match.

Très tard, ce soir-là, quand Kate fut presque endormie — rassasiée après un merveilleux dîner et deux poudings au riz — Dominic lui envoya un texto.

Tu as aimé la nourriture ? C'est mon chef qui l'a demandé. Et si tu as n'importe quelle idée de menu, tu n'as qu'à me le faire savoir. J'ai mangé un pouding au riz pour dîner. Et toi ? Dors bien, chérie.

Elle ne répondit pas, mais ne lui écrivit pas non plus « Ne fais pas ça ». Dominic le remarqua, mais entendit une autre heure au cas où.

Puis, il sourit et avala le reste de son whisky.

Il devait arrêter de boire à l'excès. Il allait être père. Et il refusait d'être un foutu trouduc comme son père. Alors, la tempérance et la sobriété étaient de rigueur. Il allait cesser de boire une bouteille ou deux chaque soir, de se mettre en colère, de faire des crises.

Et comme il ne disposait que de deux semaines pour persuader Katherine de le reprendre, il valait mieux être complètement sobre pour donner le ton. Il voulait qu'elle soit de nouveau heureuse avec lui, peut-être même encore un peu amoureuse parce qu'elle devrait vraiment s'engager de manière volontaire quand il allait l'épouser à la seconde où son divorce serait finalement prononcé.

Parce que pour lui, leur mariage était inscrit dans le ciel, qu'elle le veuille ou non.

CHAPITRE 30

La campagne de Dominic visant à retrouver les bonnes grâces de Kate était d'une ampleur napoléonienne, mais il avait à la fois les ressources et l'intensité d'un général révolutionnaire. Il disposait de deux semaines pour atteindre son objectif et l'échec n'était pas même envisageable.

Les hommes de Max surveillaient les activités du médecin à Rome, l'avocat à Paris était sur appel, et un juge était prêt à signer le jugement de divorce. Gora se trouvait également à Rome, attendant la naissance de son fils. Tous les acteurs secondaires étaient sous surveillance et en attente, prenant leur temps en attendant que les événements se produisent.

La veille au soir, Dominic avait parlé à Melanie et lui avait demandé un service. Ce matin, il venait tout juste de finir de parler à une organisatrice de mariages que lui avait recommandée Liv, en précisant dès le départ que leur discussion devait demeurer strictement privée. Cela lui avait valu un coup d'œil hautain, comme s'il avait tenté de racoler la vieille dame et, dissimulant à peine son outrage, elle dit :

— Tout ce que nous faisons, M. Knight, se fait en toute confidentialité. Nos clients l'exigent.

— Parfait, avait répondu Dominic, ne sachant trop s'il pouvait oser sourire alors qu'elle avait pris cet air hautain.

Mais il tenta sa chance et ajouta en guise d'assurance :

— Je ne l'ai peut-être pas mentionné, mais sachant que votre horaire est si chargé, je suis plus que désireux de vous verser une prime pour vos conseils.

Le visage de la femme se fendit d'un sourire et confirma le vieil adage selon lequel l'argent est roi.

Son projet de mariage étant lancé — toutes les décisions finales revenant bien sûre à Katherine —, il attendit son rendez-vous suivant. La question fut vite réglée avec le joaillier. L'homme devait rassembler un assortiment de ses plus beaux anneaux de diamant pour que Dominic soit prêt à les montrer à Katherine.

— Je m'excuse pour le délai si court, dit-il. J'espère que ce n'est pas un problème.

Compte tenu du prix que payait Dominic, les problèmes n'existaient pas. Et le joaillier exprima ce sentiment avec chaleur. Après son départ, Dominic fit venir sa voiture et partit faire une course sans précédent.

Pendant que Dominic s'occupait des détails initiaux de sa réconciliation et de son mariage, Kate était étendue sur le lit en mangeant un gâteau au chocolat parce qu'un dessert après un petit déjeuner tout à fait nutritif composé d'œufs brouillés, de bacon et d'un fruit était certainement autorisé même en vertu de son nouveau régime alimentaire. Et ce matin, elle n'avait pas pris de café et n'avait bu qu'un lait au chocolat. Elle ne savait trop si elle se sentait euphorique parce qu'elle avait avalé une bonne quantité de chocolat ou parce que le personnel de Dominic avait nettoyé tout l'appartement la veille et qu'elle avait dormi dans des draps fraîchement repassés, avait pris sa douche dans sa salle de bain qui contenait maintenant des piles de serviettes propres plutôt que sales, ou encore simplement du fait qu'on prenne soin d'elle. C'était… eh bien, vraiment gentil, et elle n'était plus aussi fâchée contre Dominic.

Elle savait que c'était stupide. Dominic se comportait comme Svengali, après tout.

Pourtant — et cette pensée faillit la tuer —, il lui manquait.

Un peu plus tard, au moment où Kate franchissait les portes tournantes pour pénétrer dans le vaste hall de CX Capital, Dominic se tenait à l'extérieur d'une boutique sur Marylebone High Street, attendant que l'employée sorte sa clé pour ouvrir la porte. Il s'en était remis à Liv pour toutes ses recommandations, y compris la minuscule boutique qui vendait des vêtements d'enfants. Il était sur le point de dire impatiemment « Bon Dieu, laissez-moi faire ça », quand la fille réussit finalement à tourner la clé dans la serrure. Il l'ignorait, mais elle était complètement troublée par la présence de cet homme d'une beauté renversante qui était là à l'attendre quand elle était arrivée. Si seulement elle avait porté une plus jolie robe, pensa-t-elle avec mélancolie, si elle avait mis plus de temps à se coiffer, s'était mieux maquillée.

Cependant, une fois à l'intérieur de la boutique, ce fut au tour de Dominic d'avoir les idées brouillées. Il n'avait jamais mis les pieds dans un magasin de vêtements d'enfants. Il avait toujours donné des jouets aux enfants de Melanie. Alors, il se tint juste à l'intérieur à parcourir des yeux le petit espace, la vitrine au milieu de la pièce remplie de petits souliers de toutes les couleurs, faits à la main, se questionnant sur la façon de demander les choses dont il avait besoin. Tout en prenant soin également de ne pas révéler son identité. Les tabloïds seraient ravis d'avoir une telle photo.

Il sortit de sa rêverie en entendant un raclement de gorge et un timide :

— Puis-je vous être utile, monsieur ?

— J'ai besoin de vêtements de bébé, dit-il d'un ton bourru. Si vous pouviez m'en montrer quelques-uns, ajouta-t-il plus poliment, j'aimerais bien.

Quelle belle voix profonde !

— Avez-vous quelque chose de particulier à l'esprit ? demanda-t-elle en espérant qu'il sourie et réponde « Vous ».

— Non, non… euh… je ne suis pas certain.

Il y eut un bref moment de silence.

— C'est pour un garçon ou une fille ? demanda la jeune fille parce que de toute évidence la superbe vedette de rock dans sa boutique n'avait aucune idée de ce qu'elle voulait.

Vêtu d'un jeans et d'un blouson de cuir noir si souple qu'il ressemblait à de la soie, avec ses cheveux noirs ébouriffés recourbés sur son col de blouson et ses longues mains fines légèrement pliées, il était vraiment baisable.

— Le bébé… n'est pas…

Il prit une petite inspiration.

— N'est pas encore né ?

Il acquiesça.

— Quelque chose pour un nouveau-né, alors.

Dominic laissa échapper un soupir qu'il n'avait pas eu conscience de retenir.

— Exactement. C'est ce dont j'ai besoin. Pas de bleu ni de rose. Quelque chose de neutre.

— Le blanc est toujours beau, répondit la jolie blonde en sachant qu'elle allait afficher ça sur Facebook aussitôt qu'il quitterait la boutique. Par ici, monsieur.

Dieu qu'elle aurait aimé oser prendre cette photo, parce que ses amies seraient toutes vertes de jalousie du fait qu'elle ait respiré le même air que lui.

Dominic la suivit jusqu'à un présentoir sur le mur où pendaient de minuscules vêtements sur de minuscules cintres. Pendant qu'elle les lui montrait l'un après l'autre, il disait oui ou non — surtout oui —, ou bien posait une question démontrant clairement qu'il ne connaissait pratiquement rien à propos des nouveau-nés. Il acheta tout ce qu'elle avait qui n'était ni bleu ni rose, lui donna une carte de crédit de compagnie qui n'aida en rien la jeune fille à trouver qui il était ou même à le déduire par le nom de l'entreprise. Elle n'avait jamais entendu parler de Green Infinity Industries. Quant à sa signature, personne n'aurait pu la déchiffrer.

— J'ai besoin que tout soit mis dans des boîtes et emballé ; des rubans et ce genre de trucs. Pas un à un, quelques grandes boîtes peut-être. Quelqu'un passera les prendre cet après-midi. Merci beaucoup, dit-il avec un sourire. Vous m'avez beaucoup aidé.

Un sourire vraiment renversant, songea-t-elle avec un soupir, en le regardant de derrière le comptoir jusqu'à ce qu'il se soit glissé sur le siège arrière de sa voiture de luxe noire.

Dominic envisagea brièvement d'acheter des vêtements de maternité, mais il n'était pas tout à fait prêt à aller jusque-là, se sentant intimidé pour la première fois de sa vie. Non pas qu'il ne l'aurait pas fait, si Katherine l'avait voulu. Il était carrément en mode conciliation.

Ce qui lui rappela les fleurs. Était-ce trop banal ? Est-ce que ça faisait trop cliché ? Peut-être quelque chose de petit, délicat, légèrement parfumé. Quelle était cette odeur qui lui rappelait

Katherine ? Est-ce qu'elle portait du parfum ? Merde, pourquoi n'y avait-il jamais prêté attention ?

En fin de compte, la jeune femme de la boutique de fleurs près de chez lui lui proposa des muguets avec de toutes petites roses blanches, attachées avec un ruban de soie blanc. Il l'apporta à l'appartement de Katherine, entra, bavarda avec son personnel qui faisait le ménage, la vaisselle et le lavage, mit le vase de cristal sans prétention sur sa table de chevet, déposa une enveloppe scellée à côté et, reculant d'un pas, il sourit.

Merde, c'était bien de se trouver ici à nouveau.

Étrange comme le bonheur pouvait être si simple.

Quand Katherine revint à l'appartement après le travail, elle ne fut pas surprise de voir les piles de paquets sur la table de l'entrée, sur la chaise et deux plus grands sur le plancher. Des paquets joliment emballés avec des choux jaunes et blancs. En fait, elle n'était pas *très* surprise. Ce qu'elle devait admettre toutefois — et c'était légèrement plus difficile —, c'est qu'elle s'en réjouissait. Elle reprit presque immédiatement ses esprits ; Dominic désirait seulement quelque chose qu'il ne pouvait avoir. Elle représentait un défi pour lui.

Mais quand elle entra dans sa chambre pour mettre des vêtements confortables, elle vit le petit bouquet sur la table de chevet et sentit son estomac se remplir de petits papillons. Était-il venu ici ? En approchant du lit, elle aperçut le mot, le prit et s'assit sur le lit. Déchirant l'enveloppe, elle en sortit la petite carte et lut le court message.

Je vais essayer d'être un bon père.

Je vais essayer vraiment fort.

Avec tout mon amour,

Dominic

Les larmes lui montèrent aux yeux. Elle pensa à son enfance malheureuse pendant laquelle ni l'un ni l'autre de ses parents ne se souciait de lui et son cœur se serra pour lui, pour cette promesse à l'égard de son enfant, pour la tristesse poignante dans cet espoir. Et tous ses ressentiments s'évanouirent alors qu'ils ne l'auraient pas dû. Alors qu'elle aurait dû être plus intelligente. Alors que les milliers d'obstacles auxquels ils étaient encore confrontés ne pouvaient disparaître que par l'espoir seul. Elle se laissa tomber sur le lit, ferma les yeux et fit le vide dans son esprit.

Tout était trop compliqué, la situation était un vrai merdier, toute solution encore semée d'obstacles.

Elle était trop fatiguée pour composer avec ça maintenant.

Puis, comme sur un signal, ou vraiment sur un signal, puisque Dominic avait dit à Melanie quand appeler, le téléphone de Kate sonna. Celui sur la table de nuit. Personne n'appelait à ce numéro.

S'étirant pour décrocher en pensant qu'il s'agissait d'une erreur, Kate répondit « allô » d'une voix hésitante.

— Est-ce que j'appelle à un mauvais moment ? Dormais-tu ? C'est Melanie.

Kate s'assit et s'adossa à la tête de lit.

— Non, j'arrive tout juste du boulot. Je me reposais seulement pendant une minute.

— Comment vas-tu ?

— Bien, répondit-elle prudemment.

— Ne raccroche pas, mais Dominic m'a demandé de t'appeler. Il a dit que tu pourrais raccrocher.

— Je suis trop fatiguée pour prendre cette décision.

— Bien, dit Melanie en éclatant de rire, tu n'auras qu'à écouter. Dominic m'a mise au courant de la bonne nouvelle. Il est enthousiaste et je n'aurais jamais pensé le voir heureux à l'idée de devenir père. Mais il a peur que tu ne lui pardonnes pas… tout ce qui s'est passé. Alors, il m'a demandé mon aide même s'il ne le fait jamais, même s'il ne m'a jamais appelée au secours, pas même quand… eh bien, tu sais tout ça. Il revenait à la maison après ces séances horribles et je lui disais « Veux-tu que je te serre contre moi ? » et il refusait toujours. Puis, il allumait la télé et regardait des dessins animés. Je m'assoyais et les regardais avec lui. Je pense qu'il aimait ça, mais il ne l'a jamais demandé. Alors, tu vois, si Dominic est prêt à me demander de l'aider, c'est qu'il est… eh bien… désespéré. Si tu pouvais avoir la bonté de lui parler, j'en serais ravie et il flotterait sur un nuage, je le sais.

Le cœur de Kate avait commencé à s'accélérer pendant que Melanie parlait, mais elle dit prudemment :

— Je ne peux imaginer Dominic flottant sur un nuage à propos de quoi que ce soit.

— Crois-moi, fit Melanie d'une voix basse. Dominic…

Elle prit une inspiration avant de poursuivre :

— Je ne l'ai jamais vu comme ça, auparavant ; perdu. Suffisamment inquiet pour se tourner vers moi.

— Tu sais qu'il est marié ? demanda Kate avec un petit tremblement involontaire dans la voix.

— Je sais aussi que ce n'est que temporaire, répondit rapidement Melanie. Dominic ne m'a pas confié les détails, mais Matt les connaît et il m'a dit que Dominic n'avait pas le choix.

— En es-tu certaine ?

Kate souhaita n'avoir pas semblé si pitoyablement remplie d'espoir.

— Absolument. Matt ne me mentirait pas. Et l'enfant n'est pas de Dominic. Matt a insisté là-dessus.

— Wow, souffla doucement Kate en se demandant à quel point elle était folle de se sentir comme une gamine dont tous les souhaits d'anniversaire et de Noël s'étaient tout à coup réalisés.

— Je suppose que Dominic n'a pas mentionné qu'il faisait des affaires avec des personnes très étranges et parfois dangereuses. J'en suis consciente depuis très longtemps. Apparemment, cette situation était plus intenable qu'à l'habitude. Tu devrais poser des questions à Dominic à ce sujet, bien que je ne sois pas sûre qu'il te réponde. Matt est comme ça. Il n'aime pas que je m'inquiète. Il fait face à des problèmes de temps en temps. Quand de fortes sommes d'argent sont en jeu, certains hommes ont recours à des pratiques peu orthodoxes.

— Dieu du ciel, même là ?

— Tu serais étonnée. Mais franchement, je ne veux pas vraiment savoir, dit Melanie en riant doucement. Il y a des fois où ça ne me dérange pas qu'on prenne soin de moi.

— Je sais ce que tu veux dire. Dominic a une forte tendance à ça depuis quelque temps.

— C'est bien. Tu as besoin qu'on prenne soin de toi, en ce moment. As-tu des nausées du matin ?

— Malheureusement, répondit Kate en soupirant.

— Je pourrais t'aider.

Les deux femmes bavardèrent pendant quelques minutes de plus. Melanie dit à Kate de l'appeler si elle avait des questions à propos de sa grossesse ou de quoi que ce soit d'autre et termina la conversation en disant :

— Ne sois pas trop dure avec Dominic. Il t'aime. En fait, il l'a dit. J'ai failli m'évanouir.

CHAPITRE 31

Kate entendit frapper à la porte, mais Dominic n'entra pas tout de suite comme il aurait pu le faire; il attendit qu'elle vienne lui répondre.

Et quand elle ouvrit la porte, elle aperçut le sourire juvénile qu'elle ne voyait que rarement, celui dont elle soupçonnait que toutes les filles de l'école secondaire ou les surfeuses avaient vu : ses yeux plissés de plaisir, la courbe de sa bouche étant une pure tentation.

— Salut.

Il la regardait différemment maintenant, toujours à la recherche de nouveaux indices sur le mystère qui se déroulait en elle, même si seulement des changements très subtils avaient modifié son corps — bien dissimulé ce soir dans un pyjama de coton imprimé de chatons de Mme Hawthorne.

— Salut, répondit Kate le souffle coupé en le voyant, comme la première fois qu'elle l'avait vu à Palo Alto et encore davantage ce soir alors qu'il paraissait incroyablement jeune en jeans et en t-shirt bleu usé avec un signe de la paix.

Alors qu'elle était, malgré tout, encore à demi amoureuse.

— Puis-je entrer?

Il pencha la tête, ses cheveux tombèrent sur son visage et il les repoussa derrière ses oreilles avec ses pouces.

— Comment te sens-tu ? demanda-t-il tandis que son regard descendait vers le ventre de Kate.

— Bien, dit-elle en lui tendant la main parce que c'était ce qu'elle voulait plus que tout. Apparemment, je me sens mieux le soir.

Les grandes mains de Dominic se refermèrent sur les siennes avec cette douceur qui l'étonnait toujours chez un homme d'une telle carrure et elle sentit une petite chaleur familière envahir ses sens.

— Merci de m'inviter à entrer.

Son regard bleu était clair, son ton ouvertement reconnaissant, tandis qu'il s'avançait dans le vestibule et fermait la porte.

— Merci pour tout ça, répondit Kate en indiquant du doigt les paquets emballés.

— Tu devrais les ouvrir, fit-il en souriant. C'était une grande première pour moi de faire ces emplettes.

— Je le ferai plus tard.

Il ne savait trop si les mots « plus tard » étaient de bon augure ou non. S'ils signifiaient plus tard quand il serait ici ou plus tard quand il serait parti.

— Je veux m'excuser pour tout et pour quoi que ce soit, pour tout ce que j'ai fait et n'ai pas fait, dit-il calmement, pour les choses que j'ai dites et qui t'ont blessée.

Elle garda brièvement le silence devant son air égaré.

— J'ai dit ma part de choses blessantes aussi. Allez, dit-elle, en le tirant par la main et en l'entraînant le long du corridor. Parle-moi.

Il n'avait jamais été aussi heureux d'entendre ces paroles. Auparavant, quand une femme lui disait qu'elle voulait parler, il s'était toujours empressé de partir.

— Merci, répéta-t-il, réellement sincère.

Kate lui jeta un regard oblique tandis qu'ils se rendaient au salon.

— Tu pourrais changer d'avis à ce sujet. Je vais te poser un tas de questions.

— Ça me va.

— Vraiment ? demanda-t-elle, manifestement surprise.

— Écoute, chérie, je suis tellement heureux que tu m'aies seulement laissé entrer que je me fiche de ce que tu fais. J'ai vécu un cauchemar, ces derniers mois. Comme la dernière fois où tu étais partie. Alors, tu peux me lire le bottin téléphonique, si tu veux ; je m'en fous. Je vais dire oui à tout ce que tu désires.

Elle s'arrêta, leva les yeux vers lui, ses sourcils légèrement froncés.

— Tu me fais un peu peur.

— Je suis trop poli ? demanda-t-il en souriant.

— Seulement un peu trop.

Une lueur d'amusement brilla dans les yeux de Dominic.

— Peut-être que je vais te faire fâcher plus tard quand je vais te parler de nos projets de mariage.

— Oh, oui, dit-elle, les narines frémissantes. Sûrement. Peut-être que je ne veux pas t'épouser.

— J'aimerais vraiment que tu le fasses, mais accorde-moi seulement une seconde.

Il laissa tomber sa main, marcha jusqu'aux paquets et en sortit un petit sac attaché avec un grand chou blanc et un ruban jaune. Puis, il revint, reprit la main de Kate, sourit avec une langueur alléchante et dit doucement :

— Où aimerais-tu que nous parlions ?

— Ne me regarde pas comme ça, fit-elle en fronçant les sourcils. C'est une discussion sérieuse.

— La salle de réception, alors ?

Il avait adopté son meilleur comportement.

— J'appelle ça un salon.

— Parfait, répondit-il avec un sourire diplomatique. Vais-je pouvoir te toucher ou allons-nous prendre des fauteuils séparés ?

— Fauteuils séparés.

Il était trop facile de se laisser ensorceler par lui, de réagir à cette voix douce et à ce sourire chaleureux, alors qu'elle était déjà hésitante et qu'elle essayait de ne pas penser à tout le plaisir qu'il offrait avec une telle prodigalité.

— Tu as beaucoup d'explications à donner, dit-elle rapidement, comme si ses sens enclins à la traîtrise avaient besoin de se faire rappeler toute la souffrance des derniers mois.

— Demande-moi ce que tu veux. Vraiment.

« Sauf des questions sur Gora. L'ouverture a ses limites », se dit-il.

Mais une fois assis face à face, Dominic se pencha vers l'avant, son regard direct et animé.

— Parle-moi d'abord du bébé. Je te promets de répondre à tes questions ensuite.

Il leva une main, agita ses doigts et sourit.

— Je suis très nerveux et tout excité, en ce moment.

En le voyant ainsi, avec ce sourire qui illuminait son visage, elle sentit des papillons voleter dans son ventre. Mais le fait de l'aimer ne suffisait pas. Elle ne voulait pas oublier que toutes les femmes à qui il avait souri au cours de sa vie l'avaient désiré.

— Je ne peux rien te dire parce que je ne sais rien, dit-elle sur un ton neutre, mais son cœur s'accélérait malgré ses reproches inexprimés. Ce sera une courbe d'apprentissage vraiment difficile pour moi.

— Laisse-moi t'aider. Laisse-moi faire tout ce dont tu as besoin.

Il se força à demeurer assis même s'il avait voulu se lever, la prendre dans ses bras et l'enlacer pendant une décennie ou davantage.

— Tu ne devrais avoir rien d'autre à faire que dormir et manger et rester en santé. Je vais m'occuper du reste.

— S'il te plaît, Dominic, dit-elle en avalant avec difficulté. Ralentis. Nous devons d'abord revenir un peu en arrière.

— OK, dit-il en prenant une petite inspiration.

— Melanie a appelé, commença-t-elle en le regardant prendre cette petite inspiration et en voyant ce tressaillement presque invisible.

— Je sais.

— Elle m'a dit que Matt savait pourquoi tu te mariais.

— Oui.

Il allait devoir s'en tenir au minimum dans ses réponses.

— Mais tu ne peux pas me le dire.

Elle joignit ses mains sur ses genoux et se tint tout à coup parfaitement immobile.

— Ou tu ne le veux pas, ajouta-t-elle.

— Non, c'est seulement que je préférerais que tu ne le saches pas.

C'était la conversation la plus angoissante de sa vie. Il ne pouvait pas perdre Kate de nouveau.

— Surtout, dit-il en choisissant soigneusement ses mots, je ne veux pas t'effrayer.

— Peut-être qu'on ne m'effraie pas si facilement.

Il posa ses mains sur ses genoux, les examina pendant un moment avant de lever les yeux.

— Je pense que tu le serais. S'il te plaît, c'est presque terminé. Je sais que c'est un cliché de dire « Fais-moi confiance à ce sujet », poursuivit-il en haussant légèrement une épaule, mais j'aimerais vraiment que tu le fasses, dans ce cas-ci.

— Melanie a dit que tu faisais parfois des affaires avec des personnes louches et Matt aussi. C'est de ça qu'il s'agit ?

Il inclina la tête.

— Dans ton métier, tu vois aussi de la corruption. Des criminels, des voleurs, des arnaqueurs, petits et grands. Matt et moi composons avec la corruption sur le plan personnel, non pas à distance, pas derrière un écran d'ordinateur. Comme tu ne peux pas m'aider en cette matière, tu ne ferais que t'inquiéter inutilement.

Il se laissa aller contre le dossier de son fauteuil, étendit les jambes, fixa un moment ses pieds chaussés de sandales.

— Maintenant que tu es enceinte, dit-il doucement, je veux te protéger encore davantage. Dans deux autres semaines, tout cela disparaîtra. Parle à Melanie. Elle te dira de laisser ce genre de bêtises à Matt et à moi.

— Deux semaines ? C'est certain ?

Elle ne voulait pas éprouver un tel soulagement ou le désirer avec une telle ardeur impuissante, mais son esprit insurgé parla.

« Il veut te protéger, espèce d'idiote. Comment ça pourrait être mauvais ? » se dit-elle.

Elle se sentit mieux, comme si la chevalerie pouvait encore exister, comme si peut-être Dominic avait après tout en lui quelque chose du Prince charmant.

— Alors, dans deux semaines, les choses reviendront à la normale ?

Il la regarda d'un air espiègle.

— Aussi normale qu'elles le sont entre toi et moi, fit-il en souriant. Tu es vraiment quelqu'un de difficile, chérie, et je dis ça comme un grand compliment.

— Alors, je te conseille d'y songer à deux fois si je suis comme ça. Peut-être que tu devrais trouver quelqu'un de plus maniable. Je suis sûre que les candidates ne manquent pas. Tu n'as pas à m'épouser seulement parce que j'attends ton enfant.

« Comme si », pensa-t-il.

— Tu me donnes l'impression que je devrais me mettre à genoux.

Ce fut au tour de Kate de sourire.

— C'est tentant.

— Hé, je ne parle pas de sexe, Katherine. Je suis sérieux à propos de ce mariage.

Et se levant de son fauteuil, il prit le petit sac et le paquet, franchit la distance entre eux, se laissa lentement tomber sur un genou et déposa le sac dans les mains de Kate.

— Ouvre-le, dit-il. S'il te plaît ? ajouta-t-il rapidement parce qu'il avait parlé d'une voix un peu trop rude et que la bouche de Kate s'était plissée en une moue. Désolé. Vraiment. Laisse-moi une chance. C'est la première fois que je fais ça.

— Moi aussi, fit-elle en laissant échapper un soupir.

Pendant quelques moments, seul le son des rubans qui se dénouaient et du papier qui se froissait brisa le silence.

Kate regarda dans le sac et s'immobilisa.

Pourquoi avait-il l'impression de se tenir devant un peloton d'exécution ?

— Choisis, chérie, dit-il d'une voix douce comme si un son trop bruyant pouvait la faire sortir de sa transe. Ou prends-les tous. Je ne savais pas ce que tu aimerais.

Elle demeurait toujours immobile.

Bon Dieu, il pouvait presque entendre la culasse glisser dans les fusils.

— Ne me brise pas le cœur, chérie, murmura-t-il.

Le regard dans ses yeux faillit la faire pleurer. Elle avait devant elle un homme qui ne demandait jamais rien à personne, qui avait surmonté seul tous les obstacles.

Elle mit la main dans le sac, vit les épaules de Dominic se détendre, le vit sourire lentement et sut ce que ça signifiait que d'aimer quelqu'un. Ça signifiait faire disparaître la souffrance d'un jeune garçon, rire devant le sourire d'un homme puissant, fermer les yeux quand il vous touchait parce que vous fondiez à l'intérieur. Ou le voir aligner de petites boîtes sur vos jambes de pyjama en prenant chacune et en la lui tendant. Elle sourit faiblement. Mais même si elle l'aimait de tout son cœur, elle ne put s'empêcher de dire :

— C'est trop, Dominic.

— Pas vraiment, répliqua-t-il d'un ton désinvolte. J'ai laissé la plupart à la maison.

— Mon Dieu, Dominic.

— Allez, chérie. Si je dois apprendre à être plus ouvert avec toi, tu dois apprendre à composer avec ma fortune. Elle t'appartient aussi. OK ?

Il la fixa des yeux, lui adressa un petit sourire.

— OK ?

Elle prit une inspiration, puis déglutit.

— OK.

— Tu vois, ce n'est pas si facile de changer, n'est-ce pas ? murmura-t-il en commençant à ouvrir les boîtes contenant les anneaux. Mais nous allons y arriver. Allez, chérie.

Il lui frôla la lèvre inférieure du bout de l'index.

— Nous pouvons tout faire, toi et moi.

Elle inclina la tête et fit glisser ses mains sur les siennes.

— Ça doit être en raison du bébé, souffla-t-elle. J'ai envie de pleurer sans arrêt.

— Pleure tout ton soûl. Je vais acheter la compagnie de mouchoirs de papier. Tu n'en manqueras jamais.

Elle éclata de rire.

— Hé, je suis sérieux. Melanie a pleuré pendant toutes ses grossesses. Mais choisis d'abord un anneau, puis je vais te montrer ma lettre d'amour, et ensuite tu pourras pleurer.

Elle le regarda d'un air étonné.

— Tu as écrit une lettre d'amour?

— Ouais.

Puis, il ouvrit chaque boîte, glissa les anneaux aux doigts de Kate, une dizaine, tous sertis d'énormes diamants.

Elle regarda le brillant étalage, réprima son commentaire à propos de la dépense exorbitante et pointa un doigt.

— Celui-là.

Les yeux de Dominic s'illuminèrent de plaisir.

— J'espérais que tu choisisses celui-là. C'est mon préféré aussi.

C'était un diamant solitaire de 40 carats, d'une pureté parfaite, une pierre taillée en émeraude tout juste arrivée sur le marché. Un joyau rare qui n'apparaissait peut-être qu'une fois tous les 10 ans dans les ateliers de taille.

Reprenant les autres anneaux, Dominic les laissa tomber sur une table proche, puis se retourna vers elle. Prenant sa main dans la sienne, il dit d'une voix cérémonieuse, mais avec son habituel sourire renversant :

— Me feriez-vous l'honneur de m'épouser, Mlle Hart?

Pendant une seconde Kate se sentit bouleversée par l'importance de la question et la crainte plus petite qu'elle aime trop cet homme. Qu'il était trop facile à aimer, non pas seulement d'elle, mais de toutes les femmes.

Bien loin de remettre en question ses sentiments, Dominic porta une main à son oreille et sourit.

Une grande inspiration, un sourire d'acquiescement.

— Oui, répondit Kate.

Se penchant vers l'avant, Dominic appuya son front contre celui de Kate et murmura :

— Merci.

— Pas de quoi, répondit-elle tout aussi doucement.

— Tout le plaisir est pour moi, chérie.

Il prit doucement son visage entre ses mains, puis s'assit sur ses talons, saisit le petit paquet et le déposa sur les genoux de Kate.

— Jettes-y seulement un coup d'œil pour voir ce que tu en penses.

Il la regarda déballer le paquet avec une agitation inhabituelle.

— Tu peux déchirer le papier, dit-il en se mettant à le faire.

Écartant l'emballage, il hocha la tête vers la petite boîte.

— Ça ? dit-elle d'un ton moqueur.

Il haussa très légèrement les sourcils.

— Tu cherches à avoir une fessée ?

— Peut-être.

— Et je vais peut-être t'en donner une si tu ouvres ça.

— Comment une fille peut-elle refuser ?

— Sans blague.

Elle lui assena un coup de poing.

— Je ne parlais que de toi, bien sûr.

— Tu fais mieux.

Mais elle souriait aussi, jusqu'à ce qu'une seconde plus tard elle ouvre le couvercle de la boîte et que ses yeux se remplissent de larmes. Il y avait à l'intérieur une minuscule gigoteuse, blanche, dispendieuse et terriblement belle. Elle la souleva dans les airs et renifla.

— Comment as-tu pensé à ça ?

— Comment j'aurais pu m'en empêcher ? Je ne pense qu'à ça. Toi, moi, un bébé, un bonheur inimaginable.

Il tendit la main pour essuyer les larmes sur ses joues.

— Je suis heureux que tu l'aimes. J'ai tout acheté ce qu'ils avaient qui n'était ni bleu ni rose. J'apporterai le reste plus tard.

— Tu dois avoir fait le bonheur d'une boutiquière.

— Peut-être, répondit-il sachant que ça avait été le cas et que ça n'avait rien à voir avec ses achats.

— Pourvu que je *te* rende heureuse, c'est tout ce qui compte pour moi.

Glissant ses mains sous les jambes de Kate, il la souleva sans effort, se redressa et se rassit sur le fauteuil avec elle sur ses genoux.

— Il y a de mignons petits souliers fabriqués en France aussi ; il y en a une paire en cuir vert éclatant. Ils sont unisexes, ajouta-t-il, au cas où. Je n'ai pas de préférence.

— Je croyais que tous les hommes souhaitaient un garçon.

— Ça n'a pas d'importance, à mes yeux. Je veux seulement te rendre heureuse.

— Est-ce pour ça que tu as écrit ta lettre d'amour ? demanda-t-elle d'une voix enjouée, son regard, radieux. Je n'ai jamais reçu de lettre d'amour.

— Alors, nous nous accordons parfaitement parce que je n'en ai jamais écrit une non plus.

Il tira l'enveloppe pliée de sa poche de jeans et la lui tendit.

— Sois indulgente, fit-il en lui adressant un sourire lent, adorable. Je ne suis qu'un amateur.

Elle ouvrit l'enveloppe, en tira une simple feuille, la déplia, l'écriture de Dominic assurée et vigoureuse comme toujours, comme l'homme lui-même.

Il la regarda lire ce qu'il avait écrit dans l'avion et donné à Max quand il n'était pas certain s'il allait survivre à sa rencontre avec Gora. Il avait toujours été fataliste, indifférent, en ce qui concernait l'avenir. C'était la première fois qu'il se souciait de vivre ou de mourir.

Chère Katherine,

Par un acte incroyable du destin, tu es entrée dans ma vie et je me retrouve dans la position improbable d'aimer profondément un autre être humain. Pour la première fois. Pour la toute première fois. Et je suis transi de peur.

Si je ne revenais pas, je veux que tu saches que je t'aime de tout mon cœur, de toute mon âme, en fait, et de tout mon esprit autrefois irrésolu qui a maintenant un but. Avant de te rencontrer, je ne connaissais que la désespérance et maintenant, je connais l'espoir. Tu m'as donné ma vie. Et pour ça et pour un millier d'autres merveilles sans nom, je t'aime.

Tu occupes toujours mes pensées,

Dominic

Elle leva vers lui ses yeux remplis de larmes.

— Tu ne savais vraiment pas si tu allais revenir ?

Il haussa les épaules.

— Un problème avec un de ces personnages louches. Mais la gravité de la situation m'a fait comprendre que tu étais la seule personne au monde qui ait de l'importance pour moi.

Un faible sourire se dessina sur ses lèvres.

— Et maintenant, Junior ou Juniorette s'ajoutent à ma liste. C'est bien d'être deux — il passa sa main sur le léger gonflement du ventre de Kate, puis leva les yeux et lui sourit —, quand il s'agit de composer avec un bébé. Nous allons être heureux; tous les trois. Tu as ma parole.

Elle leva les yeux sur lui en songeant que des miracles se produisaient peut-être, que si on désirait une chose assez ardemment, un esprit bienveillant vous l'accordait.

— Depuis le début, je n'ai jamais rien désiré d'autre que toi.

Il sourit en se souvenant de la lettre écrite par Kate, à Hong Kong.

— Avec certaines réserves.

Elle lui rendit son sourire.

— *Malgré* des réserves.

— J'étais à toi depuis le début, chérie, dit-il tendrement. À un endroit profond, étrange, nouveau, dont je ne connaissais même pas l'existence. Et tu m'as, maintenant, ajouta-t-il avec un sourire rempli d'amour, et pour toujours et pour un million d'années après ça.

— Ne me quitte jamais plus, murmura-t-elle.

— Je ne le ferai jamais, répondit-il en penchant la tête et en soutenant son regard. Je peux t'embrasser, maintenant ? Je te le demande parce que je ne veux pas t'effrayer. J'ai été trop longtemps sans toi.

— Je peux te faire peur à mon tour.

Elle s'immobilisa tout à coup, craignant de tout gâcher.

Il secoua la tête.

— Jamais, chérie. Ça n'arrivera pas.

Il prit tendrement son visage entre ses mains, pencha la tête, puis, avant que leurs lèvres ne se rencontrent, il murmura :

— Cette fois, nous allons réussir. Je te le jure.

Ne manquez pas le prochain tome